KB152223

쉽게 이해하는

POINT 해부생리

지은이 / 의학감수

Yoko Uchida / Hiroshi Ushiro

옮긴이

정나영 / 정준양

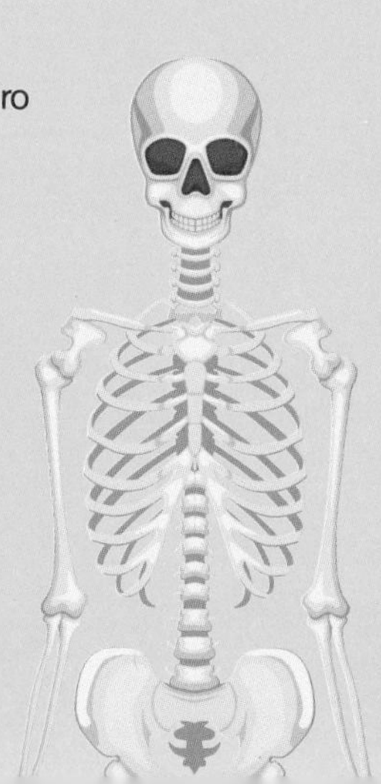

쉽게 이해하는
POINT 해부 생리학

1판 1쇄 발행 | 2020년 2월 28일
1판 2쇄 인쇄 | 2023년 8월 08일
1판 2쇄 발행 | 2023년 8월 23일

저 자 Yoko Uchida
의학감수 Hiroshi Ushiro
역 자 정나영, 정준양
발 행 인 장주연
출판기획 김도성
책임편집 이민지, 김형준
편집디자인 주은미
표지디자인 김재욱
발 행 처 군자출판사(주)
등록 제 4-139호 (1991. 6. 24)
본사 (10881) **파주출판단지** 경기도 파주시 회동길 338(서패동 474-1)
전화 (031) 943-1888 팩스 (031) 955-9545
홈페이지 | www.koonja.co.kr

ISBN 979-11-5955-531-2
정가 25,000원

쉽게 이해하는

POINT 해부생리

● 저자

内田陽子 Yoko Uchida (우치다 요오코)
오카야마적십자간호학교 졸업
도쿄의과치과대학 간호학박사
현재, 군마대학 보건학과 교수

● 감수

宇城啓至 Hiroshi Ushiro (우시로 히로시)
미에현립의과대학 졸업
교토대학 의학박사
현재, 미에현립의과대학 교수

● 역자

정나영
동아대학교 의과대학 의학과 졸
동아대학교 의학박사 해부학전공
현재, 동아대학교 해부학세포생물학교실 교수

정준양
동아대학교 의과대학 의학과 졸
동아대학교 의학박사 생리학전공
현재, 경희대학교 해부학신경생물학교실 교수

머리말

몸은 컴퓨터와 비교도 할 수 없을 정도로 복잡한 구조와 기능을 가지며 상호 연계되어 균형을 유지합니다. 임상 현장에서는 환자를 이해하는 것이 가장 중요하며, 이 이해의 시선은 신체적 · 정신적 · 사회적인 관점의 포괄적인 시점에서부터 좀 더 세분화된 시점까지 다양합니다.

환자가 가진 문제나 어려운 점은 몸의 구조 또는 기능의 균형이 깨지는(질환이나 증상 등)것이 원인인 경우가 많습니다. 따라서, 몸의 구조와 기능에 어떠한 문제가 일어나고 있는가를 연구해보지 않으면 안 됩니다. 이러한 연구를 통해, 환자의 증상 및 징후의 의미를 알게 되고, 결국 질병의 인과관계를 깨닫게 됩니다. 바로 거기에서 질병 치료의 방향성이 보이기 시작합니다. 저는 간호교원이지만 인체의 매력에 끌려 학생때부터 해부생리를 좋아했습니다.

본 〈해부생리포인트북〉의 초판은 기초 해부생리적 지식 뿐 아니라 임상적인 내용을 첨가하여 인체의 해부 및 생리에 대해 가능한 꼼꼼하게 정리하였습니다. 의 · 치의 · 한의 · 간호 · 약사 및 의 · 치의 · 한의 · 간호 · 약학과 학생뿐만 아니라 물리치료사, 임상병리사, 방사선사 등 의료 전 분야에 관련된 지식이 필요한 직업군 및 인체의 질병을 연구하는 생명과학 전 분야에 걸쳐 다방면으로 활용할 수 있습니다. 이번 제 2판에서는 宇城啓至(우시로 히로시) 선생님에게 감수를 부탁해서 좀 더 임상에서 활용할 수 있는 내용을 추가해 업그레이드 했습니다.

임상현장, 실습 및 국시공부 시 두꺼운 해부학 및 생리학책을 들고 다니면서 매번 확인하거나 전자매체를 이용하여 검색할 수는 없습니다. 그때 가벼운 마음으로 이 책을 열어보면 일러스트가 풍부하기 때문에 시간을 들이지 않고도 키포인트를 잡을 수 있습니다. 그리고, 그 후 좀 더 자세한 전문 서적을 차분하게 읽으시면 지금보다도 더 이해가 깊어질 것이라 생각합니다. 부디, 이 책을 통해 의학 지식 습득에 도움이 되었으면 하는 바람입니다.

內田陽子(우치다 요오코)

역자의 말

본 역자가 본과 4학년 2학기 때를 회상해 보면 의사 국가고시 준비를 위해 기출문제집과 군자출판사의 "파워내과"를 가지고 밤새 씨름하던 생각이 납니다. 하지만, 임상과목을 공부하면서 부족한 기초의학 지식, 특히 해부 · 생리를 보충하기 위해, 두꺼운 해부학책과 생리학책을 들고 다니면서, 이리 찾고 저리 찾아가며 "파워"나 기출문제집에 빼곡히 적어 넣었던 생각을 하니 참으로 번거롭고 귀찮기 짝이 없습니다. 그때, 왜 "파워"처럼 간결하게 임상에 쓰이는 해부 · 생리 요약본이 없을까 생각했었는데, 지금 이 좋은 기회에 임상에서 쉽게 적용될 수 있는 해부 · 생리 포인트 요약본을 번역하게 되어서 정말 기쁩니다. 이 요약본은 또한 국가고시 시험뿐만 아니라 의료현장 실습에 임하는 실습생들이 들고 다니면서, 짬나는 시간에 훑어보는데 안성맞춤이라고 생각합니다.

본 포인트 요약본은 의료와 관련 학문(의학, 한의학, 치의학, 간호학, 약학을 포함해서 스포츠학, 물리치료학, 임상병리학, 생명과학 등등)을 전공하는 학생들이 강의시간이나 실습시간에 두꺼운 책을 들고 우왕좌왕하거나, 질문에 답하기 위해서 출처를 알 수없는 인터넷 의학정보를 찾아보는 것이 안타까워서 돕고자 하는 마음으로 시작하게 되었습니다. 이 책의 장점을 몇 가지 들자면 1) 실습, 국가고사 준비, 의 · 치 · 한의대 본과에 올라가기 전 골학(오리엔테이션), 중간/기말고사를 대비하여 짧은 시간에 해부 · 생리를 정리하는 데 도움이 되며 2) 국가고시에서 나오는 한글 명칭에 대비하여 의학용어들을 최신 한글용어로 구성하였고 3) 익숙하지 않은 최신 한글용어에 적응하기 쉽게 수업시간에 배웠던 영어용어와 많이 사용되는 임상 과목의 옛 용어도 병용 표기하였습니다. 또한 4) 책에 나오는 약어를 다시 찾아보는 수고를 덜기 위해 최대한 약어 옆에 full name을 표기하였으며, 5) 원본에는 다루지 않은 내용을 독자의 이해를 돕기 위해 역자의 추가설명 코너를 삽입하여, 더 많은 의학 정보를 전달하기 위해 노력했습니다. 원저가 일본 의학 서적이기 때문에 임상적 내용 및 용어가 일부 우리나라의 실정과 맞지 않는 것들이 있을 수 있겠지만, 해부 · 생리 지식을 임상과 접목하기에는 좋은 예들이 많이 수록되어 있습니다.

현재, 해부 · 생리 지식은 의학 분야를 넘어 다양한 분야에서 필요한 중요한 기초지식입니다. 최근 생명과학 · 화학 · 물리학 및 공학 분야에서까지 인체와 관련된 연구결과들이 쏟아져 나오고 있으며, 이러한 연구 결과들은 결국 의학과 접목되어 질병의 치료, 생명연장, 노화방지 등등 다양한 의료분야에 접목되어 있습니다. 따라서, 본 포인트 요약본을 통해서 의료와 관련된 모든 분야의 학생 · 전문가들이 자신의 학문적 역량을 키우는데 조그마한 도움이 되었으면 합니다.

정 나 영 MD.PhD / **정 준 양** MD.PhD

CONTENTS

※ 이하는 본문 속 타이틀을 표시하고 있습니다.
그림 표 ➡ 본문중 그림(일러스트)나 표 응용 ➡ 임상응용 질환 ➡ 관련질환

4 호흡기계

5 순환기계

6 소화기계

7 뇌신경계

8 내분비계

9 비뇨기계

10 혈액계

11 감각기계

12 생식기계

이 책의 특징과 활용법

- 의료인으로서 〈이것만은 최소한 알아뒀으면 좋겠다〉 인체의 지식에 대해 간결한 문장과 실제 같은 일러스트로 설명하고 있습니다.
- 해부 생리는 배우는 것뿐만 아니라 임상에 활용하는 것이 중요합니다. 검사나 질환, 증상, 치료 등 환자를 돌보는 데 도움이 되는 관련 지식이 가득 들어있습니다.

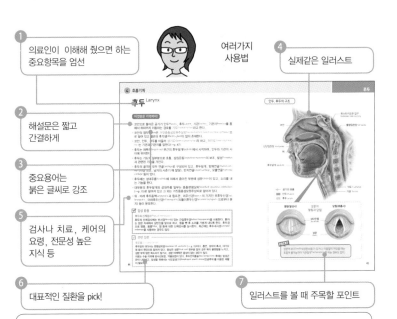

여러가지 사용법

1. 의료인이 이해해 줬으면 하는 중요항목을 엄선
2. 해설문은 짧고 간결하게
3. 중요용어는 붉은 글씨로 강조
4. 실제같은 일러스트
5. 검사나 치료, 케어의 요령, 전문성 높은 지식 등
6. 대표적인 질환을 pick!
7. 일러스트를 볼 때 주목할 포인트

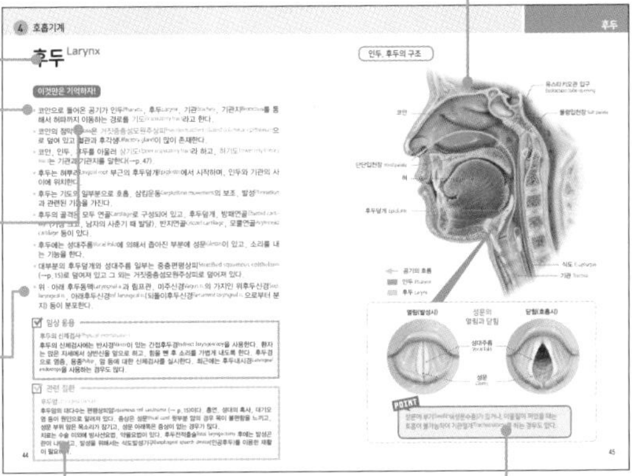

- 인체에 관한 수치나 검사치는 문헌을 참고해 흔히 사용되고 있는 수치를 기본으로 하였습니다.
- 검사기준치는 측정법에 따라 다르거나 각 시설에서 각각 설정된 경우도 많이 있습니다. 이 책을 활용하는 경우 어디까지나 참고할 수치로 이용하세요.
- 이 책에서 소개하고 있는 치료법이나 평가법 등은 저자가 임상예시를 기본으로 설명하고 있습니다. 실천에 더 좋은 방법을 보편화하려고 애쓰고 있지만 만에 하나 기재 내용에 의해 예기치 못한 사태 등이 일어났을 경우, 저자와 출판사는 그 책임을 지지 않는 점을 알려드립니다.

약자 표기

Anterior → Ant.	Posterior → Post.	External → Ext.	Internal → Int.
Superior → Sup.	Inferior → Inf.	Left → Lt.	Right → Rt.
Lateral → Lat.	Medial → Med.	Artery → a.	Vein → v.
Muscle → m.	Ligament → lig.		

몸의 골격

이것만은 기억하자!

- 사람의 주요 골격은, 머리뼈Cranial bone, 척주Vertebral column, 가슴Thorax, 골반Pelvis, 팔뼈Bone of upper limb, 다리뼈Bone of lower limb로 구성되어 있다.
- 머리뼈는 뇌를, 가슴은 심장과 허파를 보호한다.
- 척주는 몸의 기둥이고, 다리뼈는 몸전체를 지탱한다.
- 팔뼈는 생활할 때의 여러 움직임과 관련되어 있다.

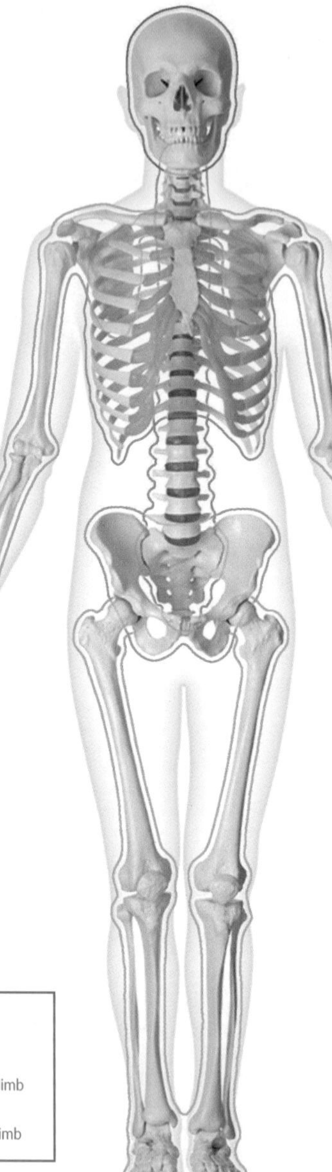

POINT

뼈는 약 200개정도 있으며, 몸통뼈대Axial skelton과 팔다리뼈대Appendicular skeleton(팔, 다리)로 구성된다.

- 몸통뼈대: 머리뼈 +척추뼈 + 갈비뼈
- 팔: 팔이음뼈(빗장뼈 +어깨뼈) + 자유팔뼈
- 다리: 다리이음뼈(볼기뼈) + 자유다리뼈

머리뼈 Cranial bone	골반 Pelvis
척주 Vertebral column	팔뼈 Bone of upper limb
가슴 Thorax	다리뼈 Bone of lower limb

골격계의 구조

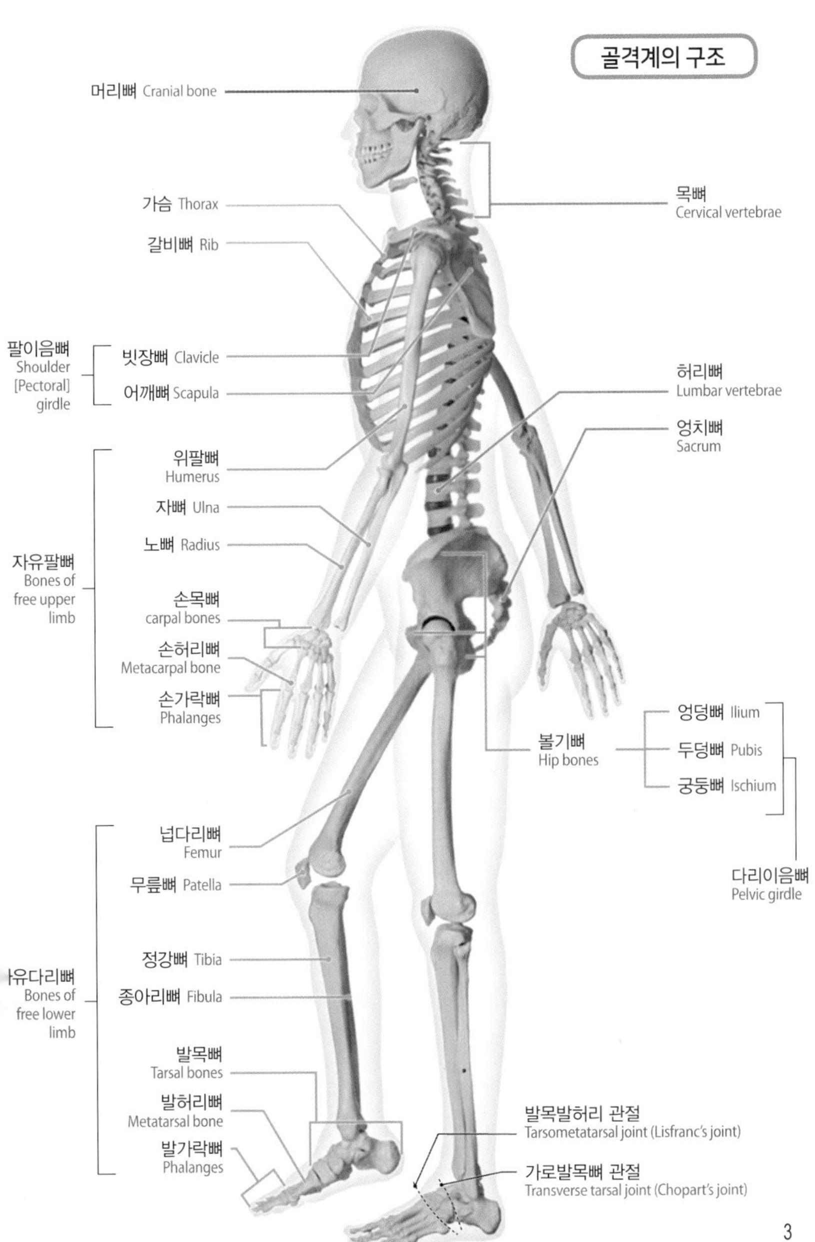

머리뼈 Cranial bone
가슴 Thorax
갈비뼈 Rib
팔이음뼈
Shoulder
[Pectoral]
girdle
빗장뼈 Clavicle
어깨뼈 Scapula
위팔뼈
Humerus
자뼈 Ulna
노뼈 Radius
자유팔뼈
Bones of
free upper
limb
손목뼈
carpal bones
손허리뼈
Metacarpal bone
손가락뼈
Phalanges
넙다리뼈
Femur
무릎뼈 Patella
정강뼈 Tibia
종아리뼈 Fibula
Bones of
free lower
limb
발목뼈
Tarsal bones
발허리뼈
Metatarsal bone
발가락뼈
Phalanges
목뼈
Cervical vertebrae
허리뼈
Lumbar vertebrae
엉치뼈
Sacrum
엉덩뼈 Ilium
두덩뼈 Pubis
궁둥뼈 Ischium
볼기뼈
Hip bones
다리이음뼈
Pelvic girdle
발목발허리 관절
Tarsometatarsal joint (Lisfranc's joint)
가로발목뼈 관절
Transverse tarsal joint (Chopart's joint)

몸의 근육

이것만은 기억하자!

- 몸의 주요 근육의 명칭
  - ① 위치에 의한 명칭: 바깥 · 속갈비사이근Ext.·int. intercostal m., 위팔근Brachialis m., 뒤통수이마근Occiptofrontalis m. 등
  - ② 방향에 의한 명칭: 배바깥 · 배속빗근Ext.·int. oblique abdominal m., 넙다리곧은근Rectus femoris m. 등
  - ③ 모양에 의한 명칭: 어깨세모근Deltoid m., 마름모근Rhomboid m., 넙다리네모근Quadratus femoris m. 등
  - ④ 작용에 의한 명칭: 큰모음근Adductor magnus m., 손뒤침근Supinator m. 등
  - ⑤ 갈래, 힘살의 수에 의한 명칭: 위팔두갈래근Biceps brachii m., 넙다리네갈래근Quadriceps femoris m., 두힘살근Digastric m. 등
- 근육의 양 끝 중 몸통에 가까운 쪽을 이는곳Origin, 먼 쪽을 닿는 곳Insertion이라고 한다. 근육의 이는 곳에서 가까운 부분을 갈래Head, 먼 부분을 꼬리Tail라고 부른다. 중앙의 굵은 부분을 힘살Belly이라고 한다.
- 같은 방향으로 협력하여 작용하는 근육의 관계를 협동근Synergist(예: 위팔근Brachialis m.과 위팔두갈래근Biceps brachii m.), 반대되는 관계를 대항근Antagonist(예: 위팔두갈래근과 위팔세갈래근Triceps brachii m.) 이라고 한다.

임상 응용

근육내주사의 주요 선택부위

근육내주사는, ① 어깨세모근Deltoid m.의 앞부분, ② 가쪽넓은근Vastus lateralis m.의 중심부, ③ 중간볼기근Gluteus medius m. (한 쪽 볼기의 위 · 바깥부분)에 놓는다.

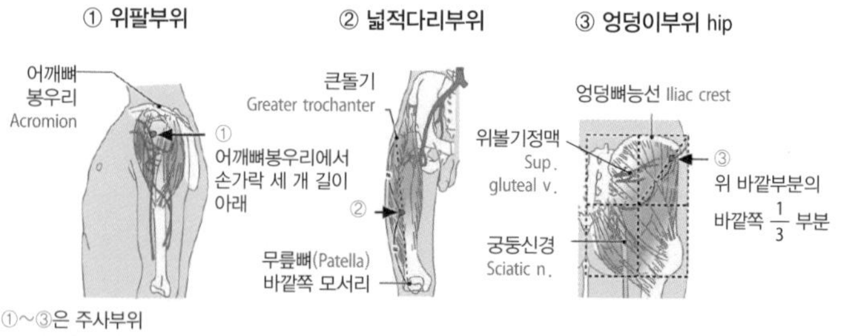

① 위팔부위
어깨뼈봉우리 Acromion
① 어깨뼈봉우리에서 손가락 세 개 길이 아래
② 넓적다리부위
큰돌기 Greater trochanter
②
무릎뼈(Patella) 바깥쪽 모서리
③ 엉덩이부위 hip
엉덩뼈능선 Iliac crest
위볼기정맥 Sup. gluteal v.
궁둥신경 Sciatic n.
③ 위 바깥부분의 바깥쪽 $\frac{1}{3}$ 부분

①~③은 주사부위

앞면

뒤통수이마근의 이마힘살
Frontal belly of occipitofrontalis m.

눈둘레근 Orbicularis oculi m.

관자근 Temporalis m.

깨물근 Masseter m.

자쪽손목굽힘근
Flexor carpi ulnaris m.

긴손바닥근
Palmaris longus m.

입둘레근
Orbicularis oris m.

목빗근
Sternocleidomastoid m.

위팔근
Brachialis m.

위팔두갈래근
Biceps brachii m.

어깨세모근 Deltoid m.

등세모근 Trapezius m.

큰가슴근 Pectoralis major m.

앞톱니근 Serratus ant. m.

배바깥빗근
Ext. oblique abdominal m.

배곧은근
Rectus abdominis m.

샅고랑인대 Inguinal lig.

넙다리빗근 Sartorius m.

넙다리네갈래근
Quadriceps femoris m.

① 넙다리곧은근 Rectus femoris m.,
② 가쪽넓은근 Vastus lateralis m.
중간넓은근 Vastus intermedius m., ※
③ 안쪽넓은근 Vastus medialis m.

※ ①의 뒤쪽에 위치하여 보이지않음

무릎인대 Patellar lig.

앞정강근 Tibialis ant. m.

긴엄지폄근
Extensor hallucis longus m.

폄근지지띠
Extensor retinaculum

뒷면

뒤통수이마근의 뒤통수힘살
Occiptial belly of occipitofrontalis m.

머리널판근 Splenius capitis m.

등세모근 Trapezius m.

어깨세모근 Deltoid m.

가시아래근 Infraspinatus m.

큰원근 Teres major m.

위팔세갈래근 Triceps brachii m.

넓은등근
Latissimus dorsi m.

위팔노근
Brachioradialis m.

배바깥빗근
Ext. oblique abdominal m.

중간볼기근
Gluteus medius m.

큰볼기근 Gluteus maximus m.

큰모음근 Adductor magnus m.

반힘줄근 Semitendinosus m.

넙다리두갈래근
Biceps femoris m.

반막근
Semimembranous m.

두덩정강근 Gracilis m.

장딴지근
Gastrocnemius m.

가자미근
Soleus m.

발꿈치힘줄
Calcaneal tendon

몸의 신경

이것만은 기억하자!

- 뇌와 척수를 중추신경이라고 하고, 몸의 구석구석까지 퍼져있는 말초신경과 서로 연결되어 있다.
- 말초신경은 기능적으로 자율신경Autonomic nervous system과 체성신경(몸신경)Somatic nervous system으로 분류된다.
- 신경계는 온몸에 신경섬유Nerve fiber라고 하는 신경돌기를 뻗어 각 장기와 세포 등에 명령을 전달한다.

신경계의 분류: 위치에 따라

중추신경	• 뇌 { 대뇌Cerebrum 사이뇌Diencephalon(시상Thalamus, 시상하부Hypothalamus) 뇌줄기Brain stem(중간뇌Mid brain, 다리뇌Pons, 숨뇌Medulla oblongata) 소뇌Cerebellum • 척수Spinal cord
말초신경	• 뇌신경(Ⅰ～ⅩⅡ) • 척수신경(C1～8, T1～12, L1～5, S1～5, Co)

신경계의 분류: 기능에 따라

자율신경	• 교감신경계: 심박수증가, 혈압상승 등(몸이 활동상태일 때) • 부교감신경계: 심박수감소, 혈압저하 등(몸이 휴식상태일 때)
체성신경	• 감각신경(구심성신경): 몸의 각 부분에서 중추로 • 운동신경(원심성신경): 중추에서 몸의 각 부분으로

임상 응용

뇌의 손상과 마비

일반적으로 뇌는 경색Infarct이 생기면 반대쪽의 마비가 나타난다.

(예) 왼쪽 대뇌가 심하게 손상되면 오른쪽 반신이 마비(편마비)된다. 운동과 관련된 뇌 부분의 신경섬유가 뇌줄기의 숨뇌에서 교차하여, 반대쪽의 손발을 지배하기 때문이다.

몸의 주요신경

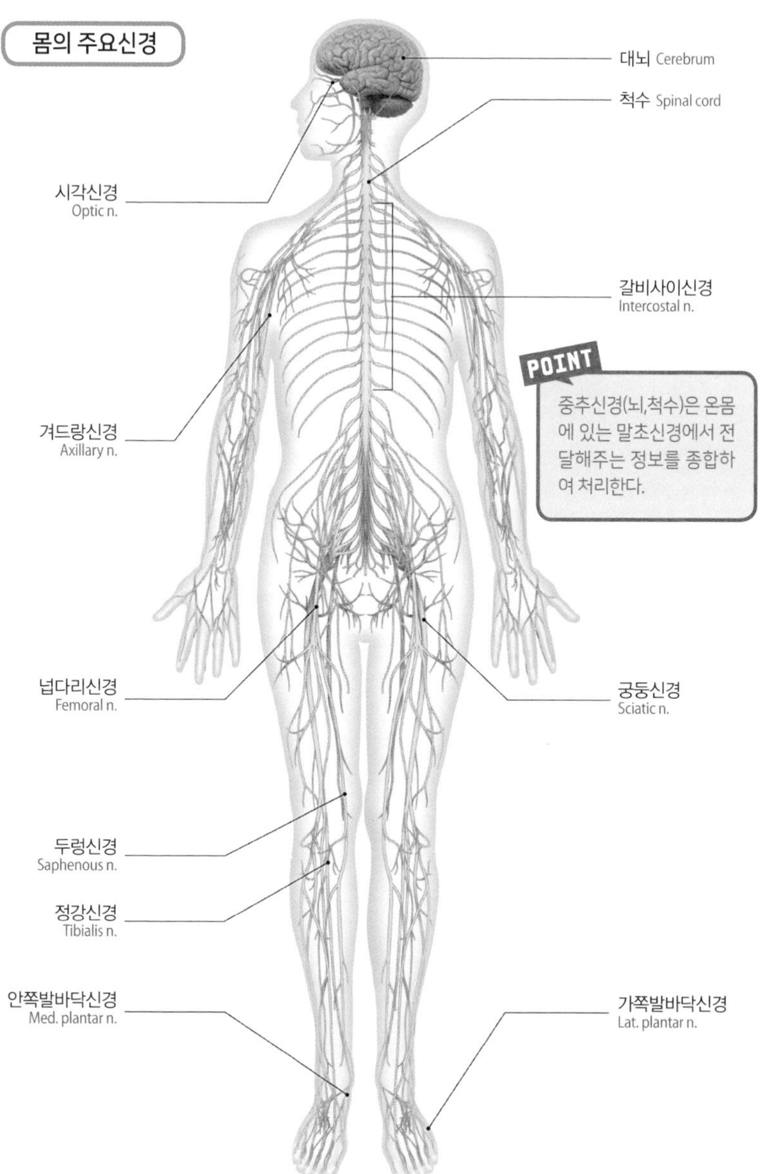
대뇌 Cerebrum
척수 Spinal cord
시각신경
Optic n.
갈비사이신경
Intercostal n.
POINT
중추신경(뇌,척수)은 온몸에 있는 말초신경에서 전달해주는 정보를 종합하여 처리한다.
겨드랑신경
Axillary n.
넙다리신경
Femoral n.
궁둥신경
Sciatic n.
두렁신경
Saphenous n.
정강신경
Tibialis n.
안쪽발바닥신경
Med. plantar n.
가쪽발바닥신경
Lat. plantar n.

몸의 장기

이것만은 기억하자!

- 내장은 몸 안, 특히 가슴안과 배 안에 있는 장기이다.
- 장기는 내장과 체외의 구조물(피부 등)도 포함한다.
- 장기는 소화기계, 순환기계, 호흡기계, 비뇨기계, 생식기계, 내분비계, 감각기계, 신경계, 운동기계 등으로 분류된다.
- 가슴안Thoracic cavity은 가슴Thorax과 가로막Diaphragm에 둘러싸인 공간으로, 허파와 심장이 들어있다. 가슴세로칸Mediastinum은, 좌우의 허파 사이에 있는 공간으로, 심장Heart, 대동맥 Aorta, 대정맥Vena cava, 기관Trachea, 기관지Bronchus가 들어있다.
- 배안Abdominal cavity은 가로막과 배벽Abdominal wall에 둘러싸인 공간으로 위, 작은창자, 큰창자, 간, 지라가 들어있다. 골반안pelvic cavity은 골반의 골반입구Pelvic inlet에서부터 아래쪽, 골반가로막Pelvic diaphragm으로 둘러싸여 있으며, 곧창자, 자궁, 방광이 들어있다. 배 안과 골반 안은 서로 연결되어 있다.
- 머리안Cranial cavity은 머리뼈의 안쪽을 말하고, 뇌실질이 들어있다. 척주관Vertebral canal은 머리 안과 서로 연결되고, 척수가 들어있다.

장기의 분류

소화기계	입Mouth, 인두Pharynx, 식도Esophagus, 위Stomach, 간Liver, 이자Pancreas, 쓸개Gallbladder, 작은창자Small intestine, 큰창자Large intestine, 곧창자Rectum, 항문Anus
순환기계	심장Heart, 혈관Blood vessel, 림프관Lymphatic vessel, 지라Spleen
호흡기계	코Nose, 인두Pharynx, 후두Larynx, 기관Trachea, 허파Lung, 가로막Diaphragm
비뇨기계	콩팥Kidney, 요관Ureter, 방광Bladder, 요도Urethra
생식기계	여성은 질Vagina, 자궁Uterus, 자궁관(난관)Uterine tube, 난소Ovary 등. 남성은 정관Vas deferens, 정낭Seminal vesicle, 전립샘Prostate gland, 사정관Ejaculatory duct 등
내분비계	솔방울샘Pineal gland, 뇌하수체Pituitary gland, 갑상샘Thyroid gland, 부신Adrenal gland, 이자Pancreas, 난소Ovary, 고환Testis
감각기계	눈알Eyeball, 귀Ear, 코Nose, 혀Tongue, 피부Skin
뇌신경계	뇌Brain, 척수Spinal cord, 뇌신경Cranial n., 척수신경Spinal n.
운동기계	뼈Bone, 연골Cartilage, 관절Joint, 골격근Skeletal m., 힘줄Tendon, 인대Ligament

역주 *힘줄 : 근육과 뼈를 연결, 인대 : 뼈와 뼈를 연결

임상 응용

인공장기Artificial organ

장기를 인공적으로 대신할 수 있는 장치에는, 인공심폐Heart-lung machine, 인공신장(투석)Hemodialyzer 등이 있고, 인공적으로 제작된 장기에는 인공혈관, 인공피부, 인공뼈, 인공관절 등이 있다.

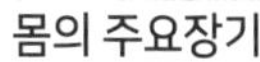

몸의 주요장기

POINT

이자, 샘창자, 부신, 콩팥, 요관, 배대동맥, 아래대정맥은 배 안의 가장 깊숙한곳, 즉 벽쪽복막Parietal peritoneum 과 뒤배벽의 사이에 있고 이를 복막뒤기관Retroperitoneal organ이라고 부른다.

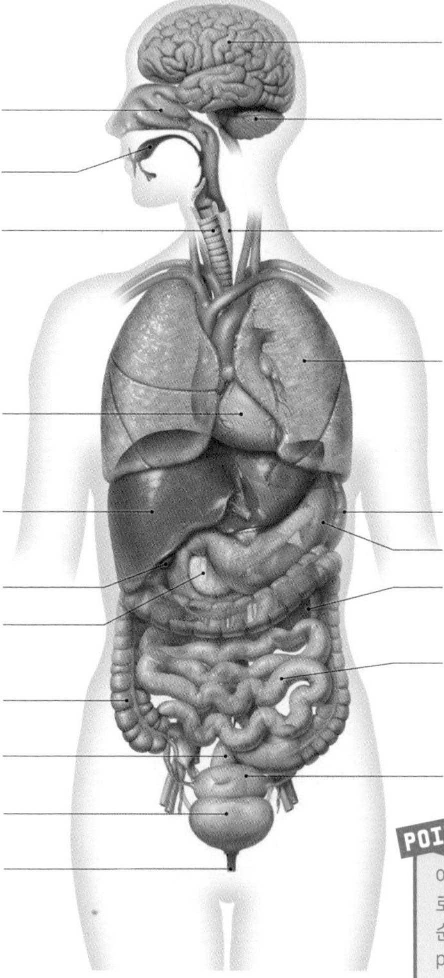

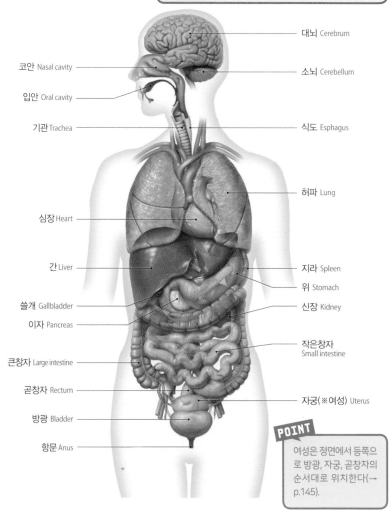

대뇌 Cerebrum
코안 Nasal cavity
소뇌 Cerebellum
입안 Oral cavity
기관 Trachea
식도 Esphagus
허파 Lung
심장 Heart
간 Liver
지라 Spleen
위 Stomach
쓸개 Gallbladder
신장 Kidney
이자 Pancreas
작은창자
Small intestine
큰창자 Large intestine
곧창자 Rectum
자궁(※여성) Uterus
방광 Bladder
항문 Anus

POINT

여성은 정면에서 등쪽으로 방광, 자궁, 곧창자의 순서대로 위치한다(→ p.145).

몸의 동맥·정맥

이것만은 기억하자!

- 온몸의 동맥혈은 왼심실에서 뻗어 나오는 대동맥Aorta을 통해 온몸으로 보내지고, 정맥혈이 되어 위·아래 대정맥Sup.·inf. vena cava을 통해 왼심방으로 되돌아온다.
- 대동맥활Aortic arch에서 팔머리동맥Brachiocephalic trunk, 왼온목동맥Lt. common carotid a., 왼빗장밑동맥Lt. subclavian a.의 순으로 3개의 가지가 나온다. 팔머리동맥은 다시 오른온목동맥Rt. common carotid a.과 오른빗장밑동맥Rt. subclavian a.으로 갈라진다.
- 온목동맥Common carotid a.은 바깥목동맥Ext. carotid a.이 되어 얼굴과 목 등에 분포하고, 속목동맥Int. carotid a.은 머리안에 들어가 중간·앞대뇌동맥Mid.·ant. cerebral a.이 된다. 빗장밑동맥Subclavian a.은 겨드랑동맥Axillary a., 위팔동맥Brachial a., 자동맥Ulnar a., 노동맥Radial a.이 되어 팔에 이어진다.
- 가슴대동맥Thoracic aorta은 좌우 9쌍의 갈비사이동맥Intercostal a.과 기관지동맥Bronchial a., 식도동맥Esophageal a.으로 가지를 낸다. 가슴대동맥은 배 쪽으로 내려가서, 배대동맥Abdominal aorta이 되어 복강동맥Celiac a. (왼위동맥Lt. gastric a., 온간동맥Common hepatic a., 지라동맥Splenic a.으로 갈라짐), 위창자간막동맥Sup. mesenteric a. (샘창자Duodenum, 빈창자Jejunum, 돌창자Ileum, 큰창자Large intestine의 상반부에 혈액공급), 아래창자간막동맥Inf. mesenteric a. (내림잘록창자Descending colon, 구불창자Sigmoid colon, 곧창자Rectum에 혈액공급), 콩팥동맥Renal a., 고환동맥Testicular a.(or 난소동맥Ovarian a.)의 가지가 나온다. 배대동맥은 좌우의 온엉덩동맥Common iliac a.으로 분지되고, 각각 속엉덩동맥Int. iliac a.(골반내장, 외음부, 엉덩이)과 바깥엉덩동맥Ext. common iliac a.으로 분지된다. 바깥엉덩동맥은 넙다리동맥Femoral a., 오금동맥Popliteal a., 앞·뒤정강동맥Ant. post. tibial a.이 되어 다리에 이어진다.
- 정맥은 일반적으로 동맥과 나란히 주행하지만, 다르게 주행하기도 한다. 피부 밑에 있는 피부정맥Cutaneous v.은 동맥의 주행과 다르다. 주요 피부정맥은 노쪽피부정맥Cephalic v., 자쪽피부정맥Basilic v., 팔오금중간정맥Median cubital v. 등이 있다.

임상 응용

채혈부위

정맥채혈은 피부정맥이 적합하지만, 자쪽정중피부정맥Med. basilic v., 팔오금중간정맥Med. cubital v.의 아래에는 정중신경Median n.이 있으므로, 혈관을 관통하지 않도록 해야한다.

혈관과 심장에 삽입하는 카테터

동맥조영술Arteriography은 목, 팔, 손목의 동맥에 카테터를 삽입하여, 뇌의 혈관(척추동맥Vertebral a., 속목동맥Int. carotid a.)과 가슴동맥을 촬영한다. 오른심장의 심장검사에서는 넙다리, 목, 팔의 정맥에 카테터를 삽입하거나 위·아래대정맥을 통해 오른심방에 삽입하여 압력 등을 측정한다.

주요동맥의 주행

※ 동맥은 일부만 기재

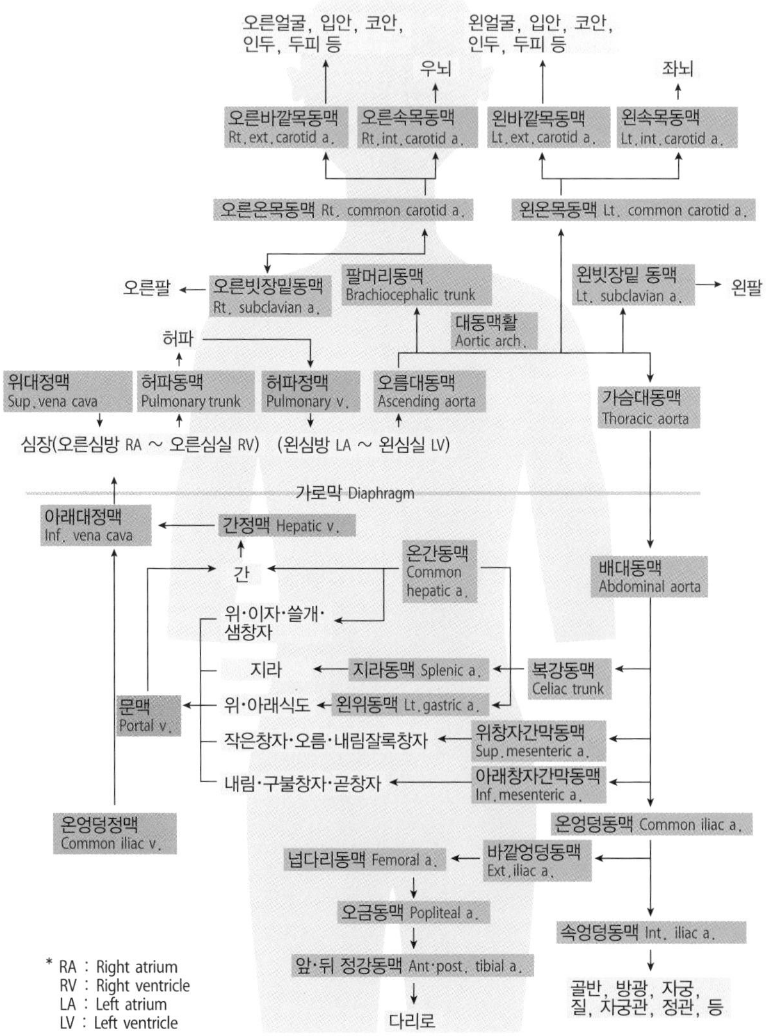

오른얼굴, 입안, 코안, 인두, 두피 등
우뇌
왼얼굴, 입안, 코안, 인두, 두피 등
좌뇌
오른바깥목동맥 Rt. ext. carotid a.
오른속목동맥 Rt. int. carotid a.
왼바깥목동맥 Lt. ext. carotid a.
왼속목동맥 Lt. int. carotid a.
오른온목동맥 Rt. common carotid a.
왼온목동맥 Lt. common carotid a.
오른팔
오른빗장밑동맥 Rt. subclavian a.
팔머리동맥 Brachiocephalic trunk
왼빗장밑 동맥 Lt. subclavian a.
왼팔
대동맥활 Aortic arch.
허파
위대정맥 Sup. vena cava
허파동맥 Pulmonary trunk
허파정맥 Pulmonary v.
오름대동맥 Ascending aorta
가슴대동맥 Thoracic aorta
심장(오른심방 RA ~ 오른심실 RV)
(왼심방 LA ~ 왼심실 LV)
가로막 Diaphragm
아래대정맥 Inf. vena cava
간정맥 Hepatic v.
간
온간동맥 Common hepatic a.
배대동맥 Abdominal aorta
위·이자·쓸개·샘창자
지라
지라동맥 Splenic a.
복강동맥 Celiac trunk
문맥 Portal v.
위·아래식도
왼위동맥 Lt. gastric a.
작은창자·오름·내림잘록창자
위창자간막동맥 Sup. mesenteric a.
내림·구불창자·곧창자
아래창자간막동맥 Inf. mesenteric a.
온엉덩정맥 Common iliac v.
온엉덩동맥 Common iliac a.
넙다리동맥 Femoral a.
바깥엉덩동맥 Ext. iliac a.
오금동맥 Popliteal a.
속엉덩동맥 Int. iliac a.
앞·뒤 정강동맥 Ant·post. tibial a.
골반, 방광, 자궁, 질, 자궁관, 정관, 등
다리로

* RA : Right atrium
RV : Right ventricle
LA : Left atrium
LV : Left ventricle

몸의 주요동맥

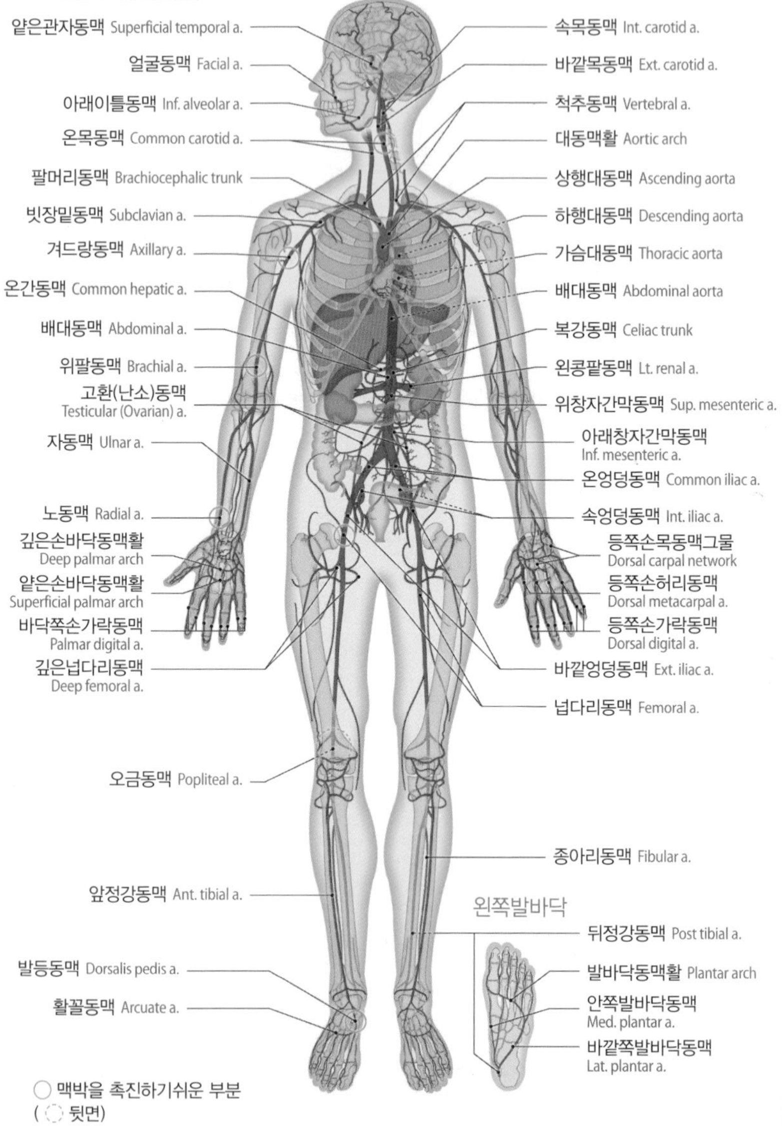

얕은관자동맥 Superficial temporal a.
얼굴동맥 Facial a.
아래이틀동맥 Inf. alveolar a.
온목동맥 Common carotid a.
팔머리동맥 Brachiocephalic trunk
빗장밑동맥 Subclavian a.
겨드랑동맥 Axillary a.
온간동맥 Common hepatic a.
배대동맥 Abdominal a.
위팔동맥 Brachial a.
고환(난소)동맥 Testicular (Ovarian) a.
자동맥 Ulnar a.
노동맥 Radial a.
깊은손바닥동맥활 Deep palmar arch
얕은손바닥동맥활 Superficial palmar arch
바닥쪽손가락동맥 Palmar digital a.
깊은넙다리동맥 Deep femoral a.
오금동맥 Popliteal a.
앞정강동맥 Ant. tibial a.
발등동맥 Dorsalis pedis a.
활꼴동맥 Arcuate a.

속목동맥 Int. carotid a.
바깥목동맥 Ext. carotid a.
척추동맥 Vertebral a.
대동맥활 Aortic arch
상행대동맥 Ascending aorta
하행대동맥 Descending aorta
가슴대동맥 Thoracic aorta
배대동맥 Abdominal aorta
복강동맥 Celiac trunk
왼콩팥동맥 Lt. renal a.
위창자간막동맥 Sup. mesenteric a.
아래창자간막동맥 Inf. mesenteric a.
온엉덩동맥 Common iliac a.
속엉덩동맥 Int. iliac a.
등쪽손목동맥그물 Dorsal carpal network
등쪽손허리동맥 Dorsal metacarpal a.
등쪽손가락동맥 Dorsal digital a.
바깥엉덩동맥 Ext. iliac a.
넙다리동맥 Femoral a.
종아리동맥 Fibular a.

왼쪽발바닥
뒤정강동맥 Post tibial a.
발바닥동맥활 Plantar arch
안쪽발바닥동맥 Med. plantar a.
바깥쪽발바닥동맥 Lat. plantar a.

○ 맥박을 촉진하기쉬운 부분
(◌ 뒷면)

몸의 주요정맥

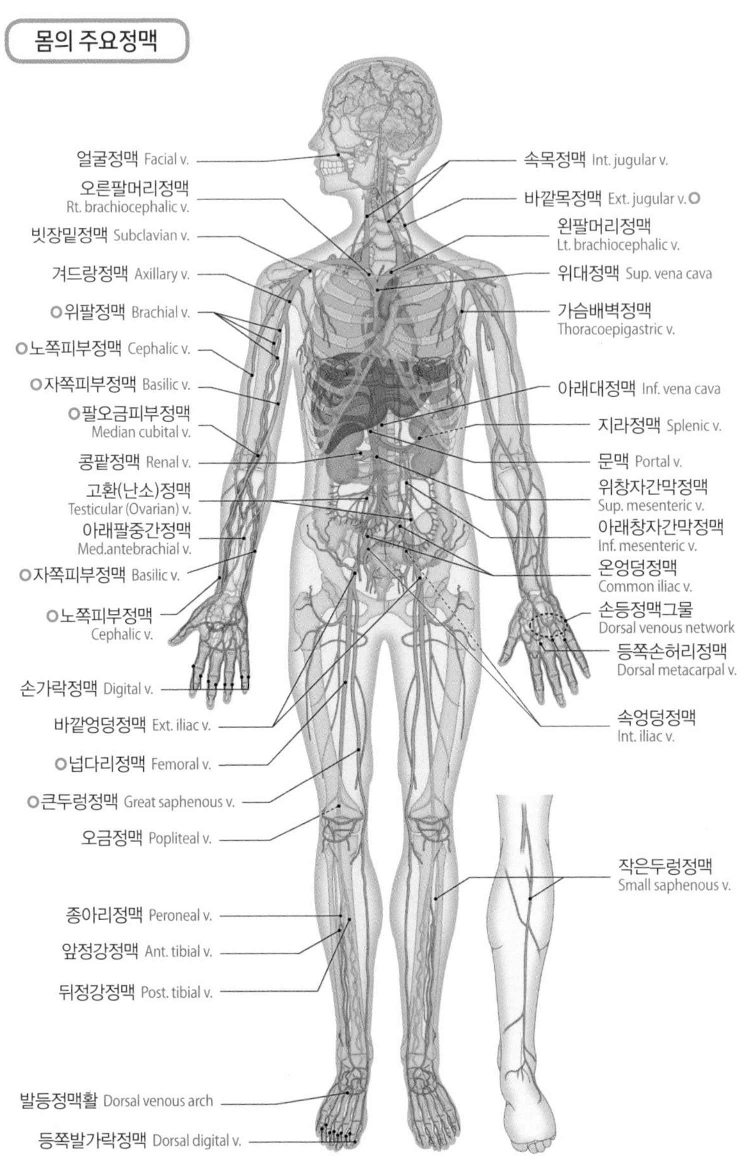
얼굴정맥 Facial v.
오른팔머리정맥
Rt. brachiocephalic v.
빗장밑정맥 Subclavian v.
겨드랑정맥 Axillary v.
위팔정맥 Brachial v.
노쪽피부정맥 Cephalic v.
자쪽피부정맥 Basilic v.
팔오금피부정맥
Median cubital v.
콩팥정맥 Renal v.
고환(난소)정맥
Testicular (Ovarian) v.
아래팔중간정맥
Med.antebrachial v.
자쪽피부정맥 Basilic v.
노쪽피부정맥
Cephalic v.
손가락정맥 Digital v.
바깥엉덩정맥 Ext. iliac v.
넙다리정맥 Femoral v.
큰두렁정맥 Great saphenous v.
오금정맥 Popliteal v.
종아리정맥 Peroneal v.
앞정강정맥 Ant. tibial v.
뒤정강정맥 Post. tibial v.
발등정맥활 Dorsal venous arch
등쪽발가락정맥 Dorsal digital v.
속목정맥 Int. jugular v.
바깥목정맥 Ext. jugular v.
왼팔머리정맥
Lt. brachiocephalic v.
위대정맥 Sup. vena cava
가슴배벽정맥
Thoracoepigastric v.
아래대정맥 Inf. vena cava
지라정맥 Splenic v.
문맥 Portal v.
위창자간막정맥
Sup. mesenteric v.
아래창자간막정맥
Inf. mesenteric v.
온엉덩정맥
Common iliac v.
손등정맥그물
Dorsal venous network
등쪽손허리정맥
Dorsal metacarpal v.
속엉덩정맥
Int. iliac v.
작은두렁정맥
Small saphenous v.

* 폐순환에서만 동맥에 정맥혈, 정맥에 동맥혈이 흐른다!
○ 주요채혈부위

세포 Cell

이것만은 기억하자!

- 세포는 1겹의 세포막Cell membrane으로 둘러싸여 있고, 세포질Cytoplasm(세포소기관 Cell organelle과 세포골격Cytoskeleton을 포함)과 세포핵Nucleus(유전정보를 가짐)을 가진다.
- 세포막은 인지질Phospholipid등의 지질분자와 단백질분자로 이루어진다.
- 세포질에는 세포기질Cell matrix, 세포내소기관(골지체Golgi apparatus, 미토콘드리아 Mitochondria, 중심소체Centriole, 소포체Endoplasmic reticulum, 리보솜Ribosome (RNA 와 단백질로 이루어짐, 단백질 합성에 관여), 리소좀Lysosome)을 포함한다. 미토콘드리아는 ATP (Adenosine triphosphate)를 만들어 낸다.
- 세포핵은 2층의 핵막Nuclear membrane으로 덮여 있다. 핵안에는 유전정보를 가진 DNA (Deoxyribonucleic acid), 핵단백, RNA (Ribonucleic acid)이 포함된다. DNA가 RNA로 전사Transcription되면 RNA는 전령 RNA (messenger RNA : mRNA)에 의해, 리보솜에서 번역Translation되어 유전자에 기록된 단백질을 합성한다. 이 번역과정에서 아미노산을 공급하는 것은 운반 RNA (transfer RNA : tRNA)이다.

세포의 일반적 구조

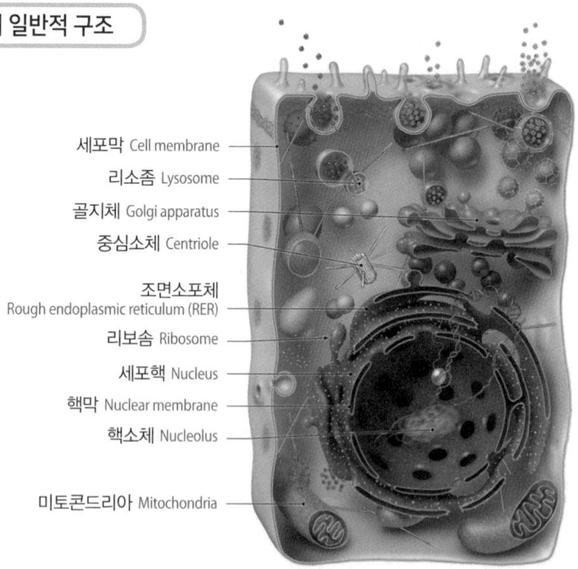

세포막 Cell membrane
리소좀 Lysosome
골지체 Golgi apparatus
중심소체 Centriole
조면소포체
Rough endoplasmic reticulum (RER)
리보솜 Ribosome
세포핵 Nucleus
핵막 Nuclear membrane
핵소체 Nucleolus
미토콘드리아 Mitochondria

상피조직 Epithelial tissue

이것만은 기억하자!

- 조직은 비슷한 세포들이 모인 것(세포사이 물질Intercellular substance, 기질Matrix 등도 포함)으로, 상피조직, 지지조직(→p.16), 근육조직(→p.18), 신경조직(→p.20)으로 분류된다.
- 상피조직은 몸의 표면과 속빈장기Hollow organ의 내강Lumen면을 덮는 조직이다. 단층편평상피Simple squamous epithelium는 1층의 세포층으로 되어 있어 물질이 통과하기 쉽다. 중층편평상피Stratified squamous epithelium는 2층 이상의 세포층으로 이루어져 있어 물리적 힘에 강하다.
- 바닥막Basement membrane은 상피조직의 특징으로, 지지조직의 사이에 있는 특수한 막이다. 바닥막 위에 상피조직(세포)이 얹어져, 막의 아래쪽 지지조직과 구분된다.

상피조직의 종류

1) 편평상피Squamous epithelium

편평한 모양으로 된 세포가 한 줄로 길게 늘어서 있다. 중층편평상피는, 외부자극에 쉽게 노출되는 부분에 있으며 내부 구조물을 지키는 기능이 있다.

단층편평상피 허파꽈리, 복막(배막), 혈관 등

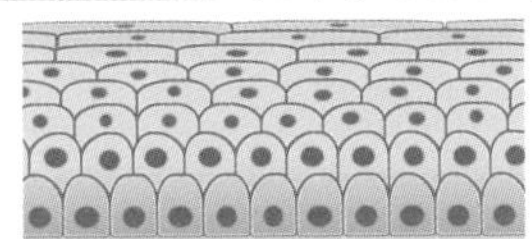

중층편평상피 입안이나 식도, 질의 점막등. 피부는 각질중층편평상피Keratinized stratified squamous epithelium

2) 원주상피Columnar epithelium

원주 모양을 한 세포가 나란히 줄지어 있어, 점액의 분비와 흡수에 효율적이다. 위와 장의 점막 등. 키가 작은 것은 입방상피Cuboidal epithelium라고 한다.

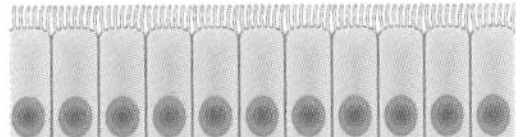

3) 섬모상피Ciliated epithelium

원주상피에 섬모cilia가 있는 것. 섬모의 움직임으로 표면의 점액 등을 운반한다. 기관, 기관지, 정관, 자궁관 등

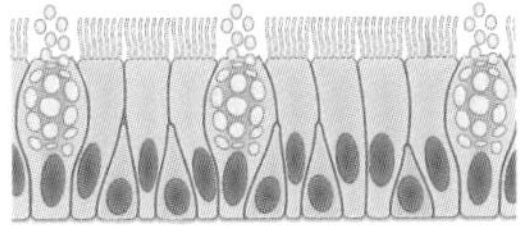

4) 이행상피Transitional epithelium

모양이 변화하고, 늘어날 수 있는(신축성) 세포이다. 방광과 요관 등 요로계의 상피

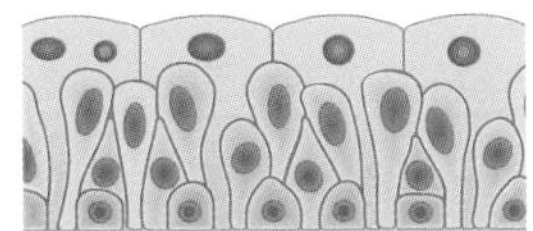

관련 질환

편평상피암Squamous cell carcinoma

편평상피에서 유래된 악성종양이다. 대표적인 것은 피부에 생기는 가시세포암Spino-cellular carcinoma (prickle cell carcinoma) (자외선, 방사선, 비소, 화상흉터 등이 원인), 허파편평상피암(흡연과 관계있고, 허파문Pulmonary hilum 에 발병하기 쉽다) 이 있다.

지지조직 Supporting tissue

이것만은 기억하자!

- 결합조직Connective tissue, 연골조직Cartilage tissue, 뼈조직Osseous tissue, 혈액, 림프Lymph를 총칭하여 지지조직이라고 말한다.
- 지지조직은 섬유모양의 단백질(콜라겐Collagen, 엘라스틴Elastin 등)이 풍부한 다량의 세포외기질Extracellular matrix을 포함한다. 몸이 강인함과 신축성을 갖게 하며 물리적으로 지지한다.
- 연골조직은 연골세포Chondrocyte와 연골기질Cartilage matrix 등으로 이루어진다. 연골조직에는 혈관, 림프관, 신경이 없다.

지지조직

섬유성결합조직 Dense connective tissue	• 대부분 아교섬유Collagen fiber가 밀집해 있다. • 근막Fascia, 인대Ligament, 힘줄Tendon 등의 강한 조직에서 볼 수 있다.
성긴아교결합조직 Loose connective tissue	• 섬유 사이에 틈이 있다. 간질액Interstitial fluid을 포함한다. • 피부밑, 점막밑에서 볼 수 있다.
지방조직 Adipose tissue	• 성긴아교결합조직중에 다량의 지방조직이 있다. • 부위에 따라 피부밑지방Subcutaneous fat, 내장지방Visceral fat으로 부른다.

연골조직

유리연골 Hyaline cartilage	• 반투명으로 딱딱하다. • 갈비연골Costal cartilage, 관절연골Articular cartilage, 기관연골Tracheal cartilage
탄성연골 Elastic cartilage	• 노란색으로 불투명 • 귓바퀴Auricle와 코연골Nasal cartilage이 해당
섬유연골 Fibrous cartilage	• 구부러지기 쉽고 강하다. • 척추사이원반Intervertebral disc, 두덩결합Pubic symphysis

지지조직은 다른 조직과 장기의 사이를 메워 그들을 지지하고 보호한다.

몸 안의 막

이것만은 기억하자!

- 몸의 표면과 장기의 내강면을 덮은 세포층을 상피조직이라고 한다(→p.15). 상피조직의 특성에 따라 점막Mucosa과 장막Serosa으로 분류한다.
- 점막은 몸 바깥으로 이어진 장기(호흡기, 소화기, 비뇨기, 생식기)의 내강을 덮는 막으로, 점액을 분비하여, 표면을 축축하게 해 내강면을 보호한다.
- 장막은 체강Body cavity(배안 등)과 내부장기의 표면을 덮는 막으로, 가슴막Pleura, 복막Peritoneum, 심장막Pericardium이 있다. 끈기가 없는 장액을 분비하여, 장기가 마찰 없이 움직일 수 있게 한다.
- 결합조직성 막Connetctive tissue membrane에는 상피조직이 없고, 뼈의 외표면을 덮는 뼈막Periosteum이 있다. 관절주머니Joint capsule 안쪽의 윤활막Synovial membrane에서 윤활액Synovial fluid이 분비되어 관절의 운동성을 돕는다.

임상 응용

배안의 장막(복막)

배안과 골반안의 안쪽과 배안 장기의 바깥쪽을 덮는 장막을 복막이라고 한다. 저단백혈증Hypoproteinemia 또는 암이나 감염이 있을 때 삼출액Exudate이 증가하여 복막안Peritoneal cavity에 복수Ascites가 차게 된다.

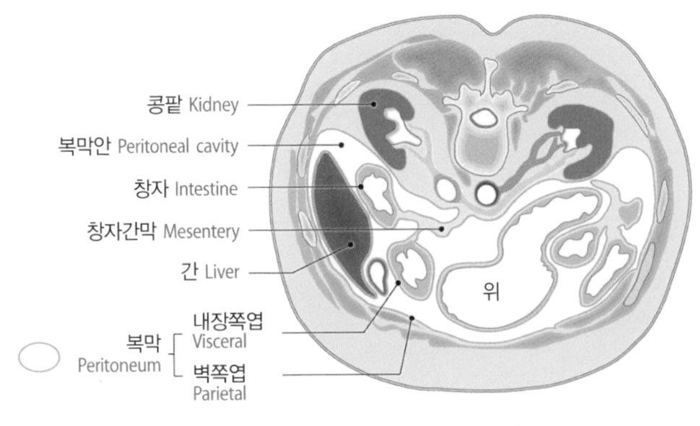
콩팥 Kidney
복막안 Peritoneal cavity
창자 Intestine
창자간막 Mesentery
간 Liver
위
복막 Peritoneum
내장쪽엽 Visceral
벽쪽엽 Parietal

※ 장을 둘러싼 장기쪽의 내장쪽엽, 배벽쪽의 벽쪽엽 표시.

근육조직 Muscular tissue

이것만은 기억하자!

- 근육조직은 액틴Actin과 미오신Myosin 필라멘트를 가진 근육세포로 구성되며, 근수축을 한다.
- 근육과 뼈에 부착하는, 뼈대근육(골격근)Skeletal m.과 심장의 근육에 있는 심장근육Myocardium, 위·장 등의 내장과 혈관의 벽을 형성하는 민무늬근육Smooth m.이 있다.
- 뼈대근육은 자신의 의지에 따라 자유롭게 움직이는 수의근Voluntary m.이다. 심장근육과 민무늬근육은 자신의 의지와 관계없이 움직이는 불수의근Involuntary m.이다.
- 뼈대근육은 현미경으로 볼 때 근섬유에 줄무늬의 가로무늬가 보이기 때문에 가로무늬근육Striated m. (액틴과 미오신이 규칙적으로 배열)이라고 한다.
- 심장근육은 심장벽을 형성한다. 가로무늬근육이지만 불수의근으로, 심장근육의 수축은 심장 자체 내에서 만들어낸다(Self-excitation/contraction).
- 민무늬근육은 소화기, 기관, 방광, 자궁 등의 내장과 혈관의 벽을 형성한다. 가로무늬가 없고(액틴은 있지만 미오신이 적어 가로무늬가 보이지 않음), 불수의근으로 자율신경과 호르몬, 물리적 자극에 의해 수축한다.

근육조직의 종류

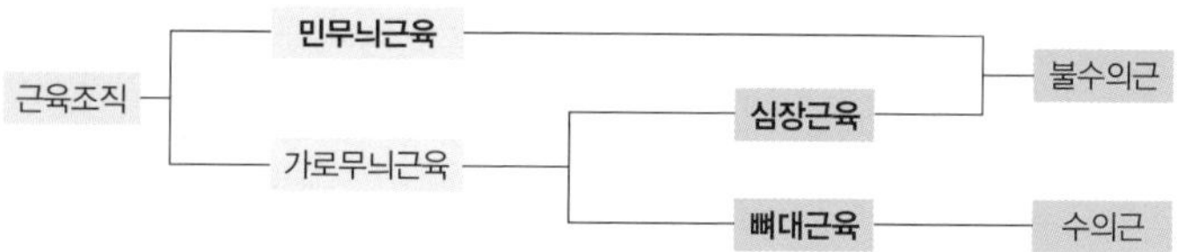
근육조직
민무늬근육
가로무늬근육
심장근육
뼈대근육
불수의근
수의근

임상 응용

불수의근의 자율신경 지배

근육 중, 의지에 의해 움직일 수 있는 것은 뼈대 근육뿐이다. 심장근육과 민무늬근육은 자율신경 등이 지배하고, 교감신경, 부교감신경의 자극에 의해(외부 자극과 환경 변화 등), 움직이는 속도가 변화한다.

심장근육, 민무늬근육, 뼈대근육의 구조

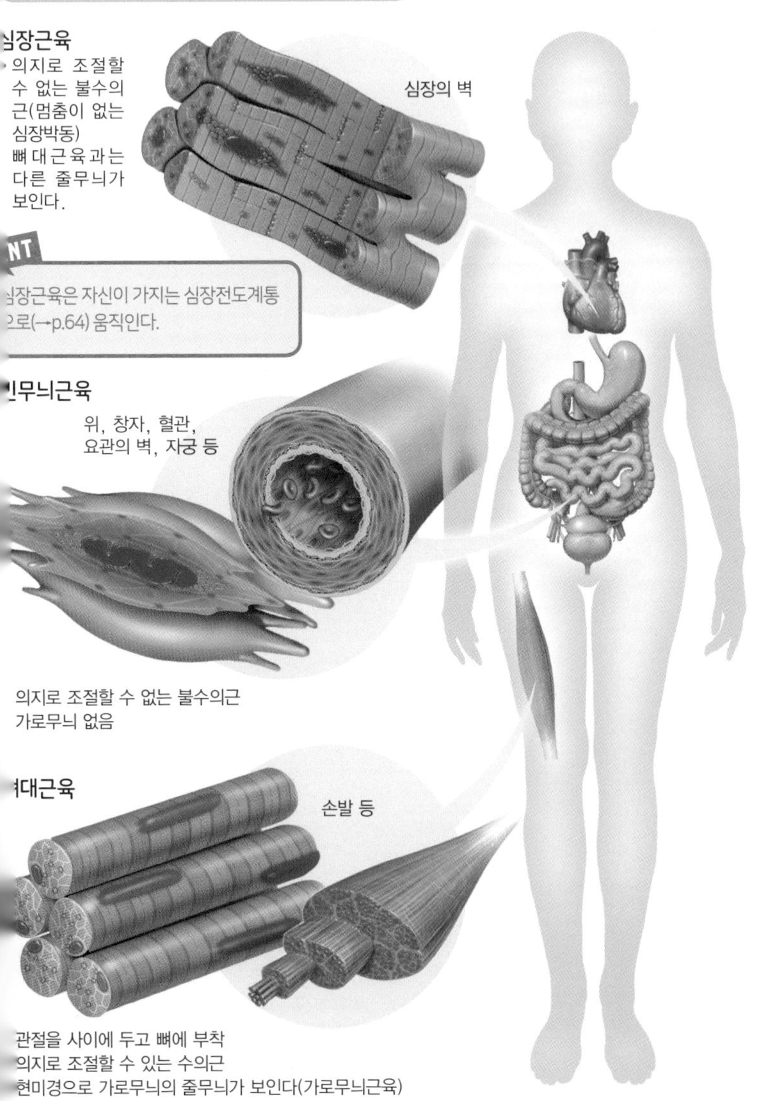
장근육
의지로 조절할 수 없는 불수의근(멈춤이 없는 심장박동)
뼈대근육과는 다른 줄무늬가 보인다.
심장의 벽
NT
심장근육은 자신이 가지는 심장전도계통으로(→p.64) 움직인다.
무늬근육
위, 창자, 혈관, 요관의 벽, 자궁 등
의지로 조절할 수 없는 불수의근
가로무늬 없음
대근육
손발 등
관절을 사이에 두고 뼈에 부착
의지로 조절할 수 있는 수의근
현미경으로 가로무늬의 줄무늬가 보인다(가로무늬근육)

신경조직 Nervous tissue

이것만은 기억하자!

- 신경세포Neuron는 신경세포체Soma와 돌기Process로 이루어진다.
- 신경조직은 신경세포와 그 지지성분인 신경아교세포Neuroglial cell로 이루어진다.
- 세포체에서 가지돌기Dendrite와 축삭Axon이 뻗어 나온다.
- 가지돌기는 세포체에서 주위를 향해 다수의 가지를 뻗는다. 각 돌기는 자극을 받는 역할을 한다.
- 신경세포와 다른신경세포의 접촉부위를 시냅스(연접)Synapse라고 한다.
- 운동신경에는 뇌와 척수의 명령을 근육과 샘gland에 전하는 신경세포가 있어, 뼈대근육을 지배하여, 수축을 일으킨다.
- 말초신경은 신경섬유Nerve fiber의 모임이다.
- 신경섬유는 말이집신경섬유Myelinated nerve fiber와 민말이집신경섬유Unmyelinated nerve fiber로 나뉜다. 말이집신경섬유는 축삭의 주위를 슈반세포Schwann cell(신경아교세포 중 하나)가 싸서, 말이집Myelin을 형성한다.
- 말이집으로 둘러싸이지 않은 부분을 신경섬유마디Node of Ranvier라고 한다. 흥분(활동전위)Action potential은 마디Node에서 마디Node로 도약하듯이 전달된다(도약전도 Saltatory conduction).
- 뇌와 척수에는 말이집을 가지는 말이집신경섬유(전달이 빠름)가 많고, 말이집이 없는 민말이집신경섬유(전달이 느림)는 교감신경과 부교감신경에서 많이 볼 수 있다.

임상 응용

치매의 치료

알츠하이머형치매Dementia of Alzheimers type과 레비소체치매Dementia with Lewy body의 증상에는 도네페질염산염Donepezil HCl (아리셉트®) 이 투여된다. 이 약은 아세틸콜린Acetylcholine을 분해하는 효소인 아세틸콜린에스테라제(AChE) acetylcholinesterase를 가역적으로 억제하고 뇌 안의 아세틸콜린을 증가시켜 뇌 신경계를 활성화한다. 갈란타민브롬화수소산염Galantamine hydrobromide (레미닐®), 리바스티그민Rivastigmine (엑셀론®, 리바스타치®) 도 같은 작용을 한다.

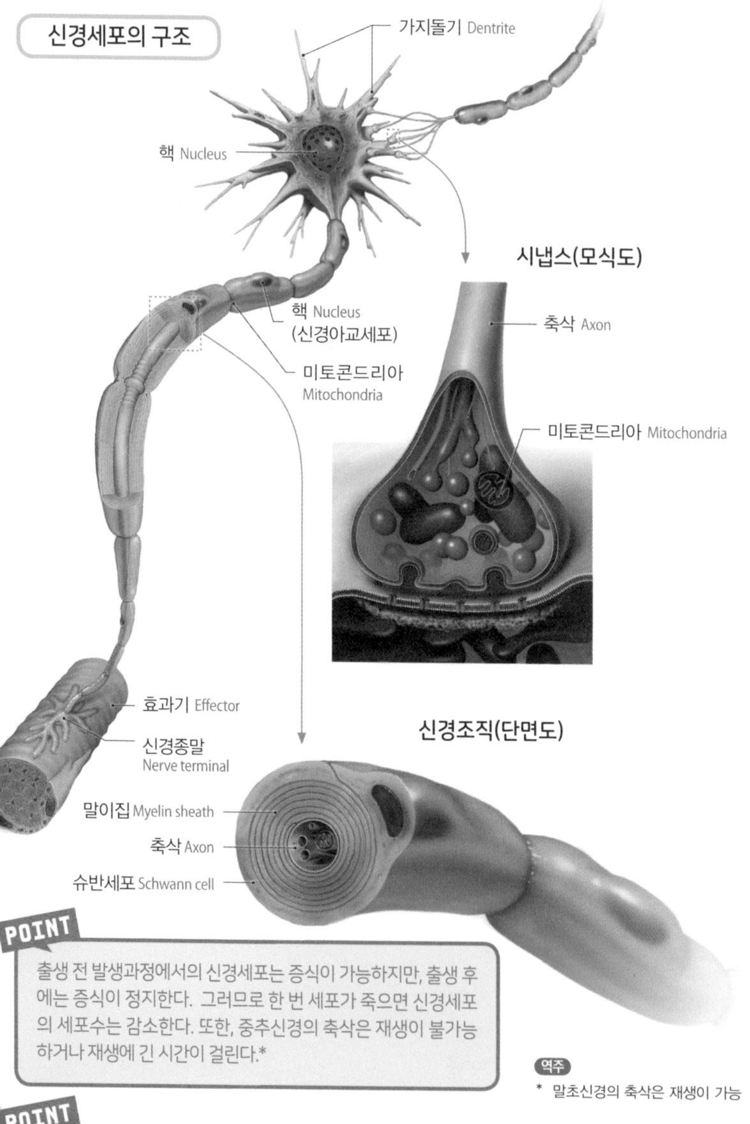
신경세포의 구조
가지돌기 Dentrite
핵 Nucleus
핵 Nucleus
(신경아교세포)
미토콘드리아
Mitochondria
효과기 Effector
신경종말
Nerve terminal
시냅스(모식도)
축삭 Axon
미토콘드리아 Mitochondria
신경조직(단면도)
말이집 Myelin sheath
축삭 Axon
슈반세포 Schwann cell

POINT

출생 전 발생과정에서의 신경세포는 증식이 가능하지만, 출생 후에는 증식이 정지한다. 그러므로 한 번 세포가 죽으면 신경세포의 세포수는 감소한다. 또한, 중추신경의 축삭은 재생이 불가능하거나 재생에 긴 시간이 걸린다.*

역주

* 말초신경의 축삭은 재생이 가능

POINT

신경종말에서 신경전달물질Neurotransmitter이 방출된다. 아세틸콜린Acetylcholine, 카테콜라민Catecholamine, r-아미노부티르산γ-Aminobutyric acid(GABA)등이 있다.

뼈의 조성

이것만은 기억하자!

- 뼈의 표면은 견고한 뼈막Periosteum으로 덮여져 있고, 혈관과 신경이 분포해, 물리적 힘에 의해 골절Fracture이 일어나면 통증이 생긴다.
- 뼈조직은 특수한 결합조직이다. 뼈의 표면은 치밀뼈Compact bone로 딱딱함을 유지하고 내부는 스폰지형태 해면뼈Spongy bone로 골수Bone marrow가 차있다.
- 납작뼈Flat bone의 표면은 치밀뼈, 중앙부는 해면뼈가 많다.
- 성장하면서, 조혈조직Hemopoietic tissue이 지방으로 바뀌어 황색골수Yellow bone marrow가 증가하고, 조혈이 왕성한 적색골수Red bone marrow는 복장뼈Sternum와 엉덩뼈Ilium등에만 남는다.
- 뼈의 20~24%는 수분이다. 그 외는, 인산칼슘Calcium phosphate, 탄산칼슘Calcium carbonate, 인산마그네슘Magnesium phosphate, 유기물(주로 아교섬유Collagen fiber)로 이루어진다.

임상 응용

골수천자Marrow aspiration

골수천자 시 복장뼈, 엉덩뼈 등에서 골수액을 채취하여 조혈기능을 검사한다.

관련 질환

골다공증Osteoporosis

고령자에 많은 골다공증은 골질Ossein의 감소로 뼈의 소실되어, 골절되기 쉽고 낫기 어려운 증상으로 노화현상의 하나이다. 아이의 뼈도 골절되기 쉽지만 유기물이 풍부해 골절돼도 낫기 쉽다.

고령자는 적색골수가 적어져, 조혈기능이 떨어져 빈혈이 되기 쉽다.

뼈조직의 구조

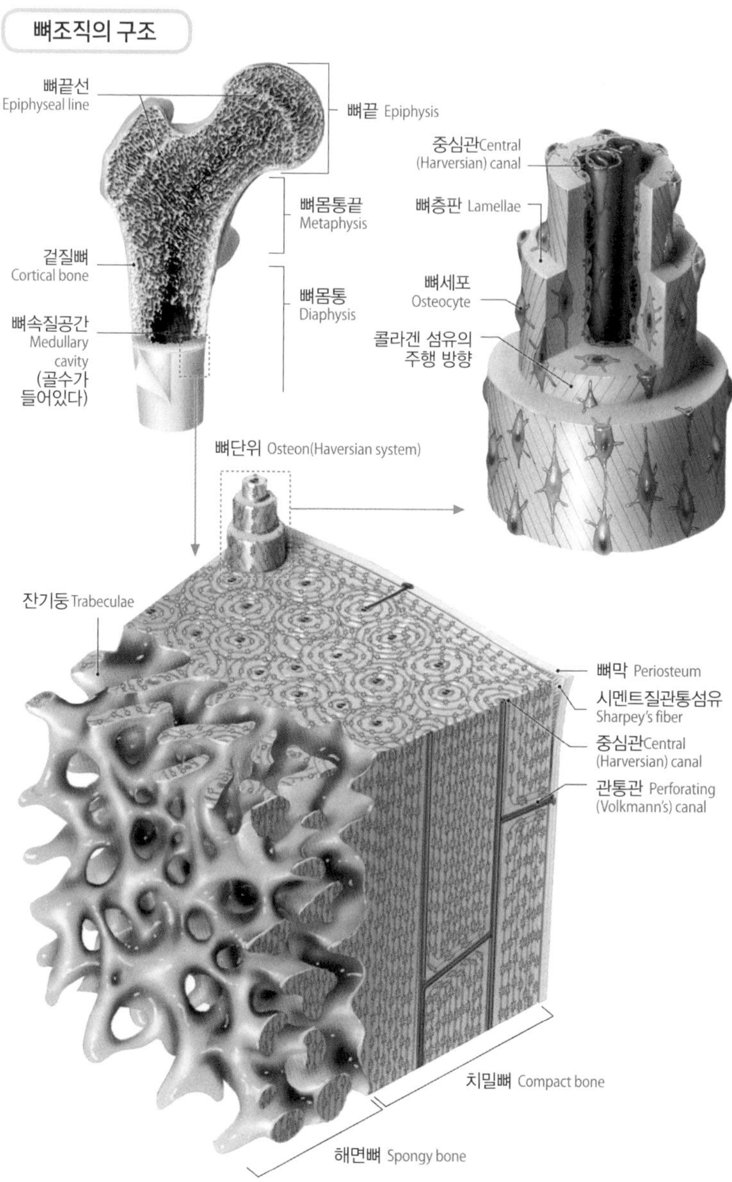
뼈끝선
Epiphyseal line
뼈끝 Epiphysis
뼈몸통끝
Metaphysis
겉질뼈
Cortical bone
뼈몸통
Diaphysis
뼈속질공간
Medullary
cavity
(골수가
들어있다)
중심관Central
(Harversian) canal
뼈층판 Lamellae
뼈세포
Osteocyte
콜라겐 섬유의
주행 방향
뼈단위 Osteon(Haversian system)
잔기둥 Trabeculae
뼈막 Periosteum
시멘트질관통섬유
Sharpey's fiber
중심관Central
(Harversian) canal
관통관 Perforating
(Volkmann's) canal
치밀뼈 Compact bone
해면뼈 Spongy bone

머리뼈Skull

이것만은 기억하자!

- 머리뼈는 뇌가 들어있는 뇌머리뼈Cerebral cranium와 얼굴을 만드는 얼굴머리뼈Facial cranium로 구성된다.
  - 뇌머리뼈: 이마뼈Frontal bone (1개), 마루뼈Parietal bone (2개), 뒤통수뼈Occipital bone (1개), 관자뼈Temporal bone (2개), 나비뼈Sphenoid bone (1개), 벌집뼈Ethmoid bone (1개)
  - 얼굴머리뼈: 코뼈Nasal bone (2개), 보습뼈Vomer (1개), 눈물뼈Lacrimal bone (2개), 아래코선반Inf. nasal concha (2개), 위턱뼈Maxilla (2개), 광대뼈Zygomatic bone (2개), 입천장뼈Palatine bone (2개), 아래턱뼈Mandible (1개), 목뿔뼈Hyoid bone (1개)
- 머리뼈의 연결을 봉합Suture이라고 하고, 시상봉합Sagittal suture은 좌우의 마루뼈 사이, 시옷봉합Lambdoid suture은 마루뼈와 뒤통수뼈 사이, 비늘봉합Squamous suture은 마루뼈와 관자뼈 사이, 관상봉합Coronal suture 은 관자뼈와 마루뼈 사이에 있다.

임상 응용

봉합과 숫구멍Fontanelle

이마뼈와 좌우 마루뼈 사이의 마름모 모양의 융합하지 않은 부분을 앞숫구멍Ant. fontanelle이라 하고, 생후 1년 반에서 2년 전후로 닫힌다. 좌우의 마루뼈와 뒤통수뼈의 사이에 뒤숫구멍Post. fontanelle이 있고 생후 약 6개월에 닫힌다.

폐쇄 시기가 늦어지는 경우에는 발육불량을 의심할 수 있다. 또, 탈수증Dehydration이 되면 각 숫구멍이 함몰된다.

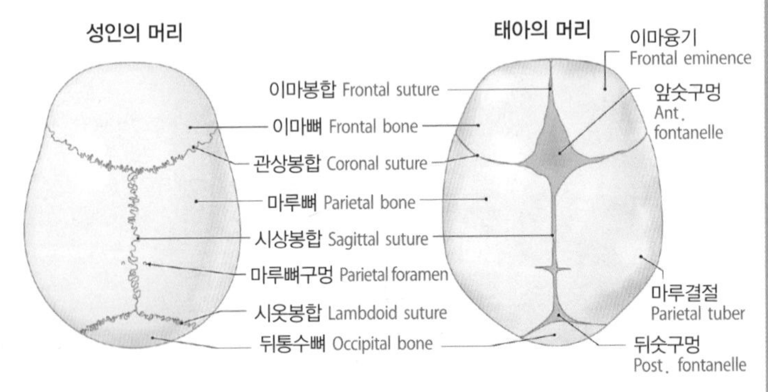
성인의 머리
태아의 머리
이마융기
Frontal eminence
이마봉합 Frontal suture
이마뼈 Frontal bone
앞숫구멍
Ant. fontanelle
관상봉합 Coronal suture
마루뼈 Parietal bone
시상봉합 Sagittal suture
마루뼈구멍 Parietal foramen
마루결절
Parietal tuber
시옷봉합 Lambdoid suture
뒤통수뼈 Occipital bone
뒤숫구멍
Post. fontanelle

머리뼈의 구조

POINT
눈확Orbit은 이마뼈, 위턱뼈, 광대뼈, 벌집뼈, 나비뼈, 눈물뼈, 입천장뼈로 구성

POINT
바깥귓구멍Ext. acoustic pore은 바깥귀길Ext. acoustic meatus로 들어가는 입구

앞면 / 왼쪽면

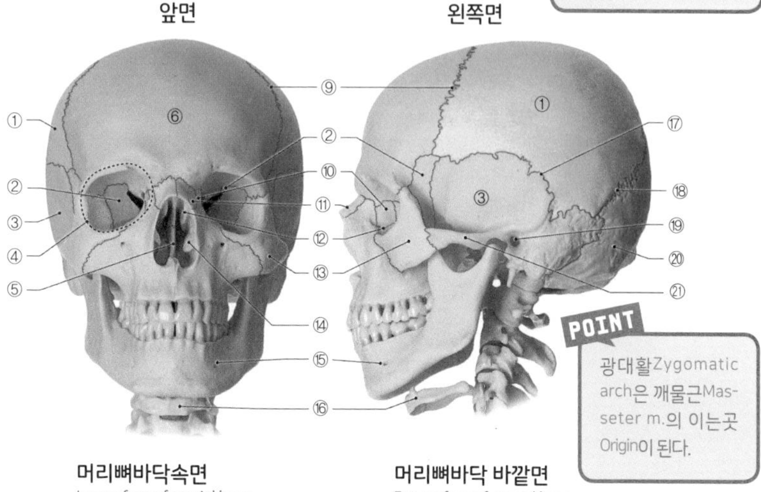

POINT
광대활Zygomatic arch은 깨물근Masseter m.의 이는곳Origin이 된다.

머리뼈바닥속면
Int. surface of cranial base

머리뼈바닥 바깥면
Ext. surface of cranial base

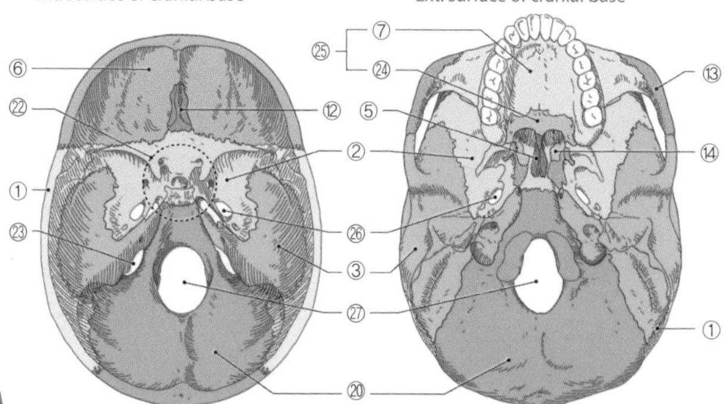

POINT
큰구멍은 척주관에 연속되어 숨뇌, 척추동맥, 더부신경Accessory n.의 척수뿌리Spinal root에 통한다.

① 마루뼈 Parietal bone ② 나비뼈 Sphenoid bone ③ 관자뼈 Temporal bone ④ 눈확 Orbit ⑤ 보습뼈 Vomer ⑥ 이마뼈 Frontal bone ⑦ 위턱뼈 Maxilla ⑧ 아래턱뼈 Mandible ⑨ 관상봉합 Coronal suture ⑩ 눈물뼈 Lacrimal bone ⑪ 코뼈 Nasal bone ⑫ 벌집뼈 Ethmoid bone ⑬ 광대뼈 Zygomatic bone ⑭ 아래코선반 Inferior nasal concha ⑮ 턱끝구멍 Mental foramen ⑯ 목뿔뼈 Hyoid bone ⑰ 비늘봉합 Squamous suture ⑱ 시옷봉합 Lambdoid suture ⑲ 바깥귓구멍 Ext. acoustic pore ⑳ 뒤통수뼈 Occipital bone ㉑ 광대활 Zygomatic arch ㉒ 안장 Sella turcica ㉓ 목정맥구멍 Jugular foramen ㉔ 입천장뼈 Palatine bone ㉕ 단단입천장 Hard palate ㉖ 타원구멍 Foramen ovale ㉗ 큰구멍 Foramen magnum

척주 Vertebral column

이것만은 기억하자!

- 척주는 몸통의 중심축으로서 몸을 지지하고 척수를 보호한다.
- 척주를 구성하는 뼈를 척추뼈Vertebra이라고 한다.
- 목뼈Cervical vertebra (7개)는 머리뼈를 지탱하고 앞굽이(전만)Lordosis를 형성한다. 제1목뼈는 척추뼈몸통Body of vertebra이 없는 고리모양으로 고리뼈Atlas로 불린다. 제2목뼈는 척추뼈몸통의 위에 치아돌기Dens가 있어 중쇠뼈Axis로 불린다.
- 등뼈Thoracic vertebra (12개)는 뒤굽이(후만)Kyphosis를 형성하고, 갈비뼈과 가슴을 구성한다. 허리뼈Lumbar vertebra (5개)는 앞굽이를 만들어 직립보행을 할 수 있게 한다.
- 엉치뼈Sacrum (5개)는 융합하여 엉치뼈가 되고 뒤굽이를 형성하며, 꼬리뼈Coccyx에 연결된다.
- 척추관Vertebral canal에는 뇌척수막Meninge이 둘러싼 척수Spinal cord가 들어있다.

임상 응용

허리천자
Spinal tap, lumbar puncture

환자를 옆누운자세Lateral decubitus position로 유지시켜, L3~L4 또는 L4~L5 사이에 시행한다. 천자의 위치는 능선위면Supracristal plane, Jacoby's line * 위에 있다.

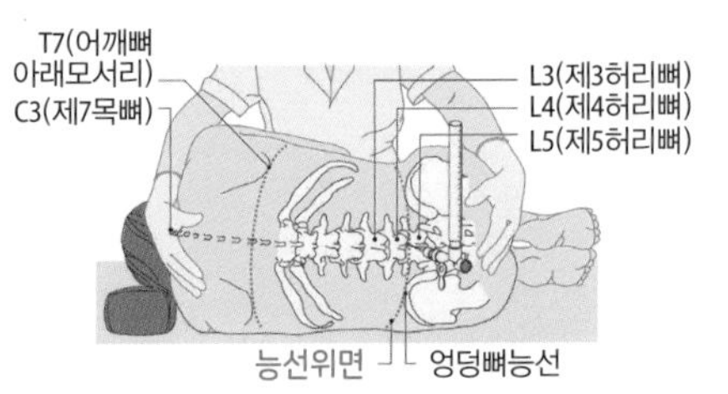
T7(어깨뼈
아래모서리)
C3(제7목뼈)
L3(제3허리뼈)
L4(제4허리뼈)
L5(제5허리뼈)
능선위면
엉덩뼈능선

* 야코비선: 좌우의 엉덩뼈능선Iliac crest의 최고점을 이은선

관련 질환

추간판탈출증Herniated Nucleus Pulposus (HNP)

L4~L5, L5~S1 높이에 호발한다. 척추사이원반이 강하게 압력을 받으면 속질핵이 밖으로 밀려나와 발생한다.

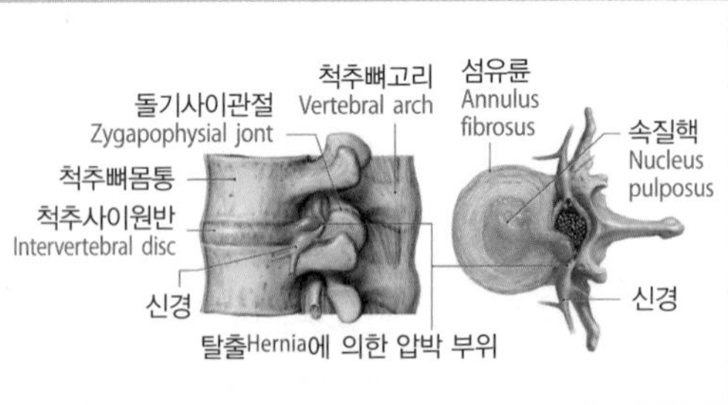
척추뼈고리
Vertebral arch
섬유륜
Annulus
fibrosus
돌기사이관절
Zygapophysial jont
속질핵
Nucleus
pulposus
척추뼈몸통
척추사이원반
Intervertebral disc
신경
신경
탈출Hernia에 의한 압박 부위

척주의 구조

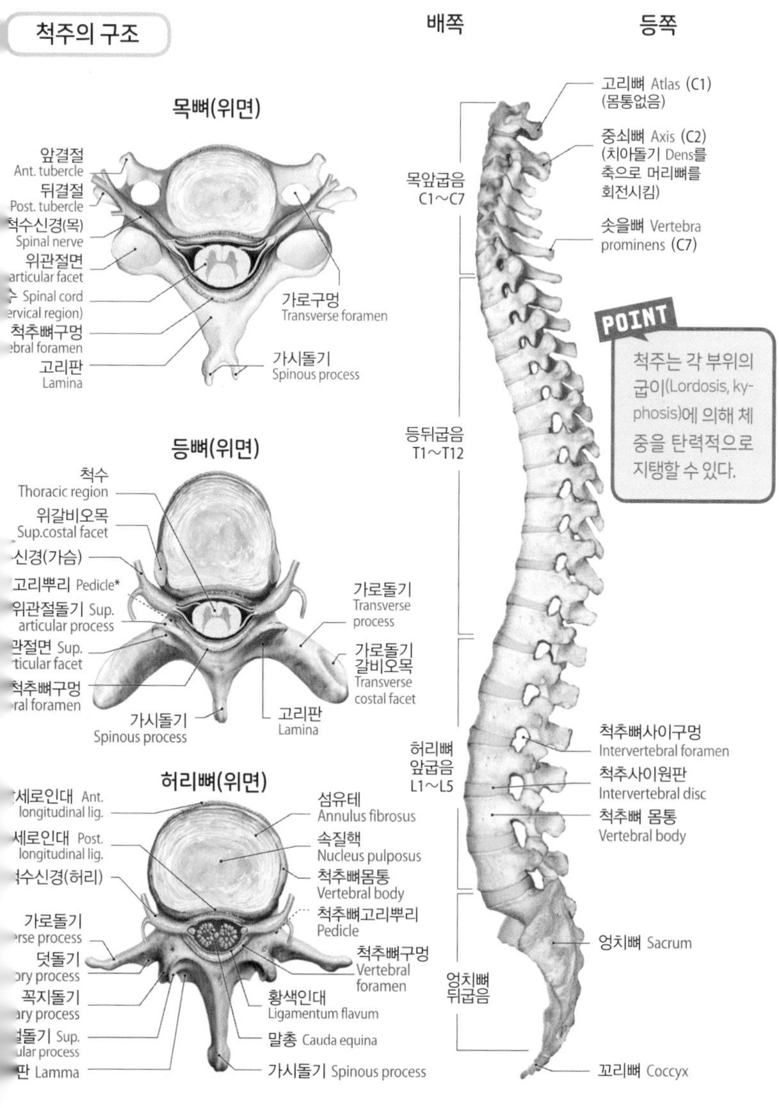
배쪽
등쪽
목뼈(위면)
앞결절
Ant. tubercle
뒤결절
Post. tubercle
척수신경(목)
Spinal nerve
위관절면
articular facet
수 Spinal cord
ervical region)
척추뼈구멍
ebral foramen
고리판
Lamina
가로구멍
Transverse foramen
가시돌기
Spinous process
등뼈(위면)
척수
Thoracic region
위갈비오목
Sup.costal facet
신경(가슴)
고리뿌리 Pedicle*
위관절돌기 Sup.
articular process
관절면 Sup.
ticular facet
척추뼈구멍
ral foramen
가시돌기
Spinous process
고리판
Lamina
가로돌기
Transverse
process
가로돌기
갈비오목
Transverse
costal facet
허리뼈(위면)
세로인대 Ant.
longitudinal lig.
세로인대 Post.
longitudinal lig.
수신경(허리)
가로돌기
rse process
덧돌기
ory process
꼭지돌기
ary process
돌기 Sup.
ular process
판 Lamma
섬유테
Annulus fibrosus
속질핵
Nucleus pulposus
척추뼈몸통
Vertebral body
척추뼈고리뿌리
Pedicle
척추뼈구멍
Vertebral
foramen
황색인대
Ligamentum flavum
말총 Cauda equina
가시돌기 Spinous process
목앞굽음
C1~C7
등뒤굽음
T1~T12
허리뼈
앞굽음
L1~L5
엉치뼈
뒤굽음
고리뼈 Atlas (C1)
(몸통없음)
중쇠뼈 Axis (C2)
(치아돌기 Dens를
축으로 머리뼈를
회전시킴)
솟을뼈 Vertebra
prominens (C7)
POINT
척주는 각 부위의
굽이(Lordosis, ky-
phosis)에 의해 체
중을 탄력적으로
지탱할 수 있다.
척추뼈사이구멍
Intervertebral foramen
척추사이원판
Intervertebral disc
척추뼈 몸통
Vertebral body
엉치뼈 Sacrum
꼬리뼈 Coccyx

척추뼈고리뿌리는 척추뼈 몸통에서 뒤쪽으로 이어져
척추뼈고리의 토대가 되는 부분

가슴Thorax, 골반Pelvis

이것만은 기억하자!

- 가슴Thorax은, 등뼈(12개), 갈비뼈(12쌍) 복장뼈(1개)로 구성된다.
- 골반Pelvis은 좌우의 볼기뼈Hip bone, 엉치뼈Sacrum, 꼬리뼈Coccyx 로 구성된다.
- 볼기뼈는 엉덩뼈Ilium, 두덩뼈Pubic bone, 궁둥뼈Ischium로 된 편평한 뼈이다.

임상 응용

심전도EKG, Electrocardiogram**의 흉부유도**Pericardial leads

갈비뼈는 12쌍이 있다. 심전도를 찍을 때는 빗장뼈를 확인하고 갈비사이를 확인하여 흉부의 전극을 단다.

빗장중간선
Midclavicular line
앞겨드랑선
Ant. axillary line
중간겨드랑선
Midaxillary line

V_1 V_2 V_3 V_4 V_5 V_6

▼12유도심전도의 색과 위치

V_1	적	제4 갈비사이 복장뼈 오른쪽 가장자리
V_2	황	제4갈비사이 복장뼈 왼쪽 가장자리
V_3	녹	V_2 와 V_4의 결합선의 중심점
V_4	갈색	왼빗장중간선과 제5갈비사이를 횡단하는 수평선의 교점
V_5	흑	V_4의 높이의 수평선과 앞겨드랑선과의 교점
V_6	보라	V_4의 높이의 수평선과 중간겨드랑선과의 교점

골수천자Marrow aspiration

바로 누운 자세Supine position로 복장뼈 or 옆 누운 자세로 엉덩뼈의 골수를 채취한다.

가슴천자Thoracentesis

앉은 자세로 갈비뼈와 갈비뼈 사이에 시행한다.

- 공기가슴증Pneumothorax 일 때: 빗장뼈중간선 위쪽의 제2~3갈비사이
- 가슴막삼출액Pleural effusion fluid을 흡인할 때: 중간겨드랑선 위쪽의 제5~7갈비사이

엉치뼈는 5개의 척추뼈가 골반 발생 과정 중 융합된 것이다.

가슴의 구조

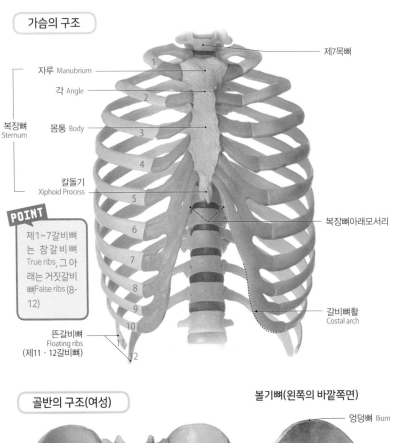

제7목뼈

자루 Manubrium

각 Angle

복장뼈 Sternum

몸통 Body

칼돌기 Xiphoid Process

복장뼈아래모서리

갈비뼈활 Costal arch

뜬갈비뼈 Floating ribs (제11 · 12갈비뼈)

1 2 3 4 5 6 7 8 9 10 11 12

POINT

제1~7갈비뼈는 참갈비뼈 True ribs, 그 아래는 거짓갈비뼈False ribs (8-12)

골반의 구조(여성)

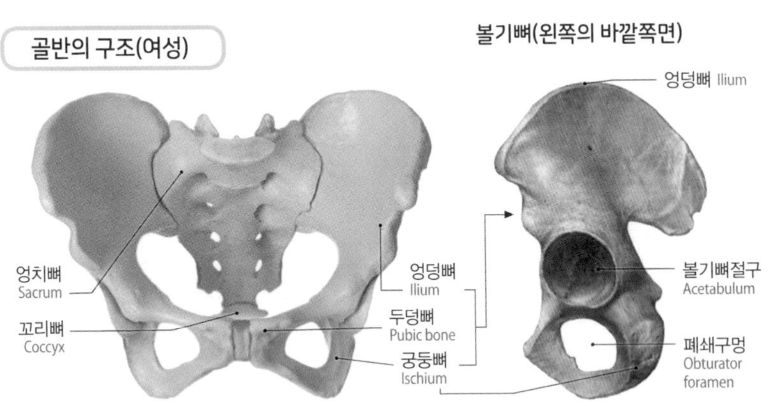
볼기뼈(왼쪽의 바깥쪽면)
엉덩뼈 Ilium
엉치뼈
Sacrum
꼬리뼈
Coccyx
엉덩뼈
Ilium
두덩뼈
Pubic bone
궁둥뼈
Ischium
볼기뼈절구
Acetabulum
폐쇄구멍
Obturator
foramen

팔뼈

이것만은 기억하자!

- 위팔은 손을 조작하기 위해서 운동의 자유도가 크다.

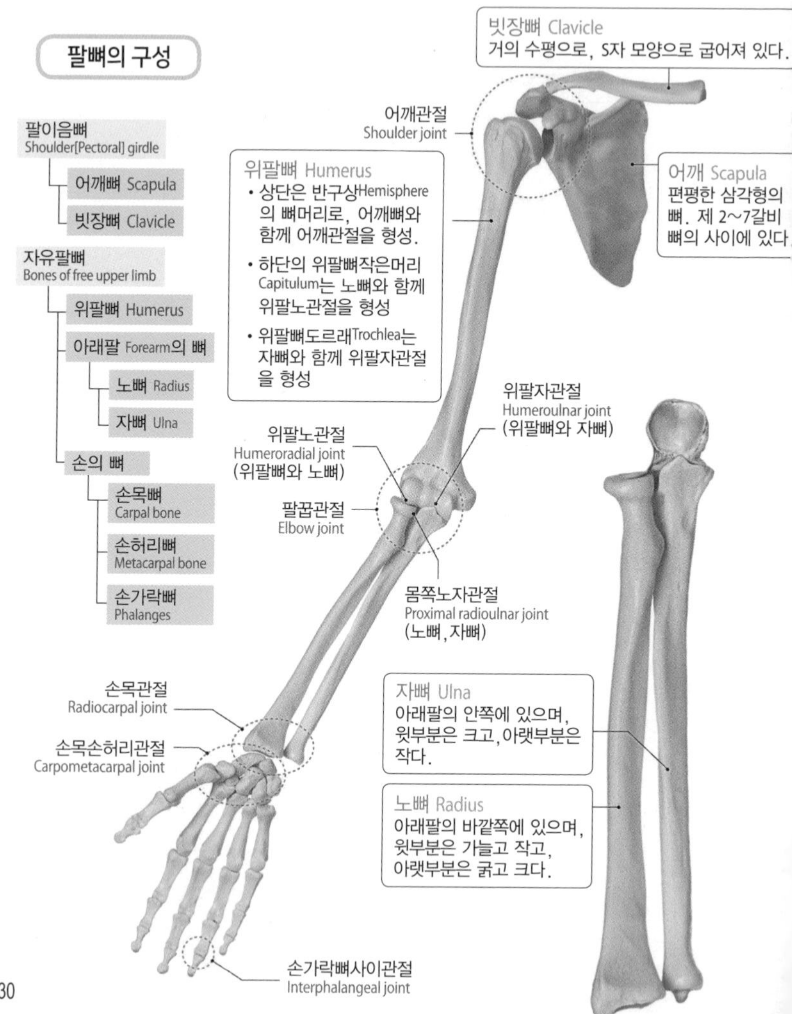
팔뼈의 구성
팔이음뼈
Shoulder[Pectoral] girdle
어깨뼈 Scapula
빗장뼈 Clavicle
자유팔뼈
Bones of free upper limb
위팔뼈 Humerus
아래팔 Forearm의 뼈
노뼈 Radius
자뼈 Ulna
손의 뼈
손목뼈
Carpal bone
손허리뼈
Metacarpal bone
손가락뼈
Phalanges
빗장뼈 Clavicle
거의 수평으로, S자 모양으로 굽어져 있다.
어깨관절
Shoulder joint
위팔뼈 Humerus
• 상단은 반구상Hemisphere의 뼈머리로, 어깨뼈와 함께 어깨관절을 형성.
• 하단의 위팔뼈작은머리Capitulum는 노뼈와 함께 위팔노관절을 형성
• 위팔뼈도르래Trochlea는 자뼈와 함께 위팔자관절을 형성
어깨 Scapula
편평한 삼각형의 뼈. 제 2~7갈비뼈의 사이에 있다.
위팔자관절
Humeroulnar joint
(위팔뼈와 자뼈)
위팔노관절
Humeroradial joint
(위팔뼈와 노뼈)
팔꿉관절
Elbow joint
몸쪽노자관절
Proximal radioulnar joint
(노뼈, 자뼈)
손목관절
Radiocarpal joint
손목손허리관절
Carpometacarpal joint
자뼈 Ulna
아래팔의 안쪽에 있으며, 윗부분은 크고, 아랫부분은 작다.
노뼈 Radius
아래팔의 바깥쪽에 있으며, 윗부분은 가늘고 작고, 아랫부분은 굵고 크다.
손가락뼈사이관절
Interphalangeal joint

어깨관절(앞쪽면)

위팔뼈와 어깨뼈로 형성되는 단순관절(2개의 뼈로 구성). 몸의 관절 중 가장 운동성이 크다.

팔꿉관절(시상면 Sagittal section)

위팔뼈, 자뼈, 노뼈로 형성된 복합관절(3개 이상의 뼈로 구성). 3부분의 관절(위팔자관절, 위팔노관절, 몸쪽노자관절)로 이루어진다.

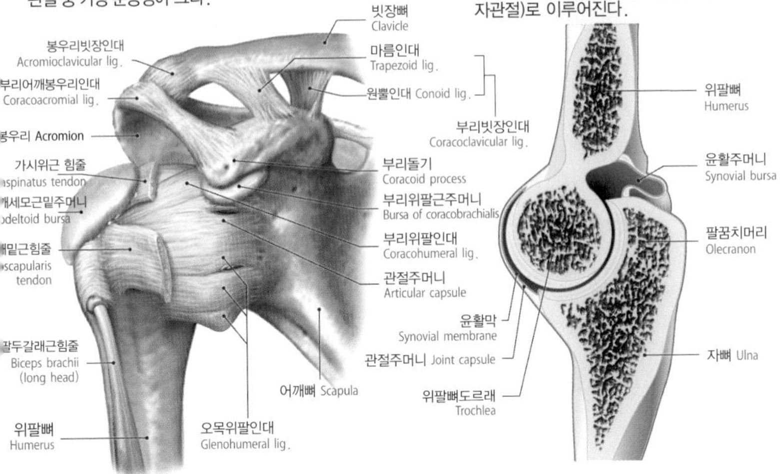
빗장뼈 Clavicle
봉우리빗장인대 Acromioclavicular lig.
마름인대 Trapezoid lig.
부리어깨봉우리인대 Coracoacromial lig.
원뿔인대 Conoid lig.
부리빗장인대 Coracoclavicular lig.
봉우리 Acromion
가시위근 힘줄
spinatus tendon
부리돌기 Coracoid process
세모근밑주머니
deltoid bursa
부리위팔근주머니 Bursa of coracobrachialis
밑근힘줄
scapularis tendon
부리위팔인대 Coracohumeral lig.
관절주머니 Articular capsule
두갈래근힘줄 Biceps brachii (long head)
어깨뼈 Scapula
위팔뼈 Humerus
오목위팔인대 Glenohumeral lig.
위팔뼈 Humerus
윤활주머니 Synovial bursa
팔꿈치머리 Olecranon
윤활막 Synovial membrane
관절주머니 Joint capsule
자뼈 Ulna
위팔뼈도르래 Trochlea

손의 뼈 (오른손, 손등면)

손목뼈는 세열의 8개의 짧은뼈Short bone가 4개씩 2열로 배치되어 있다. 제1열의 발배뼈, 반달뼈, 세모뼈는 노뼈와 함께 손목관절을 형성한다.

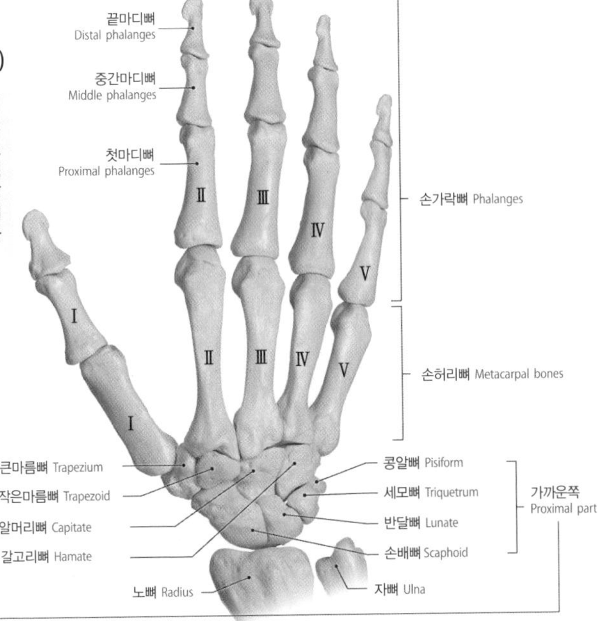
끝마디뼈 Distal phalanges
중간마디뼈 Middle phalanges
첫마디뼈 Proximal phalanges
손가락뼈 Phalanges
I
II
III
IV
V
손허리뼈 Metacarpal bones
큰마름뼈 Trapezium
작은마름뼈 Trapezoid
알머리뼈 Capitate
갈고리뼈 Hamate
먼쪽 Distal part
콩알뼈 Pisiform
세모뼈 Triquetrum
반달뼈 Lunate
손배뼈 Scaphoid
가까운쪽 Proximal part
손목뼈 Carpal bones
노뼈 Radius
자뼈 Ulna

다리 뼈

이것만은 기억하자!

- 다리는 두 발로 온몸을 지지하기 위해서 안정된 구조를 가진다.
- 다리의 뼈는 자유다리뼈Bones of free lower limb와 척주에 이어지는 다리이음뼈Pelvic girdle로 이루어진다.

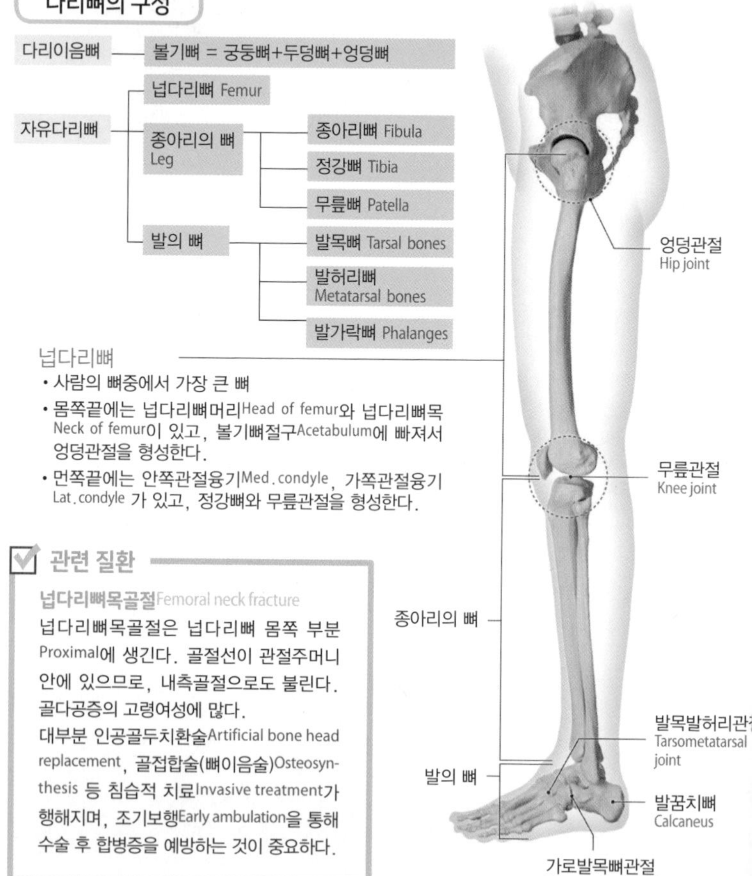

엉덩관절
Hip joint
무릎관절
Knee joint
종아리의 뼈
발의 뼈
발목발허리관절
Tarsometatarsal joint
발꿈치뼈
Calcaneus
가로발목뼈관절
Transverse tarsal joint

다리뼈의 구성

- 다리이음뼈 — 볼기뼈 = 궁둥뼈+두덩뼈+엉덩뼈
- 자유다리뼈
  - 넙다리뼈 Femur
  - 종아리의 뼈 Leg
    - 종아리뼈 Fibula
    - 정강뼈 Tibia
    - 무릎뼈 Patella
  - 발의 뼈
    - 발목뼈 Tarsal bones
    - 발허리뼈 Metatarsal bones
    - 발가락뼈 Phalanges

넙다리뼈

- 사람의 뼈중에서 가장 큰 뼈
- 몸쪽끝에는 넙다리뼈머리Head of femur와 넙다리뼈목Neck of femur이 있고, 볼기뼈절구Acetabulum에 빠져서 엉덩관절을 형성한다.
- 먼쪽끝에는 안쪽관절융기Med. condyle, 가쪽관절융기Lat. condyle 가 있고, 정강뼈와 무릎관절을 형성한다.

관련 질환

넙다리뼈목골절Femoral neck fracture

넙다리뼈목골절은 넙다리뼈 몸쪽 부분Proximal에 생긴다. 골절선이 관절주머니 안에 있으므로, 내측골절으로도 불린다. 골다공증의 고령여성에 많다.

대부분 인공골두치환술Artificial bone head replacement, 골접합술(뼈이음술)Osteosynthesis 등 침습적 치료Invasive treatment가 행해지며, 조기보행Early ambulation을 통해 수술 후 합병증을 예방하는 것이 중요하다.

엉덩관절Hip joint(관상절단면)

무릎관절(시상절단면)

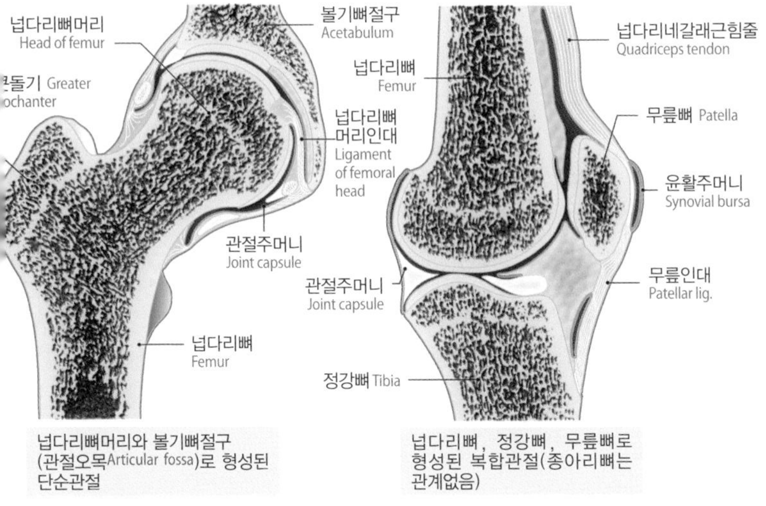
넙다리뼈머리
Head of femur
돌기 Greater
ochanter
볼기뼈절구
Acetabulum
넙다리뼈머리인대
Ligament of femoral head
관절주머니
Joint capsule
넙다리뼈
Femur
넙다리네갈래근힘줄
Quadriceps tendon
넙다리뼈
Femur
무릎뼈 Patella
윤활주머니
Synovial bursa
무릎인대
Patellar lig.
관절주머니
Joint capsule
정강뼈 Tibia

넙다리뼈머리와 볼기뼈절구(관절오목Articular fossa)로 형성된 단순관절

넙다리뼈, 정강뼈, 무릎뼈로 형성된 복합관절(종아리뼈는 관계없음)

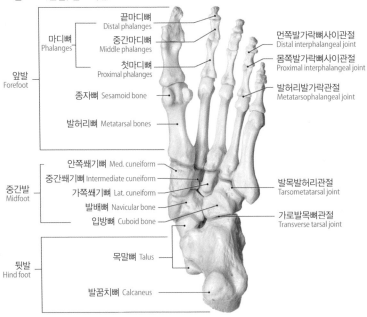

발의 뼈(왼발, 발바닥면)

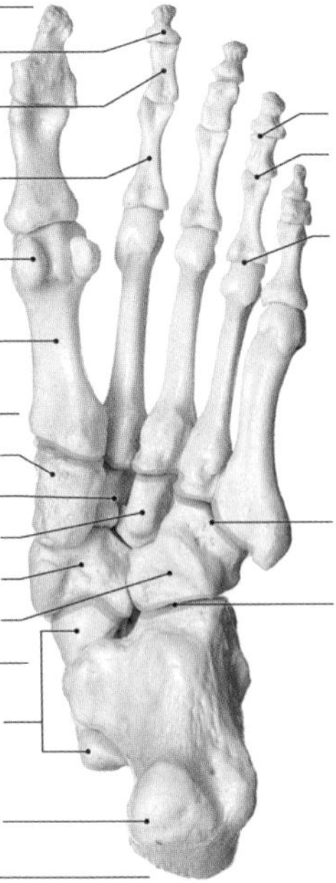

앞발 Forefoot
- 마디뼈 Phalanges
  - 끝마디뼈 Distal phalanges
  - 중간마디뼈 Middle phalanges
  - 첫마디뼈 Proximal phalanges
- 종자뼈 Sesamoid bone
- 발허리뼈 Metatarsal bones

중간발 Midfoot
- 안쪽쐐기뼈 Med. cuneiform
- 중간쐐기뼈 Intermediate cuneiform
- 가쪽쐐기뼈 Lat. cuneiform
- 발배뼈 Navicular bone
- 입방뼈 Cuboid bone

뒷발 Hind foot
- 목말뼈 Talus
- 발꿈치뼈 Calcaneus

먼쪽발가락뼈사이관절 Distal interphalangeal joint

몸쪽발가락뼈사이관절 Proximal interphalangeal joint

발허리발가락관절 Metatarsophalangeal joint

발목발허리관절 Tarsometatarsal joint

가로발목뼈관절 Transverse tarsal joint

관절의 종류

이것만은 기억하자!

- 구상관절Spheroidal joint에는 어깨관절Shoulder joint과 엉덩관절Hip joint이 있고, 다축성Multiaxial으로 회전을 포함해 모든방향으로 움직인다.
- 타원관절Condyloid joint에는 손목관절Wrist joint이 있고 쌍축성Biaxial으로 두 방향으로 움직인다.
- 안장관절Saddle joint에는 엄지손가락의 손목손허리관절Carpometacarpal joint이 있고 쌍축성으로 2개의 서로 직각으로 교차하는 축의 주변을 회전한다.
- 경첩관절Hinge joint에는 팔꿉관절Elbow joint의 위팔자관절Humeroulnar joint과 손가락뼈사이관절Interphalangeal joint이 있고, 단축성Uniaxial으로 한방향의 굽힘Flexion과 폄Extention 운동만 가능하다.
- 중쇠관절Pivot joint에는 몸쪽 · 먼쪽 노자관절Proximal · distal radioulnar joint이 있고, 단축성으로 뼈의 장축주위로 회전운동을 한다.

관절의 기본구조

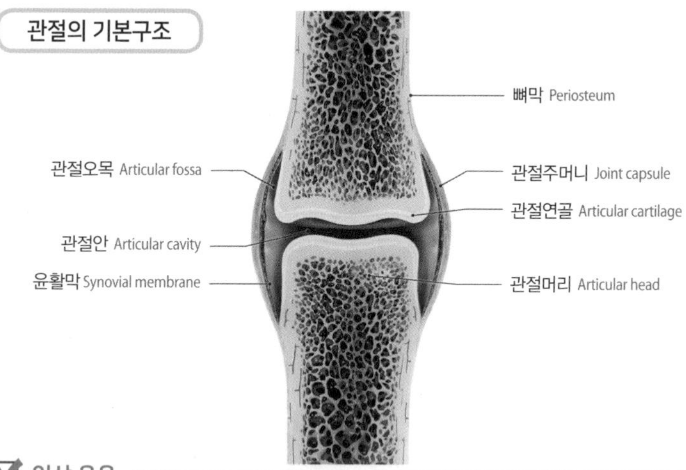
뼈막 Periosteum
관절오목 Articular fossa
관절주머니 Joint capsule
관절연골 Articular cartilage
관절안 Articular cavity
윤활막 Synovial membrane
관절머리 Articular head

임상 응용

수동운동Passive motion

다른 사람의 도움을 받아 관절가동범위Range of motion, ROM의 운동을 하는 경우(수동운동) 각 관절의 운동가능한 범위를 정확히 파악해야 한다. 어깨관절과 엉덩관절은 비교적 모든 방향으로 운동이 가능하다. 그러나 고령자에서는 관절을 지지하는 근육과 인대가 굳어져 있어 신중하게 시행해야 한다.

관절의 종류

구상관절 Spheroidal joint

모든 방향으로 자유롭게 운동(다축성)

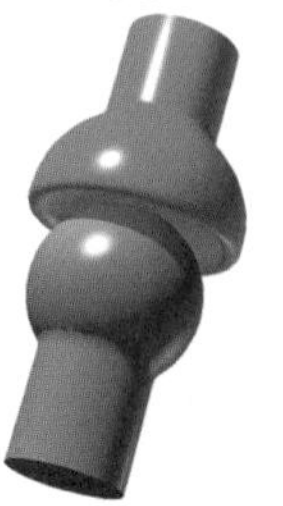

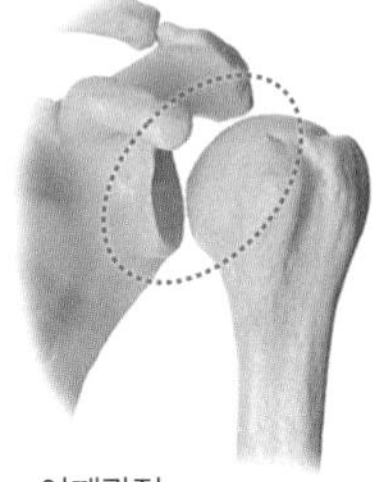

어깨관절

구상관절 중 관절오목이 특히 깊은 것을 절구관절이라고 한다.

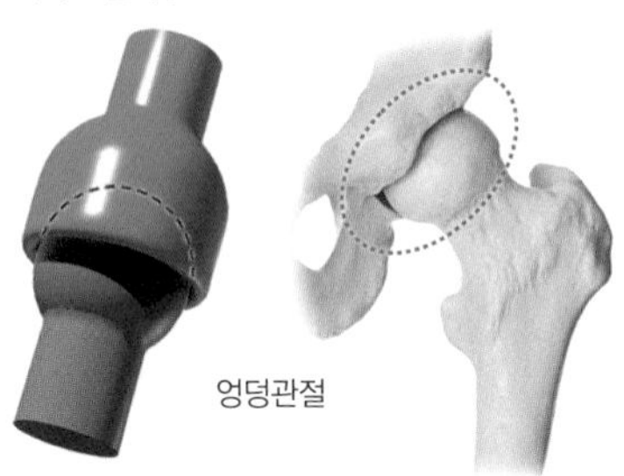

엉덩관절

타원관절 Condyloid joint

2방향으로 회전(쌍축성)

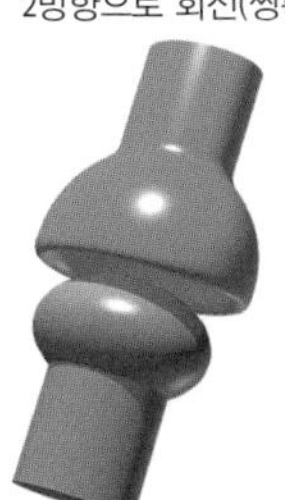

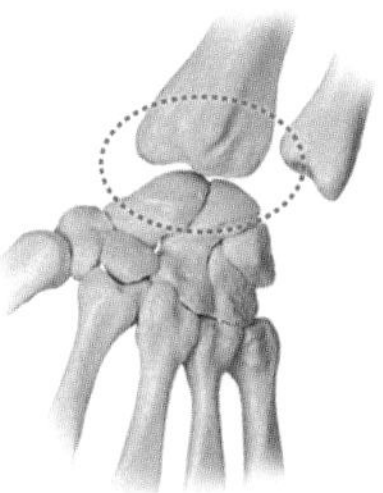

손목관절

안장관절 Saddle joint

직각으로 교차하는 축의 주위를 회전(쌍축성)

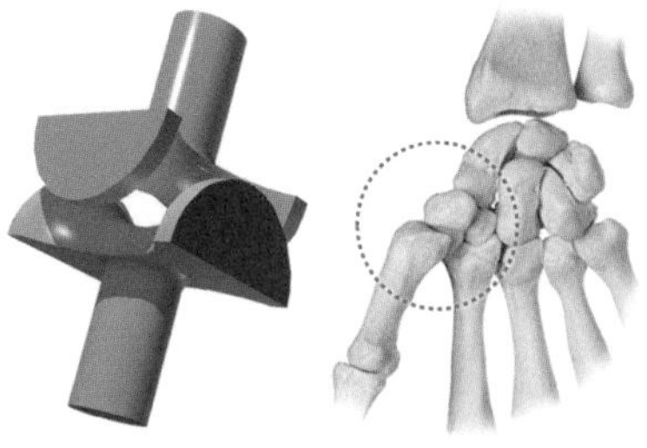

엄지손가락의 손목손허리관절

경첩관절 Hinge joint

한 방향으로 굽힘과 폄(단축성)

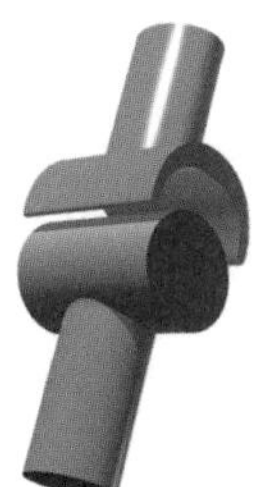

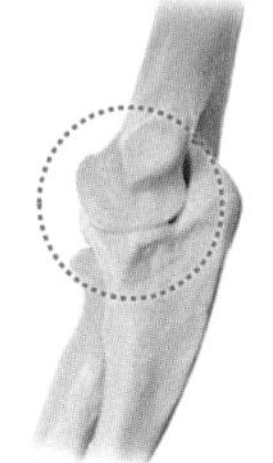

팔꿉관절의 위팔자관절

중쇠관절

뼈의 장축주변의 회전운동(단축성)

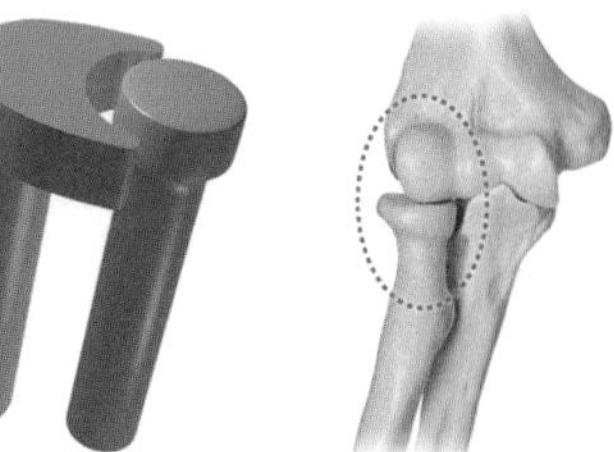

몸쪽노자관절

관절운동 Joint movement

이것만은 기억하자!

- 굽힘Flexion은 관절을 굽혀서 관련된 뼈들 사이의 각도를 작아지게 하는 운동이며, 폄Extension은 각도를 커지게 하는 운동이다.
- 벌림Abduction은 몸의 정중면Midline으로부터 멀어지게 하는 관절운동이며, 상하지Upper·lower limbs의 벌림은 바깥쪽으로 멀어지게 운동하는 것을 말한다. 모음Adduction은 몸의 정중면으로 가까워지게 하는 관절운동을 말하며, 손과 발 모두 두번째 손 · 발가락을 중심으로 나머지 손 · 발가락이 멀어지게 운동하는 것을 벌림이라 하고 가까워지게 하는 운동을 모음이라고 한다.
- 돌림Rotation은 뼈의 위치는 변하지 않고 긴축Long axis을 중심으로 팽이처럼 돌리는 관절운동으로 몸의 안쪽Medial으로 운동하는 것을 안쪽돌림Medial rotation, 바깥쪽으로 운동하는 것을 바깥돌림Lateral rotation 이라고 한다.
- 아래팔Forearm의 돌림은 오른손으로 문의 손잡이를 오른쪽으로 돌리는 것을 뒤침Supination, 왼쪽으로 돌리는 것을 엎침Pronation이라고 한다.

기본자세와 관절운동

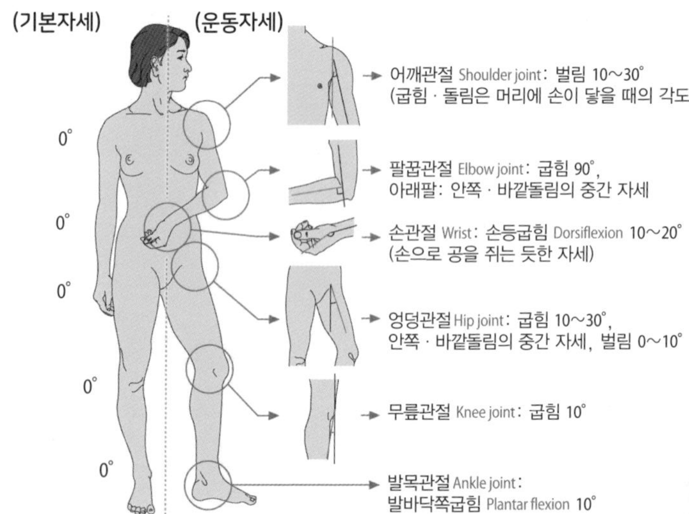
(기본자세)
(운동자세)
0°
0°
0°
0°
0°
어깨관절 Shoulder joint: 벌림 10~30°
(굽힘 · 돌림은 머리에 손이 닿을 때의 각도)
팔꿉관절 Elbow joint: 굽힘 90°,
아래팔: 안쪽 · 바깥돌림의 중간 자세
손관절 Wrist: 손등굽힘 Dorsiflexion 10~20°
(손으로 공을 쥐는 듯한 자세)
엉덩관절 Hip joint: 굽힘 10~30°,
안쪽 · 바깥돌림의 중간 자세, 벌림 0~10°
무릎관절 Knee joint: 굽힘 10°
발목관절 Ankle joint:
발바닥쪽굽힘 Plantar flexion 10°

관절가동범위(Range of motion, ROM)

팔Upper limb

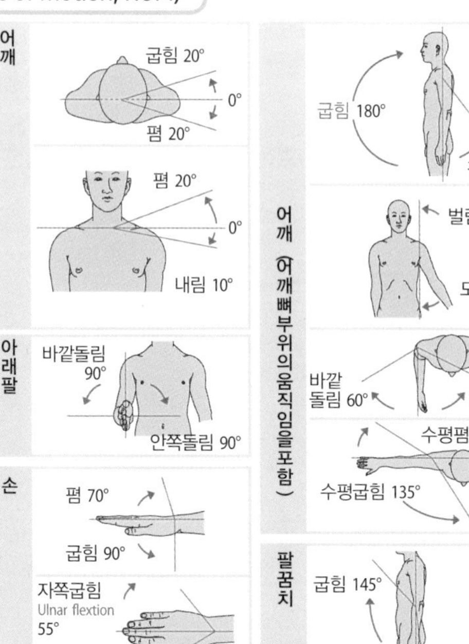

어깨
굽힘 20°
0°
폄 20°
폄 20°
0°
내림 10°
아래팔
바깥돌림 90°
안쪽돌림 90°
손
폄 70°
굽힘 90°
자쪽굽힘 Ulnar flextion 55°
노쪽굽힘 Radial flextion 25°
굽힘 180°
폄 50°
어깨 (어깨뼈부위의움직임을포함)
벌림 180°
모음 0°
바깥 돌림 60°
안쪽 돌림 80°
수평폄 30°
수평굽힘 135°
팔꿈치
굽힘 145°
폄 5°

POINT

관절굽음Arthrogryposis을 예방하거나 증상 완화를 위해서 관절가동범위(ROM) 운동을 실시한다. 혼자서 하거나(능동운동 Active motion), 다른 사람의 도움을 받아서 하는 경우(수동운동Passive motion)가 있으며, ROM을 이해하지 못하고 운동을 할 경우 관절에 무리를 줄 수 있다.

다리Lower limb

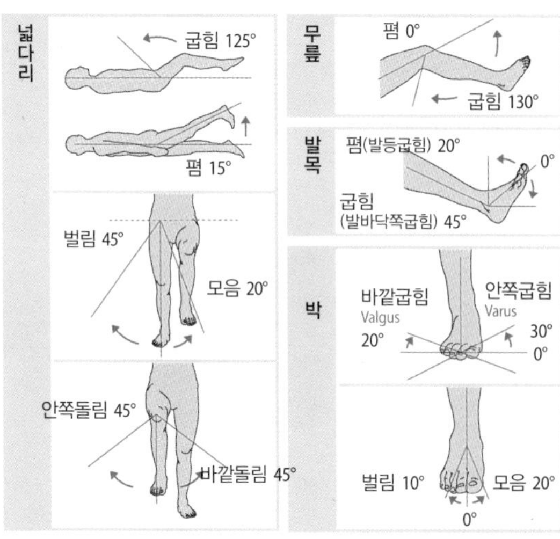

넓다리
굽힘 125°
폄 15°
벌림 45°
모음 20°
안쪽돌림 45°
바깥돌림 45°
무릎
폄 0°
굽힘 130°
발목
폄(발등굽힘) 20°
0°
굽힘 (발바닥쪽굽힘) 45°
발
바깥굽힘 Valgus 20°
안쪽굽힘 Varus 30°
0°
벌림 10°
모음 20°
0°

얼굴·머리·목의 근육

이것만은 기억하자!

- 얼굴 표면의 표정을 만드는 근육들을 표정근육 또는 얼굴근육Facial m.이라 한다. 얼굴근육은 모두 얼굴신경Facial n.의 지배를 받는다.
- 얼굴근육에는 눈둘레근Orbicularis oculi m., 입둘레근Orbicularis oris m., 뒤통수이마근의 이마힘살Frontal belly of occipitofrontalis m.과 뒤통수힘살Occipital belly, 볼근Buccinator m., 입꼬리당김근Risorius m. 위입술올림근Levator labii superioris m., 아래입술내림근Depressor labii inferioris m. 등이 있다.
- 씹기근육Masticatory m.은 아래턱뼈Mandible의 운동과 관련되어 씹기운동을 하는 근육들을 총칭하며, 깨물근Masseter m., 관자근Temporalis m., 안쪽 · 가쪽날개근 Med. · lat. pterygoid m.등이 있다.

대표적인 얼굴, 머리, 목의 근육	기능
이마힘살Frontal belly	눈썹을 올린다
눈둘레근Orbicularis oculi m.	눈을 감는다
입둘레근Orbicularis oris m.	입술을 닫는다
볼근Buccinator m.	입꼬리Angulus oris을 올린다
광대근Zygomaticus major/minor m.	입꼬리와 입술을 올린다
깨물근Masseter m.	입을 다문다
관자근Temporalis m.	입을 다문다
목빗근Sternocleidomastoid m.	머리의 돌림과 폄
등세모근Trapezius m.	머리와 목의 폄, 어깨뼈의 올림, 내림, 돌림

임상 응용

자세와 표정

표정을 만드는 근육은 항중력근Antigravity m.으로 아래 방향으로의 중력에 저항하여 수축한다. 잠들지 않고 깨어 있게 하는 것을 가능하게 한다.

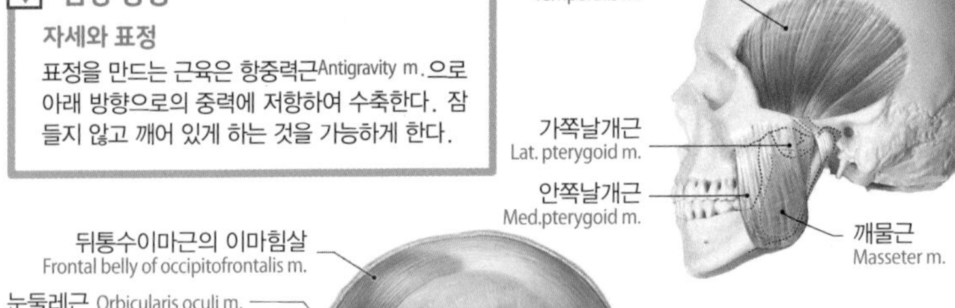

관자근
Temporalis m.
가쪽날개근
Lat. pterygoid m.
안쪽날개근
Med.pterygoid m.
깨물근
Masseter m.
뒤통수이마근의 이마힘살
Frontal belly of occipitofrontalis m.
눈둘레근 Orbicularis oculi m.
눈살근 Procerus m.
위입술콧방울올림근 Levator labii superioris alaeque nasi m.
코근 Nasalis m.
위입술올림근
Levator labii superioris m.
입둘레근 Orbicularis oris m.
턱끝근 Mentalis m.
아래입술내림근
Depressor labii inferioris m.
입꼬리내림근
Depressor anguli oris m.
볼근
Buccinator m.
뒤통수이마근의 뒤통수힘살
Occipital belly of occipitofrontalis m.
깨물근 Masseter m.
목빗근 Sternocleidomastoid m.
등세모근 Trapezius m.

가슴·배의 근육

이것만은 기억하자!

대표적인 배근육	기능
배바깥빗근 Ext. oblique abdominal m.	복압을 높임, 몸통의 앞굽힘 Anteflexion, 옆굽힘 Lat. flexion, 돌림 Roration
배속빗근 Int. oblique abdominal m.	
배가로근 Transversus abdominis m.	
배곧은근 Rectus abdominis m.	몸통의 앞굽힘 Anteflexion, 복압을 높임.

- 큰가슴근Pectoralis major m.은 위팔의 모음Adduction과 안쪽돌림Medial rotation에 관여하고, 앞톱니근Serratus anterior m.은 어깨뼈Scapula를 앞방향으로 잡아당긴다.
- 바깥갈비사이근 Ext. intercostal m.은 갈비사이Intercostal space를 뒤쪽 위방향에서 아래 앞방향으로 넓혀서 허파가 들숨을 쉴 수 있게 한다. 속갈비사이근 Int. intercostal m.은 뒤쪽 아래방향에서 앞쪽 위방향으로 펴지면서 허파의 날숨을 유발한다(→p.53).
- 가로막Diaphragm은 가슴안Thoracic cavity과 배안Abdominal cavity의 사이에 있으며, 수축하면 아래로 잡아 당겨져 들숨이 이루어지고, 이완하면 제자리로 올라가면서 날숨이 이루어진다(→p.53).
- 배곧은근Rectus abdominis m.은 백색선Linea alba의 양측을 따라 뻗어 있고, 배곧은근집Rectus sheath에 둘러싸여 있다. 몸통Trunk을 앞으로 굽히거나, 배의 가쪽 근육과 같이 작용하여 복압을 높이기도 한다.
- 배바깥빗근 · 배속빗근 Ext. int. oblique abdominal m., 배가로근Transversus abdominis m.은 허리를 비틀어서 복압을 높인다.
- 척주세움근Erector spinae m.은 척주를 세우거나, 굽히기, 펴기, 비트는 운동에 관여한다.

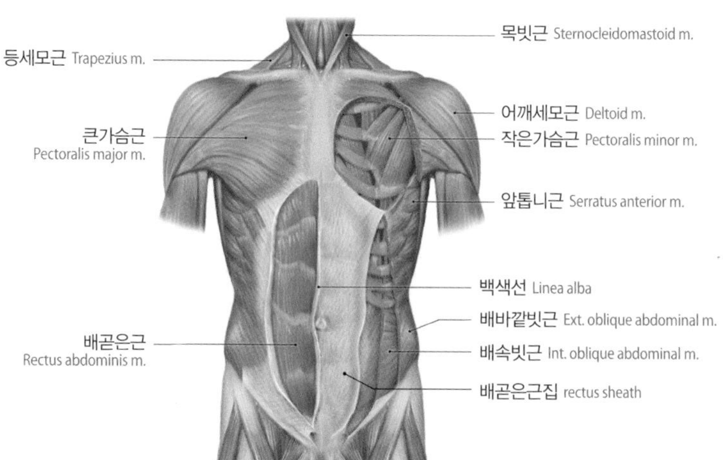
목빗근 Sternocleidomastoid m.
등세모근 Trapezius m.
어깨세모근 Deltoid m.
큰가슴근 Pectoralis major m.
작은가슴근 Pectoralis minor m.
앞톱니근 Serratus anterior m.
백색선 Linea alba
배바깥빗근 Ext. oblique abdominal m.
배곧은근 Rectus abdominis m.
배속빗근 Int. oblique abdominal m.
배곧은근집 rectus sheath

팔의 근육

이것만은 기억하자!

- 팔의 근육은 어깨관절Shoulder joint, 팔꿉관절Elbow joint, 손목Wrist, 손가락의 운동에 관여하며, 팔신경얼기Brachial plexus의 지배를 받는다.

대표적인 팔근육	기능
큰가슴근Pectoralis major m.	위팔의 굽힘Flexion과 모음Adduction
넓은등근Latissimus dorsi m.	위팔의 폄Extension과 모음
어깨세모근Deltoid m.	위팔의 벌림Abduction
위팔두갈래근Biceps brachii m.	아래팔의 굽힘
위팔세갈래근Triceps brachii m.	아래팔의 폄

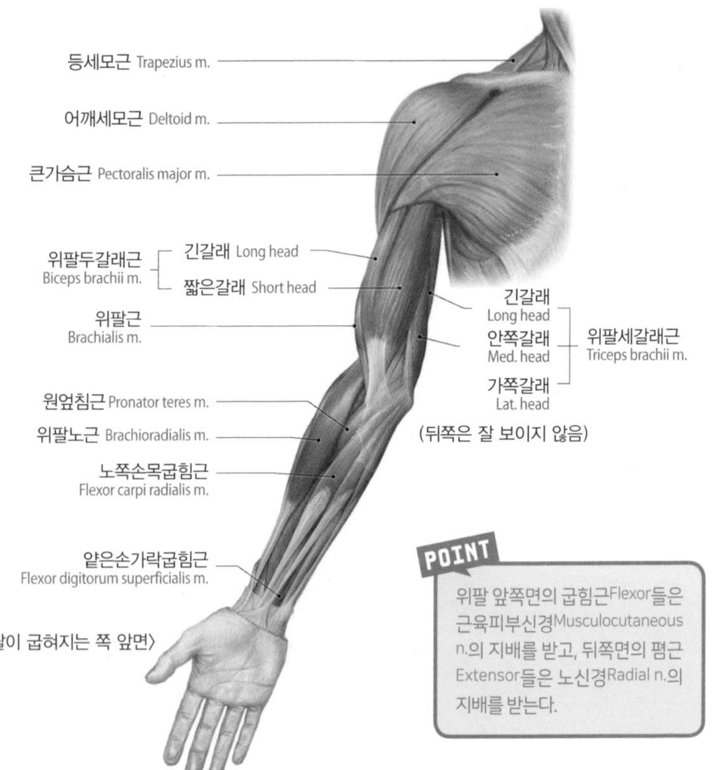
등세모근 Trapezius m.
어깨세모근 Deltoid m.
큰가슴근 Pectoralis major m.
위팔두갈래근 Biceps brachii m.
긴갈래 Long head
짧은갈래 Short head
위팔근 Brachialis m.
긴갈래 Long head
안쪽갈래 Med. head
가쪽갈래 Lat. head
위팔세갈래근 Triceps brachii m.
(뒤쪽은 잘 보이지 않음)
원엎침근 Pronator teres m.
위팔노근 Brachioradialis m.
노쪽손목굽힘근 Flexor carpi radialis m.
얕은손가락굽힘근 Flexor digitorum superficialis m.

〈팔이 굽혀지는 쪽 앞면〉

POINT

위팔 앞쪽면의 굽힘근Flexor들은 근육피부신경Musculocutaneous n.의 지배를 받고, 뒤쪽면의 폄근Extensor들은 노신경Radial n.의 지배를 받는다.

다리의 근육

이것만은 기억하자!

- 다리의 근육은 엉덩관절Hip joint, 무릎관절Knee joint, 발목ankle, 발가락의 운동에 관여한다. 허리엉치신경얼기lumbosacral plexus의 지배를 받는다.

대표적인 다리근육	기능
큰볼기근Gluteus maximus m.	넓적다리Thigh의 폄Extension
넙다리두갈래근 Biceps femoris m.	종아리Leg의 굽힘Flexion
넙다리네갈래근 Quadriceps femoris m.	
넙다리곧은근 Rectus femoris m.	종아리의 폄
가쪽/중간/안쪽넓은근 Vastus lateralis/ Intermedius/Medialis m.	넓적다리의 폄
앞정강근Tibialis ant. m.	발목관절Ankle joint의 등쪽굽힘 Dorsi flexion
장딴지근Gastrocnemius m.	발목관절의 발바닥쪽굽힘Plantar flexion
가자미근Soleus m.	발목관절의 발바닥쪽굽힘

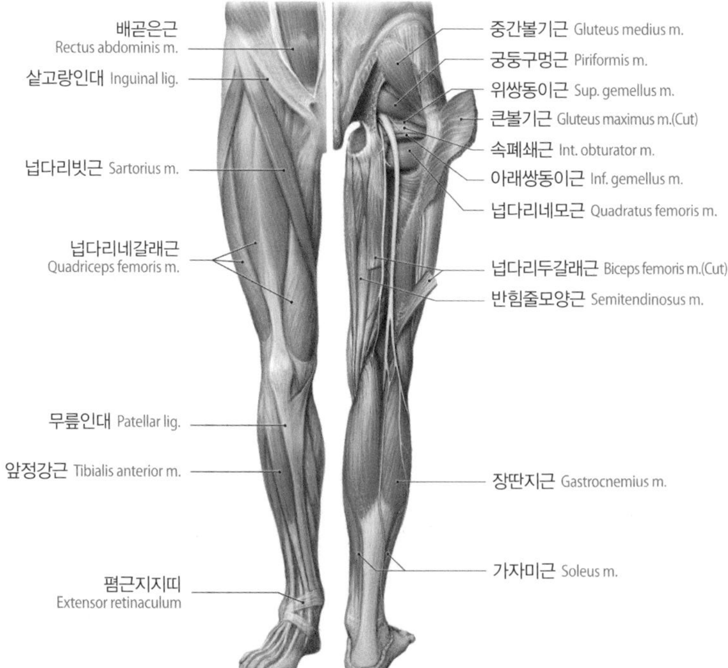
배곧은근 Rectus abdominis m.
샅고랑인대 Inguinal lig.
넙다리빗근 Sartorius m.
넙다리네갈래근 Quadriceps femoris m.
무릎인대 Patellar lig.
앞정강근 Tibialis anterior m.
폄근지지띠 Extensor retinaculum
중간볼기근 Gluteus medius m.
궁둥구멍근 Piriformis m.
위쌍동이근 Sup. gemellus m.
큰볼기근 Gluteus maximus m.(Cut)
속폐쇄근 Int. obturator m.
아래쌍동이근 Inf. gemellus m.
넙다리네모근 Quadratus femoris m.
넙다리두갈래근 Biceps femoris m.(Cut)
반힘줄모양근 Semitendinosus m.
장딴지근 Gastrocnemius m.
가자미근 Soleus m.

코 Nose

이것만은 기억하자!

- 코는 호흡기Respiratory organ이며 후각 및 조음(발성Phonation시 공명Resonance 작용) 기능이 있다.
- 코는 바깥코Ext. nose, 코안(비강)Nasal cavity, 코곁굴(부비동)Paranasal sinus[: 좌우 이마굴Frontal sinus, 벌집뼈벌집Ethmoidal cells, 위턱굴(상악동Maxillary sinus), 나비굴Sphenoidal sinus]로 구성되어 있다.
- 코안은 코중격Nasal septum에 의해 좌우로 나뉜다. 콧구멍Nostril으로부터 1.5cm 안쪽에 있는 코중격의 앞 · 아래 부위(키셀바흐얼기Kiesselbach's plexus)는 모세혈관이 밀집되어 있어, 코피Epistaxis, nasal bleeding가 나기 쉽다.
- 코안의 바깥쪽 벽에는 위 · 중간 · 아래 코선반Nasal concha이 있고, 각 선반 밑에 공기가 통하는 길을 위 · 중간 · 아래 콧길Nasal Meatus라고 한다.
- 코안은 들숨Inspiration 시 공기를 데우고, 이물질의 유입을 막고, 냄새를 맡는 기능을 한다.
- 냄새를 구분하는 후각수용기Olfactory receptor는 후각상피Olfactory epithelium에 존재한다. 후각상피는 코안 덮개Roof부근에 있고 점액으로 덮여져 있어, 냄새분자가 후각수용기 세포Olfactory receptor cell에 달라붙게 한다.

관련 질환

비중격만곡증Nasal septal deviation

비중격만곡증은 중격벽이 오른쪽 또는 왼쪽 한 쪽으로 굽어져 있기 때문에 코막힘를 일으켜 두통 등의 증상이 발생한다. 치료로 코중격의 연골을 제거하는 수술을 시행한다.

부비동염Nasal sinusitis

부비동염의 수술은 장애부위에 따라 절개하는 장소가 다르다. 위턱굴근치수술에는 잇몸Gum을 절개하고, 이마굴근치수술에는 코 안 쪽을 절개하는 방법과 피부를 절개하는 방법(코 바깥쪽 수술)이 있다.

비위관Nasogastric tube, L-tube을 코에 삽입하는 경우 출혈에 주의해야 하며, 오른쪽 또는 왼쪽 코안 중 어느쪽이 더 넓은가를 확인해야 한다.

코의 구조

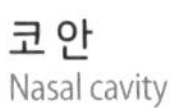
코 안
Nasal cavity

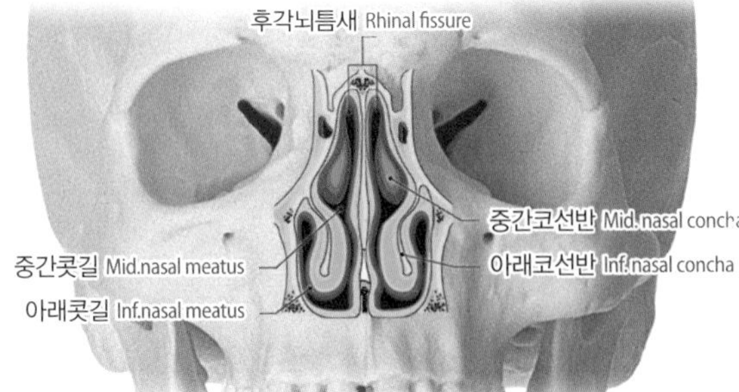
후각뇌틈새 Rhinal fissure
중간코선반 Mid. nasal concha
아래코선반 Inf. nasal concha
중간콧길 Mid.nasal meatus
아래콧길 Inf.nasal meatus

코곁굴
Paranasal sinus

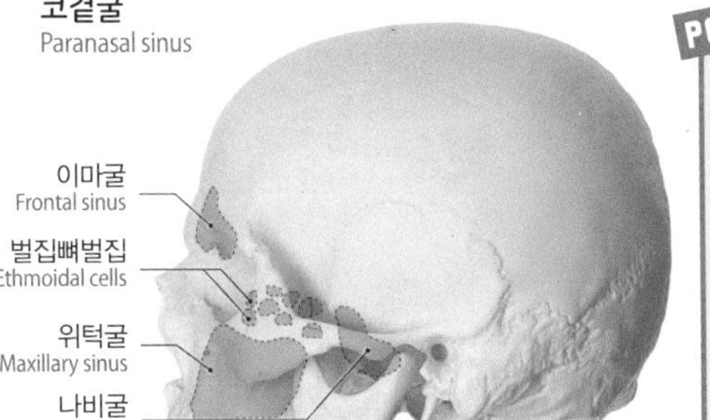
이마굴
Frontal sinus
벌집뼈벌집
Ethmoidal cells
위턱굴
Maxillary sinus
나비굴
Sphenoidal sinus

POINT

코중격은 코 정중앙에 존재하는 칸막이로 코를 왼쪽과 오른쪽으로 구분해 준다. 각각의 코안에는 위 · 중간 · 아래 코선반에 대응하는 위 · 중간 · 아래 콧길이라는 통로가 생기고, 코선반 점막은 들숨에 의해 들어온 공기를 데워 주고, 데워진 공기를 양쪽 폐로 보낸다.

후각상피
Olfactory epithelium

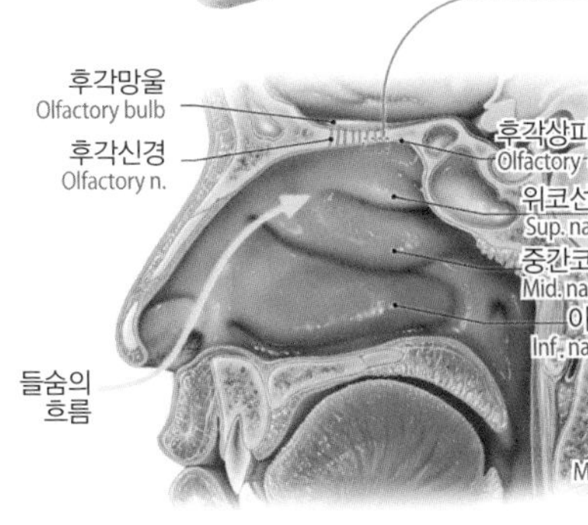
후각망울
Olfactory bulb
후각신경
Olfactory n.
후각상피
Olfactory epithelium
위코선반
Sup. nasal concha
중간코선반
Mid. nasal concha
아래코선반
Inf. nasal concha
들숨의 흐름

후각신경
Olfactory n.
바닥세포
Basal cell
후각수용기 세포 Olfactory receptor cell
버팀세포
Sustentacular cell
점액층
Mucous layer
후각섬모
Olfactory cilia
냄새분자
코안
Nasal cavity

후두 Larynx

이것만은 기억하자!

- 코안으로 들어온 공기가 인두Pharynx, 후두Larynx, 기관Trachea, 기관지Bronchus를 통해서 허파까지 이동하는 경로를 기도Respiratory tract라고 한다.
- 코안의 점막Mucosa은 거짓중층섬모원주상피Pseudostratified ciliated columnar epithelium으로 덮여 있고 혈관과 후각샘Olfactory gland이 많이 존재한다.
- 코안, 인두, 후두를 아울러 상기도Upper respiratory tract라 하고, 하기도Lower respiratory tract는 기관과 기관지를 말한다(→p.47).
- 후두는 혀뿌리Lingual root 부근의 후두덮개Epiglottis에서 시작하며, 인두와 기관의 사이에 위치한다.
- 후두는 기도의 일부분으로 호흡, 삼킴운동Deglutition movement의 보조, 발성Phonation과 관련된 기능을 가진다.
- 후두의 골격은 모두 연골Cartilage로 구성되어 있고, 후두덮개, 방패연골Thyroid cartilage (가장 크고, 남자의 사춘기 때 발달), 반지연골Cricoid cartilage, 모뿔연골Arytenoid cartilage 등이 있다.
- 후두에는 성대주름Vocal fold에 의해서 좁아진 부분에 성문Glottis이 있고, 소리를 내는 기능을 한다.
- 대부분의 후두덮개와 성대주름 일부는 중층편평상피Stratified squamous epithelium(→p.15)로 덮여져 있고 그 외는 거짓중층섬모원주상피로 덮어져 있다.
- 위 · 아래 후두동맥Laryngeal a.과 림프관, 미주신경Vagus n.의 가지인 위후두신경Sup. laryngeal n., 아래후두신경Inf. laryngeal n.(되돌이후두신경Recurrent laryngeal n.으로부터 분지) 등이 분포한다.

임상 응용

후두의 신체검사 Physical examination

후두의 신체검사에는 반사경Mirror이 있는 간접후두경Indirect laryngoscopy을 사용한다. 환자는 앉은 자세에서 상반신을 앞으로 하고, 힘을 뺀 후 소리를 가볍게 내도록 한다. 후두경으로 염증, 용종Polyp, 암 등에 대한 신체검사를 실시한다. 최근에는 후두내시경Laryngeal endoscopy을 사용하는 경우도 많다.

관련 질환

후두암Laryngeal cancer

후두암의 대다수는 편평상피암Squamous cell carcinoma (→ p.15)이다. 흡연, 성대의 혹사, 대기오염 등이 원인으로 알려져 있다. 증상은 성문Vocal cord 윗부분 암의 경우 목이 불편함을 느끼고, 성문 부위 암은 목소리가 잠기고, 성문 아래쪽은 증상이 없는 경우가 많다.

치료는 수술 이외에 방사선요법, 약물요법이 있다. 후두전적출술Total laryngectomy 후에는 발성곤란이 나타나고, 발성을 위해서는 식도발성기구Esophageal speech device(인공후두)를 이용한 재활이 필요하다.

인두, 후두의 구조

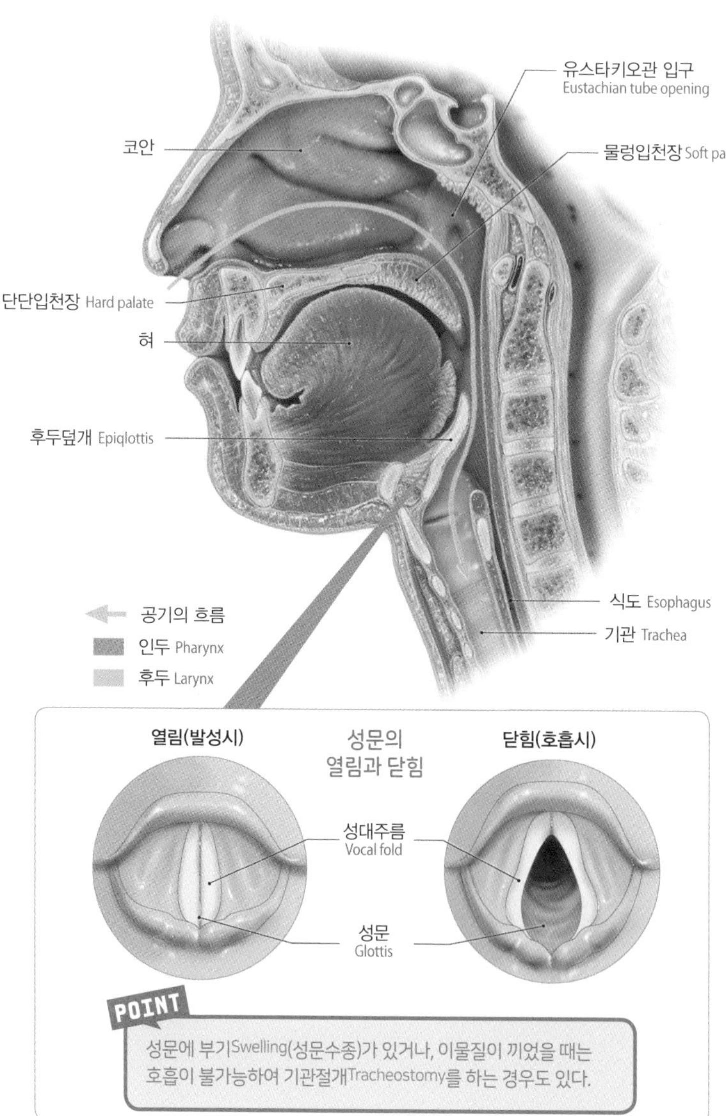
유스타키오관 입구
Eustachian tube opening
코안
물렁입천장 Soft palate
단단입천장 Hard palate
혀
후두덮개 Epiglottis
식도 Esophagus
기관 Trachea
공기의 흐름
인두 Pharynx
후두 Larynx
열림(발성시)
성문의
열림과 닫힘
닫힘(호흡시)
성대주름
Vocal fold
성문
Glottis

POINT

성문에 부기Swelling(성문수종)가 있거나, 이물질이 끼었을 때는 호흡이 불가능하여 기관절개Tracheostomy를 하는 경우도 있다.

기관Trachea, 기관지Bronchus

이것만은 기억하자!

- 기도의 점막은 섬모상피Ciliated columnar epithelium (→p.15)로 덮어져 있고, 섬모Cilia의 움직임에 의해 이물질과 점액이 위쪽 방향으로 이동한다.
- 기관의 길이는 약 10cm 두께는 약 2cm 이고, 제 4~5 등뼈Thoracic vertebrae의 높이에서 좌우로 기관지가 나눠어 진다. 오른쪽 주기관지Main bronchus는 왼쪽에 비해서 짧고, 두꺼우며, 아래 방향으로 뻗어있고 경사도 급하다.
- 기관지가 허파문(폐문)Hilum of lung으로 들어갈 때 오른쪽 3개, 왼쪽 2개의 엽기관지Lobar bronchus로 나뉜다. 그 뒤로 계속해서 분지가 늘어나고, 종말기관지Terminal bronchiole, 호흡기관지Respiratory bronchiole, 허파꽈리관Alveolar duct, 꽈리주머니Alveolar sac, 허파꽈리Alveolus 로 바뀌게 된다(→p.48).
- 허파꽈리에서는 가스교환(O_2가 혈액 안으로 들어가고, CO_2는 허파꽈리에서 배출된다)(→p.56)이 이루어진다.
- 허파꽈리의 안쪽면은 표면활성물질Surfactant (→p.49)이 덮여져 있고, 이로 인해 허파꽈리의 표면장력을 떨어뜨려 허파꽈리가 찌그러지는 것을 막는다.
- 허파의 안쪽 중앙부에는 기관지Bronchus, 허파동맥Pulmonary a., 허파정맥Pulmonary v., 기관지동맥Bronchial a., 허파신경얼기Pulmonary plexus(교감신경과 미주신경)이 출입하는 허파문이 있다.
- 허파동맥, 허파정맥은 허파의 기능혈관(정맥혈을 동맥혈로 바꾸어 준다)이며, 기관지동맥은 허파의 영양혈관(영양 및 산소를 공급한다)이다.
- 가슴세로칸Mediastinum은 오른허파와 왼허파 사이의 공간이며, 심장, 기관, 기관지, 식도, 대동맥, 위 · 아래대정맥Sup. · inf. vena cava, 가슴관Thoracic duct, 미주신경, 가로막신경Phrenic nerve, 가슴샘Thymus등이 위치한다.

관련 질환

흡인폐렴Aspiration pneumonia

잘못해서 삼킨 물질은 오른쪽 기관지로 들어가서 흡인성 폐렴에 걸리기 쉽다.

폐암Lung cancer

기관지와 허파꽈리의 세포가 암화되는 것으로, 혈액과 림프액을 통해서 전이되기 쉽기 때문에 조속한 수술치료(→p.50)와 화학요법이 수행되어야 한다.
폐편평상피암종Squamous cell lung carcinoma은 허파문 쪽에서, 폐샘암종Lung adenocarcinoma은 허파의 바깥쪽 말초부분에서, 폐큰세포암Large cell lung carcinoma은 허파의 중심 부분에서, 폐소세포암Small cell lung carcinoma은 허파문의 가로세로칸 부분에서 발병하기 쉽다.

호흡기계의 구조

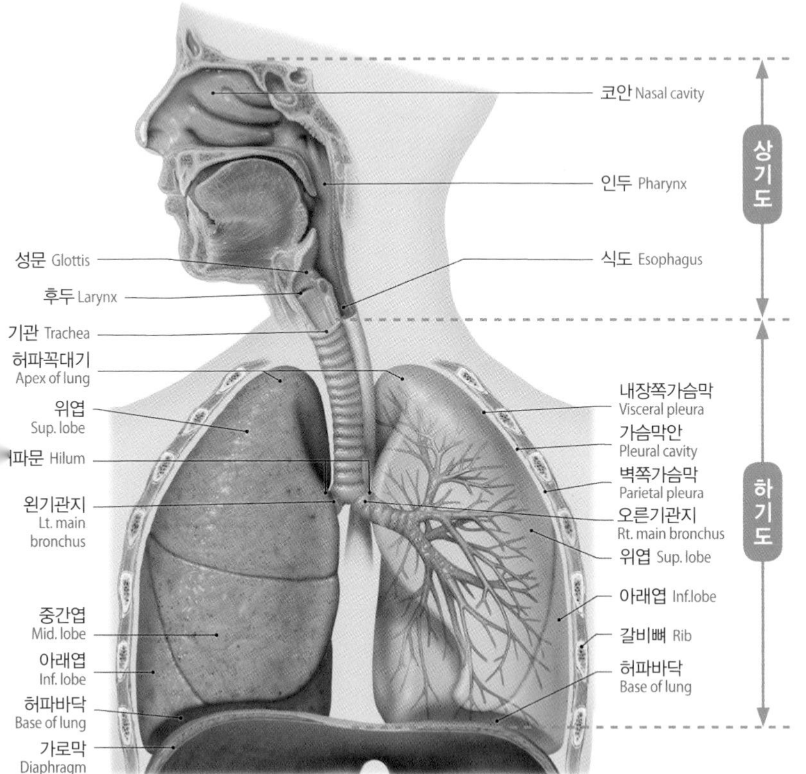

코안 Nasal cavity
인두 Pharynx
식도 Esophagus
상기도
성문 Glottis
후두 Larynx
기관 Trachea
허파꼭대기
Apex of lung
위엽
Sup. lobe
파문 Hilum
왼기관지
Lt. main
bronchus
중간엽
Mid. lobe
아래엽
Inf. lobe
허파바닥
Base of lung
가로막
Diaphragm
내장쪽가슴막
Visceral pleura
가슴막안
Pleural cavity
벽쪽가슴막
Parietal pleura
오른기관지
Rt. main bronchus
위엽 Sup. lobe
아래엽 Inf.lobe
갈비뼈 Rib
허파바닥
Base of lung
하기도

* 왼허파는 내부가 잘 보일 수 있도록 가슴막을 제거한 상태

POINT

호흡음의 청진은 기관지 및 허파를 좌우 대칭으로 비교하면서 시행한다.

POINT

이물질의 흡인이 의심스러운 고령자에서는 오른쪽 등의 어깨뼈선Scapular line 상 제8 갈비사이 주변을 특히 주의하여 청진한다.

기관의 분지

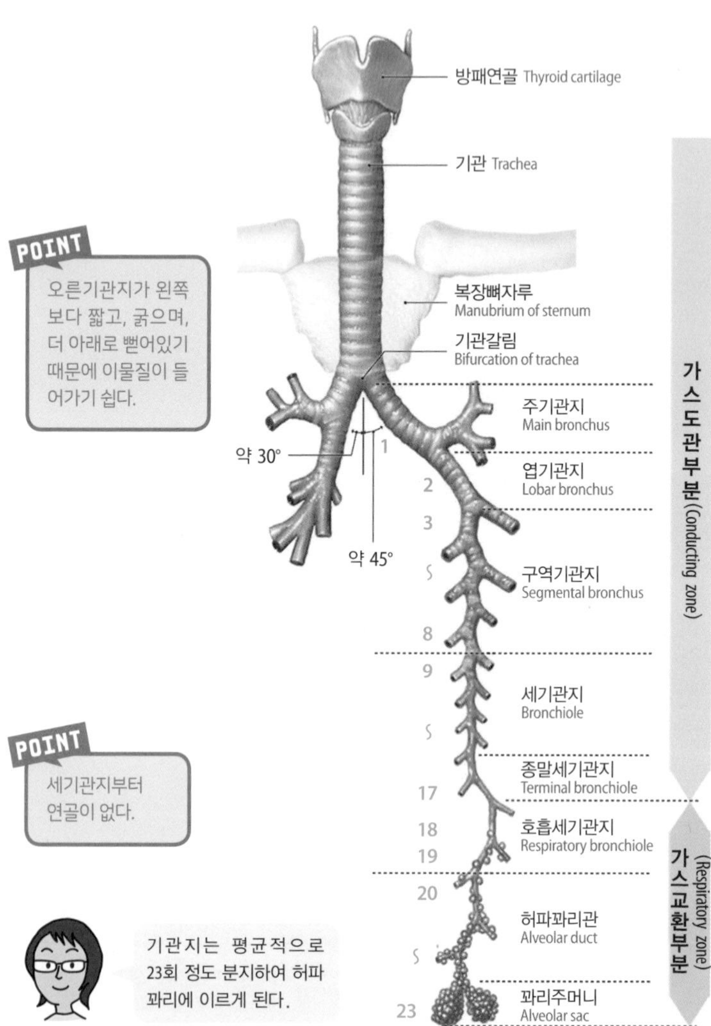

방패연골 Thyroid cartilage
기관 Trachea
복장뼈자루
Manubrium of sternum
기관갈림
Bifurcation of trachea
약 30°
약 45°
1
2
3
8
9
17
18
19
20
23
주기관지
Main bronchus
엽기관지
Lobar bronchus
구역기관지
Segmental bronchus
세기관지
Bronchiole
종말세기관지
Terminal bronchiole
호흡세기관지
Respiratory bronchiole
허파꽈리관
Alveolar duct
꽈리주머니
Alveolar sac
가스도관부분(Conducting zone)
가스교환부분
(Respiratory zone)

POINT

오른기관지가 왼쪽 보다 짧고, 굵으며, 더 아래로 뻗어있기 때문에 이물질이 들어가기 쉽다.

POINT

세기관지부터 연골이 없다.

기관지는 평균적으로 23회 정도 분지하여 허파꽈리에 이르게 된다.

허파꽈리의 구조

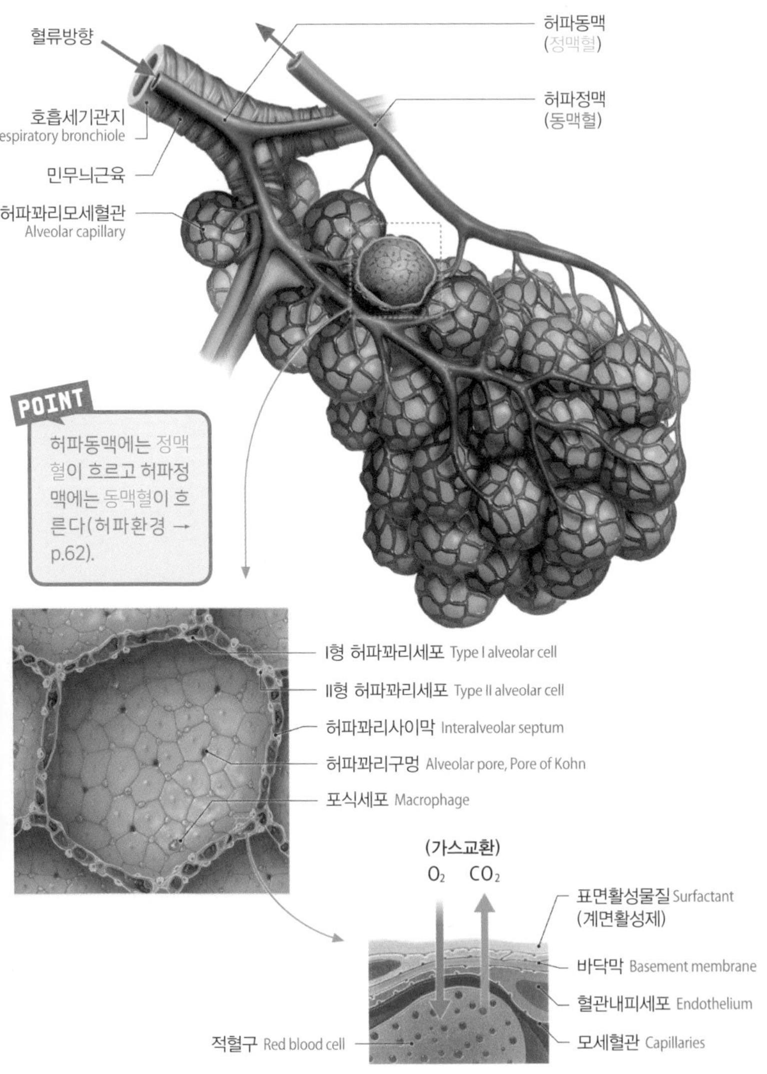

혈류방향
허파동맥
(정맥혈)
허파정맥
(동맥혈)
호흡세기관지
espiratory bronchiole
민무늬근육
허파꽈리모세혈관
Alveolar capillary
I형 허파꽈리세포 Type I alveolar cell
II형 허파꽈리세포 Type II alveolar cell
허파꽈리사이막 Interalveolar septum
허파꽈리구멍 Alveolar pore, Pore of Kohn
포식세포 Macrophage
(가스교환)
O_2 CO_2
표면활성물질 Surfactant
(계면활성제)
바닥막 Basement membrane
혈관내피세포 Endothelium
모세혈관 Capillaries
적혈구 Red blood cell

POINT

허파동맥에는 정맥혈이 흐르고 허파정맥에는 동맥혈이 흐른다(허파환경 → p.62).

허파(폐Lung)

이것만은 기억하자!

- 허파는 좌우로 나뉘어지며, 오른허파는 크고, 위엽 · 중간엽 · 아래엽으로 구성되어 있고, 왼허파는 위 · 아래 2개의 엽으로 구성되어 있다.
- 허파는 기관지가 엽기관지, 구역기관지로 분지되어, 오른쪽 10구역, 왼쪽 8구역으로 허파구역을 형성한다.

POINT

오른허파와 왼허파는 가로세로칸에 의해 구별되어진다.
- 오른허파: 3개의 엽기관지와 3개의 엽
- 왼허파: 2개의 엽기관지와 2개의 엽

청진할 때는 꼭 염두해 두기 바란다.

임상 응용

폐암의 수술방법

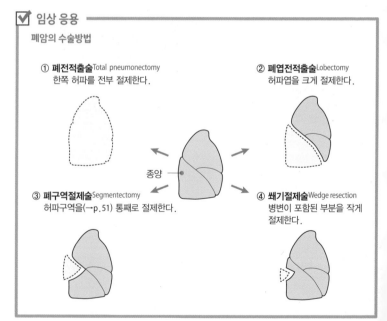

① **폐전적출술**Total pneumonectomy
한쪽 허파를 전부 절제한다.

② **폐엽전적출술**Lobectomy
허파엽을 크게 절제한다.

종양

③ **폐구역절제술**Segmentectomy
허파구역을(→p.51) 통째로 절제한다.

④ **쐐기절제술**Wedge resection
병변이 포함된 부분을 작게 절제한다.

허파구역

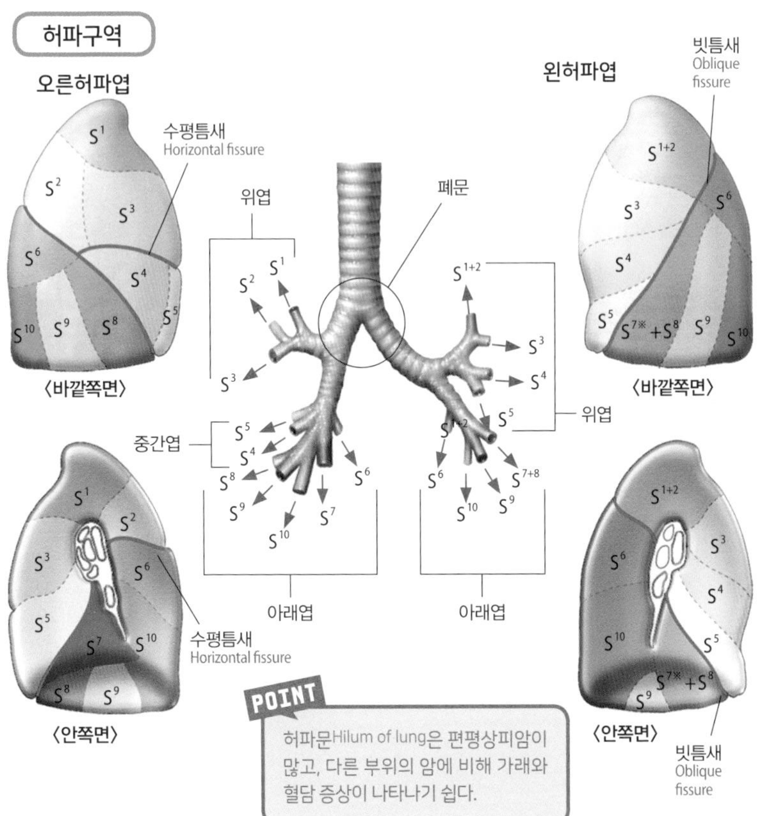

오른허파엽
S1
S2
S3
S4
S5
S6
S8
S9
S10
수평틈새
Horizontal fissure
〈바깥쪽면〉
위엽
폐문
S1
S2
S3
중간엽
S5
S4
S8
S9
S10
S7
S6
아래엽
S1+2
S3
S4
S5
위엽
S1+2
S6
S10
S9
S7+8
아래엽
왼허파엽
빗틈새
Oblique
fissure
S1+2
S3
S6
S4
S5
S7※ +S8
S9
S10
〈바깥쪽면〉
S1
S2
S3
S6
S5
S7
S10
S8
S9
수평틈새
Horizontal fissure
〈안쪽면〉
S1+2
S3
S6
S4
S10
S5
S7※ +S8
S9
〈안쪽면〉
빗틈새
Oblique
fissure

POINT

허파문Hilum of lung은 편평상피암이 많고, 다른 부위의 암에 비해 가래와 혈담 증상이 나타나기 쉽다.

오른허파와 왼허파

오른허파 위엽	S^1	꼭대기구역Apical
	S^2	뒤구역Post.
	S^3	앞구역Ant.
중간엽	S^4	가쪽구역Lat.
	S^5	안쪽구역Med.
아래엽	S^6	위구역Sup.
	S^7	안쪽바닥구역Med. basal
	S^8	앞바닥구역Ant. basal
	S^9	가쪽바닥구역Lat. basal
	S^{10}	뒤바닥구역Post. basal

※ 오른허파 S^7은 바깥쪽면에서 보이지 않는다.

왼허파 위엽	S^{1+2}	꼭대기구역Apical
	S^3	앞구역Ant.
	S^4 ·	위혀구역Sup. lingual
	S^5	아래혀구역Inf. lingual
아래엽	S^6	위구역Sup.
	S^8	앞바닥구역Ant. basal
	S^9	가쪽바닥구역Lat. basal
	S^{10}	뒤바닥구역Post. basal

※ 왼허파에는 S^7 안쪽바닥구역이 없는 경우가 많다.

호흡운동 Breathing movement

이것만은 기억하자!

- 호흡운동은 골격근의 움직임에 의해 허파 안의 부피를 변화시켜, 가슴안Thoracic cavity의 압력(흉강내압Intrathoracic pressure)을 증가시키거나 감소시키는 것을 말한다.
- 들숨Inspiration 때에는 바깥갈비사이근Ext. intercostal m.이 수축하여 갈비뼈를 위쪽으로 잡아당기고, 가로막Diaphragm은 아래방향으로 수축한다. 이렇게 되면 가슴안 부피Thoracic volume(흉강용적)가 증가하여 흉강내압은 음압Negative pressure이 되어 바깥 공기가 허파 안으로 들어온다.
- 날숨Expiration 때에는 속갈비사이근Int. intercostal m. 과 배벽의 근육들이 수축하여 갈비뼈를 아래쪽으로 잡아당기고, 가로막이 위로 올라가서 흉강용적이 감소하고 흉각내압은 음압이 작아져서 허파 안으로부터 공기가 밀려 나간다(흉강용적이 증가하면 흉강내압은 음압이 커져서 바깥 공기가 빨려 들어오게 되고, 반대로 흉강용적이 감소되면 압력이 높아져 안쪽 공기가 밖으로 밀려 나간다).
- 보통 호흡운동에는 들숨 때에 사용되었던 근육(가로막, 바깥갈비사이근 등)이 이완되고, 날숨 때 사용되는 근육은 허파의 탄력으로 인해 수축하지 않고 자연스럽게 가로막이 위로 올라가서 가슴안Thoracic cavity 이 좁아진다. 노력하여 날숨을 쉴 때는 배벽의 근육과 속갈비사이근이 수축하여 가슴안 부피를 감소시킨다.

임상 응용

흉강내압

흉강내압은 항상 음압Negative pressure이며, 안정흡기Resting inspiration 시에는 −6 ~ −7 cmH_2O, 안정호기Resting expiration 시는 −2 ~ −4 cmH_2O이다. 공기가슴증(기흉Pneumothorax)의 경우에는 지속흡인배출Continuous suction drainage을 위해서 가슴안 보다 더욱 감소된 음압력인 지속흡인압Continuous suction pressure을 −10 ~ −20 H_2O정도로 설정한다(시술 시 흡인압은 의사의 지시에 따른다).

또한, 지속배출 시 흡인기Suction apparatus의 병을 교환할 때에는 튜브를 겸자Forceps로 잠그고, 기계의 작동을 멈추고 병을 빼내고, 병의 교환이 끝나면 기계를 작동시킨 후, 배출을 멈추게 한 겸자를 개방한다. 겸자로 잠그지 않고 기계를 멈추면 실내의 공기가 가슴안으로 이동하고, 이로 인해 허파가 축소되어, 숨쉬는 것이 곤란해지므로 주의해야 한다(기기에 따라 조작법이 다를 수 있다).

이상호흡

호흡곤란시에는 비익호흡Nasal alar breathing(콧망울Nasal ala이 길어지고, 콧구멍이 커지며, 후두를 아래로 움직인다)과 하악호흡Mandibular breathing(아래턱을 움직인다) 등이 나타난다.

호흡운동의 기전

들숨Inspiration

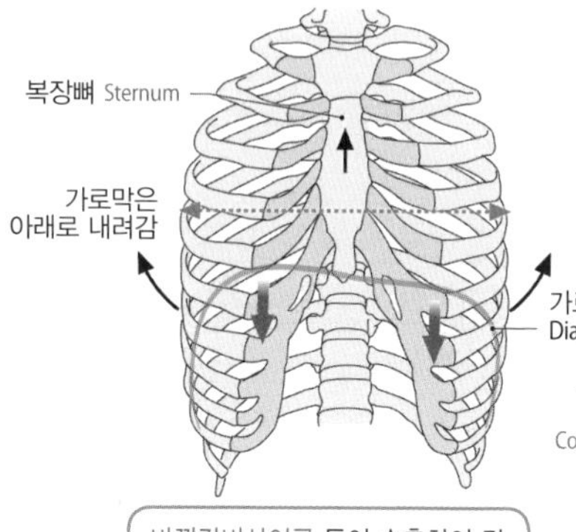
복장뼈 Sternum
가로막은
아래로 내려감
가로막
Diaphragm

바깥갈비사이근 등이 수축하여 갈비뼈는 바깥 위쪽으로 올라가고, 가슴은 앞뒤 좌우 모든 방향으로 커진다.

POINT

흉강용적은 증가하고 흉강압력은 떨어져 들숨이 된다.

공기가 들어온다

면적 ↑
내압 ↓

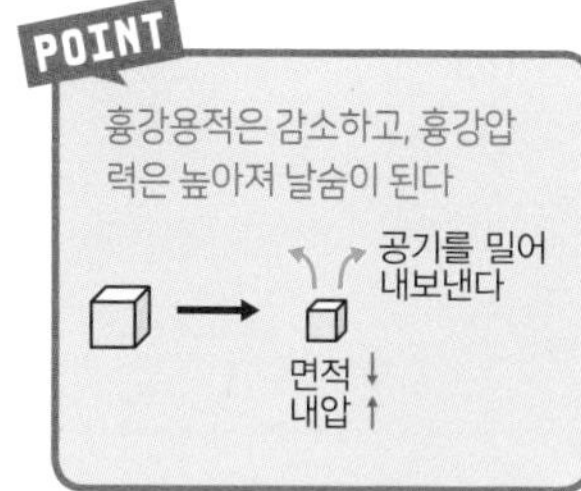
갈비척주관절
Costovertebral joint
복장뼈 Sternum
바깥갈비사이근
Ext. intercostal m.
위로
속갈비사이근의
갈비연골 부분
Costal cartilage of int.
intercostal m.
등뼈
Thoracic vertebra

바깥갈비사이근 등이 수축하여 아래쪽 갈비뼈가 잡아당겨져 위로 올라간다.

날숨Expiration

들숨시 바깥갈비사이근 등이 이완함

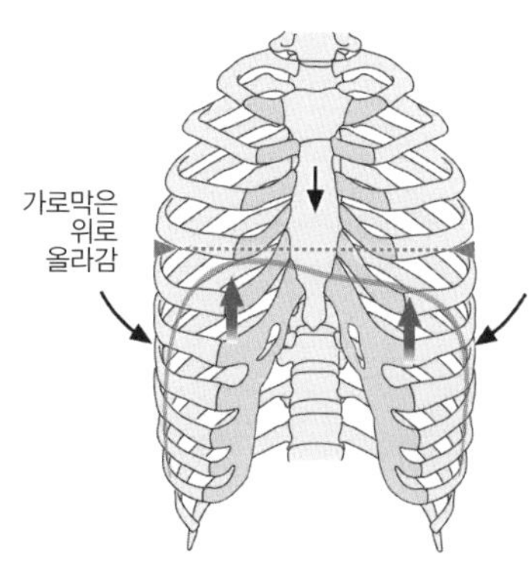
가로막은
위로
올라감

속갈비사이근이 수축하여 갈비뼈를 아래로 잡아당겨 아래로 내려가게하고 가슴은 앞뒤 좌우 모든 방향으로 좁아진다.

POINT

흉강용적은 감소하고, 흉강압력은 높아져 날숨이 된다

공기를 밀어 내보낸다

면적 ↓
내압 ↑

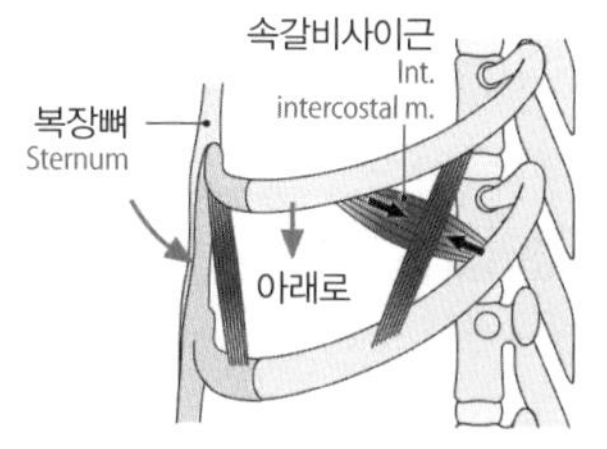
속갈비사이근
Int.
intercostal m.
복장뼈
Sternum
아래로

속갈비사이근이 수축하여 위쪽 갈비뼈가 잡아당겨져 아래쪽으로 내려간다.

폐용량 Lung capacity

이것만은 기억하자!

- 허파 안에 포함되어 있는 공기(가스)의 양을 폐용량Lung capacity이라고 하며, 4가지(들숨예비량Inspiratory reserve volume, 일회호흡량Tidal volume, 날숨예비량Expiratory reserve volume, 잔기량Residual volume)로 구분한다.
- 폐용량은 폐활량계Spirometer로 측정하고 호흡곡선Spirogram에 표시된다.
- 최대한 공기를 들여 마신(최대들숨) 후 가능한 한 빨리 숨을 내뱉을 때(강제날숨)의 폐활량Vital capacity을 강제폐활량Forced vital capacity이라고 말하고, 강제날숨 시 처음 1초 동안 내쉰 폐용량을 강제날숨량Forced expiratory volume 1이라고 한다.
- 강제폐활량과 강제날숨량을 이용하여 폐 기능을 측정한다.

폐용적Lung volume

들숨예비량	IRV : Inspiratory reserve volume	안정된 들숨 후(일회호흡량 이상)에 최대한 흡수할 수 있는 공기의 양
일회호흡량	TV : Tidal volume	1회의 호흡 주기(정상 호흡 시)마다 폐로 들어오거나 나가는 공기의 양
날숨예비량	ERV : Expiratory reserve volume	안정된 날숨 후(일회호흡량으로 날숨한 후) 더 내뱉을 수 있는 공기의 양
잔기량	RV : Residual volume	최대한 날숨한 후에도 폐 안쪽에 남아 있는 공기의 양

폐용량Lung capacity (2개 이상의 폐용적의 조합)

폐활량	VC : Vital capacity	들숨예비량 + 일회호흡량 + 날숨예비량
들숨용량	IC : Inspiratory capacity	들숨예비량 + 일회호흡량
기능적 잔기용량	FRC : Functional residual capacity	날숨예비량 + 잔기량
전폐용량	TLC : Total lung capacity	폐활량 + 잔기량

호흡기능검사Respiratory function test는 숨을 들이마셨다가 내뱉기 때문에 체력을 많이 소모하므로 검사 전후로 활력징후Vital sign에 주의하여야 한다.

호흡곡선

호흡곡선(폐용적 및 폐용량)

① 최대들숨

② 안정들숨

③ 안정날숨

④ 최대날숨

POINT

1회 호흡량 중 사강의 비율은 약 30% (약 150mL)

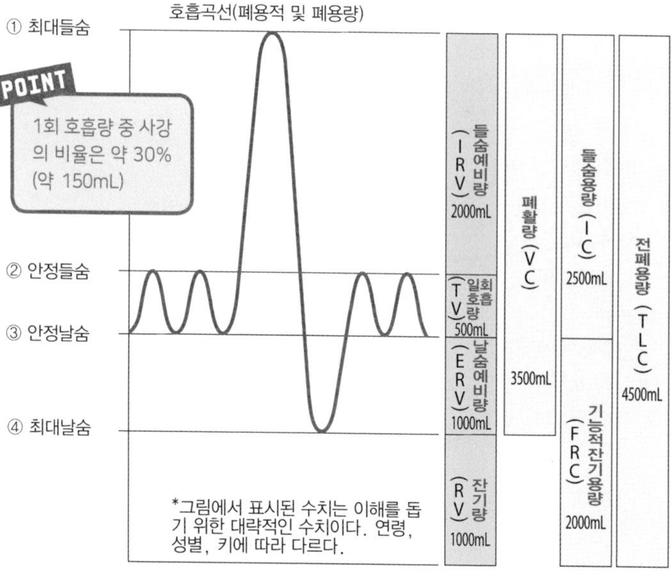

들숨예비량 (IRV) 2000mL

일회호흡량 (TV) 500mL

날숨예비량 (ERV) 1000mL

잔기량 (RV) 1000mL

폐활량 (VC) 3500mL

들숨용량 (IC) 2500mL

기능적잔기용량 (FRC) 2000mL

전폐용량 (TLC) 4500mL

*그림에서 표시된 수치는 이해를 돕기 위한 대략적인 수치이다. 연령, 성별, 키에 따라 다르다.

*무효공간(사강dead space): 혈액과 가스교환에 관여하지 않는 부분(공기를 허파꽈리까지 전달하는 부위의 부피)

강제날숨곡선

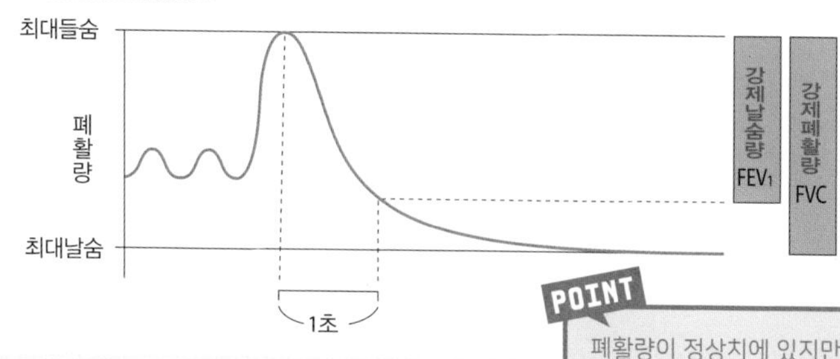
최대들숨
폐활량
최대날숨
1초
강제날숨량 FEV₁
강제폐활량 FVC

강제날숨량비(FEV_1%) = 강제날숨량(FEV_1) ÷ 강제폐활량(FVC) X 100

정상치 : 80% 이상(고령자는 70% 이상)

* 강제날숨량: 처음 1초 동안에 내뱉는 공기의 양

FEV_1 : Forced expiratory volume in one second

FVC : Forced vital capacity

POINT

폐활량이 정상치에 있지만 폐기능이 저하되어 있는 대표적인 질환으로 만성 폐쇄성 폐질환Chronic obstructive pulmonary disease, COPD이 있다. 이 경우 폐기능검사에서 강제날숨량비는 저하되어 있다.

공기교환 Gas exchange

이것만은 기억하자!

- 호흡에 의해 공기 중의 O_2가 몸속으로 들어오고 몸속 CO_2를 몸 밖으로 배출하는 것을 공기교환이라고 한다
- 허파꽈리와 혈액 사이의 공기교환은 분압Partial pressure 이 높은 쪽에서 낮은 쪽으로 이루어지며, 이것을 확산Diffusion(기체분압의 차이에 의한 확산)이라고 한다.
- O_2는 조직으로 이동하고, CO_2는 조직에서 혈액으로 이동한다.
- 허파꽈리 안의 산소분압은 100 Torr (mmHg), 이산화탄소분압은 40 Torr (mmHg) 정도이다. 몸속 각 조직의 산소분압은 낮아서, 민무늬근육Smooth m.은 20 Torr, 샘조직Gland, 뼈대근육Skeletal m., 심장근육Cardiac m.은 0 Torr 정도로 낮다.
- 기체는 높은 분압에서 낮은 곳으로 흐르기 때문에 허파꽈리 속공간의 O_2는 모세혈관으로 들어가고 반대로 모세혈관 안의 CO_2는 허파꽈리 속공간으로 이동한다(확산된다).
- 혈액가스분석Blood gas analysis에서 염기과잉Base excess (BE) 항목은 (+)는 대사알칼리증Metabolic alkalosis을 나타내고, (−)는 염기결핍(대사산증Metabolic acidosis)을 나타낸다.

임상 응용

혈액가스분석Blood gas analysis
혈액가스분석은 아래 항목들을 반드시 확인해야 한다.

조사항목	기준치
PaO_2 (동맥혈산소분압)	80~100Torr (mmHg)
$PaCO_2$ (동맥혈이산화탄소분압)	35~45Torr (mmHg)
pH	7.36~7.44
SaO_2 (동맥혈산소포화도)	93~98%
HCO_3^- (중탄산염)	22~26mEq/L
BE (염기과잉)	−2~+2mEq/L

PaO_2: Arterial O_2 pressure
$PaCO_2$: Arterial CO_2 pressure
SaO_2: Arterial O_2 saturation
HCO_3^- : Bicarbonate ion
BE: Base excess

*분석 기준치는 측정 방법과 시약에 따라 다를 수 있다. 각 기관의 기준을 확인하기 바람

공기교환의 기전

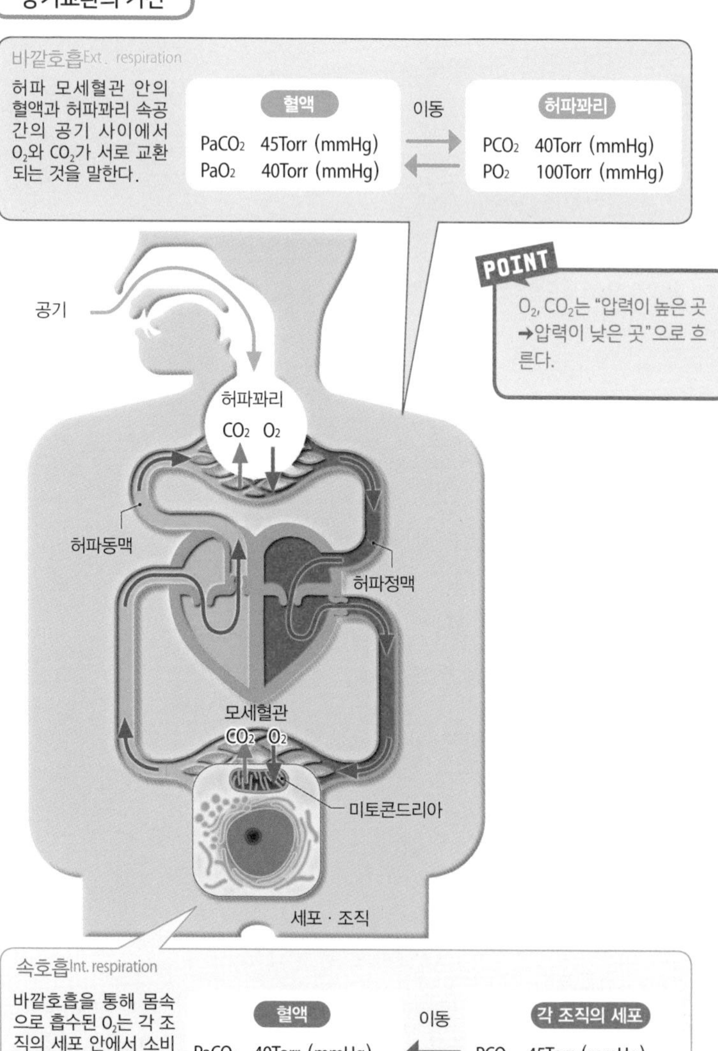
공기
허파꽈리
CO_2 O_2
허파동맥
허파정맥
모세혈관
CO_2 O_2
미토콘드리아
세포 · 조직

바깥호흡Ext. respiration

허파 모세혈관 안의 혈액과 허파꽈리 속공간의 공기 사이에서 O_2와 CO_2가 서로 교환되는 것을 말한다.

혈액		이동	허파꽈리	
$PaCO_2$	45Torr (mmHg)	→	PCO_2	40Torr (mmHg)
PaO_2	40Torr (mmHg)	←	PO_2	100Torr (mmHg)

POINT

O_2, CO_2는 "압력이 높은 곳 →압력이 낮은 곳"으로 흐른다.

속호흡Int. respiration

바깥호흡을 통해 몸속으로 흡수된 O_2는 각 조직의 세포 안에서 소비시키고, 세포의 CO_2는 세포 밖으로 방출하여 가스교환을 한다.

혈액		이동	각 조직의 세포	
$PaCO_2$	40Torr (mmHg)	←	PCO_2	45Torr (mmHg)
PaO_2	100Torr (mmHg)	→	PO_2	40Torr (mmHg)

호흡조절 Respiration regulation

이것만은 기억하자!

- 호흡중추 Respiratory center는 숨뇌 Medulla oblongata에 있고 호흡리듬을 만드는 곳이다.
- 다리뇌 Pons는 호흡중추를 조절하는 역할을 한다.
- 호흡중추는 화학적자극 Chemical stimulus에 의해 조절된다.

화학적자극에 의한 호흡조절

중추성 화학수용기 Central chemoreceptor	• 중추성 화학수용기는 숨뇌에 있다. • 혈중 CO_2 농도↑, pH↓를 감지하여 호흡중추를 자극한다.
말초성 화학수용기 Peripheral chemoreceptor	• 말초성 화학수용기는 온목동맥 Common carotid a.이 갈라지는 부분에 있는 목동맥토리 Carotid body와 대동맥활 Aortic arch에 있는 대동맥토리 Aortic body가 있다. • 혈중 O_2 농도↓, CO_2 농도↑, pH↓를 감지하고, 혀인두신경 Glossopharyngeal과 미주신경 Vagus n.의 들신경섬유 Afferent fiber를 통해 숨뇌의 호흡중추를 자극하여 호흡을 촉진한다.

- 호흡중추는 반사 Reflex에 의해서도 조절된다.

반사에 의한 호흡조절

헤링 · 브로이어반사 Hering-Breuer reflex	허파꽈리 벽면에는 미주신경의 들신경섬유들이 존재한다. 들숨에서 허파는 확장되지만 더 이상 확장되지 않게 날숨으로 바뀌게 한다.
대뇌피질의 호흡조절	감정의 변화 등으로 인해 대뇌의 자극이 호흡중추에 전해져서 호흡수의 변화를 가능하게 한다.
기타	관절, 피부, 점액, 기도에서의 반사가 호흡을 조절할 수 있다. 예를 들어, 냉수로 목욕할 경우 일시적으로 호흡이 멈춘다든가, 기도의 이물질이 걸렸을 경우 기침이 나온다든가 하는 것이 반사에 의해 호흡이 조절되는 경우이다.

임상 응용

산소흡입 시 주의점

CO_2 농도↑, O_2 농도↓ 있을 때 환자에게 고농도의 O_2를 투여하는 것은 위험하다. 목동맥토리와 대동맥토리의 저산소 자극이 사라져서, 반대로 호흡운동이 저하되어 이 CO_2 농도가 상승하여 한층 더 호흡곤란을 악화시킨다(이산화탄소혼수 Carbon dioxide narcosis, 호흡성산증 Respiratory acidosis).

호흡조절의 기전

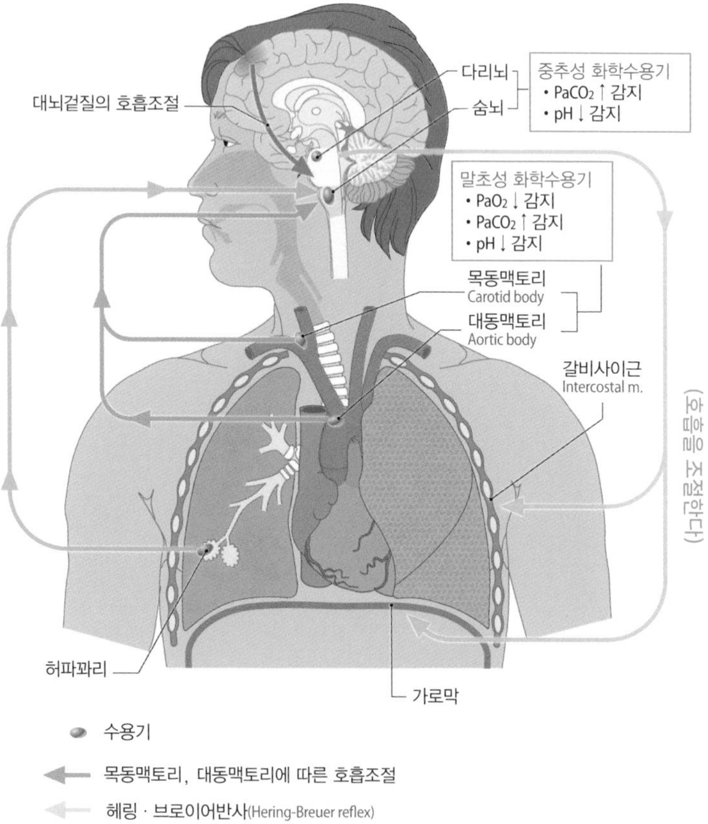

다리뇌
숨뇌
중추성 화학수용기
• $PaCO_2$ ↑ 감지
• pH ↓ 감지

대뇌겉질의 호흡조절

말초성 화학수용기
• PaO_2 ↓ 감지
• $PaCO_2$ ↑ 감지
• pH ↓ 감지

목동맥토리
Carotid body
대동맥토리
Aortic body

갈비사이근
Intercostal m.

(호흡을 조절한다)

허파꽈리

가로막

수용기

목동맥토리, 대동맥토리에 따른 호흡조절

헤링 · 브로이어반사(Hering-Breuer reflex)

호흡리듬을 만드는 가장 중요한 곳은 숨뇌! 숨뇌가 손상을 받으면 호흡이 정지되어 인공호흡이 필요하게 된다는 것을 염두해 두자!

심장Heart

이것만은 기억하자!

- 심장은 온몸의 혈액을 모아서 다시 온몸으로 보내는 펌프의 역할을 하며, 혈액순환Blood circulation의 원동력이다.
- 심장은 몸의 정중선Midline의 왼쪽으로 치우쳐져 있고(오른쪽으로 치우쳐있는 사람도 드물게 있다) 주먹크기로 왼심실Lt. ventricle은 뒤쪽으로 기울어져 있으며, 오른심실Rt. Ventricle은 앞쪽으로 기울어져 있다. 이는 왼심장을 보호하기 위한 해부학적 구조이다.
- 심장으로 들어가는 혈관은 상반신의 혈액이 심장으로 되돌아가는 위대정맥Sup. vena cava, 하반신의 혈액이 되돌아가는 아래대정맥Inf. vena cava이 있고, 각각은 심장의 오른심방Rt. artrium으로 들어간다.
- 오른심방Rt. atrium 안의 혈액은 삼첨판막Tricuspid valve을 통과하여 오른심실(Rt. ventricle)로 들어가고, 허파동맥판막Pulmonary valve(반월판Semilunar valve)을 통과하여 허파동맥Pulmonary a.(CO_2를 많이 포함하고 있는 정맥혈이 흐르고 있다)을 통해 허파로 이동한다.
- 허파에서 O_2가 포함된 동맥혈은 허파정맥Pulmonary v.을 통하여(O_2를 많이 포함한 동맥혈이 흐르고 있다), 왼심방Lt. atrium으로 들어가고 승모판막Mitral valve을 통과하여 왼심실Lt. ventricle로 이동한 후, 대동맥판막Aortc valve(반달판막)을 지나서 대동맥을 통해 온몸으로 이동한다.

심실Ventricle에 들어가는 혈액량이 많아지면 심장벽이 확장되고 압력이 상승하여심근Mypcardium은 강하게 수축하게 된다. 이것을 프랭크-스탈링법칙Frank-Starling law이라고 하며, 나이가 증가하면 수축력이 떨어지게 된다.

관련 질환

심방사이막결손Atrial septal defect

심방사이막결손 환자는 왼쪽 심장계의 높은 압력에 좌→우로 혈액이 역류하게 된다. 청색증Cyanosis이 없으며, 왼심방으로부터 오른심방으로 여분의 혈액이 흘러 들어가 오른쪽 심장계에 부하Load가 걸려 폐혈류량Pulmonary blood flow이 증가하고 운동성호흡곤란Exertional dyspnea, 두근거림Palpitation, 헐떡임Gasping, 저혈압 등의 증상이 나타난다.

심장의 위치와 구조

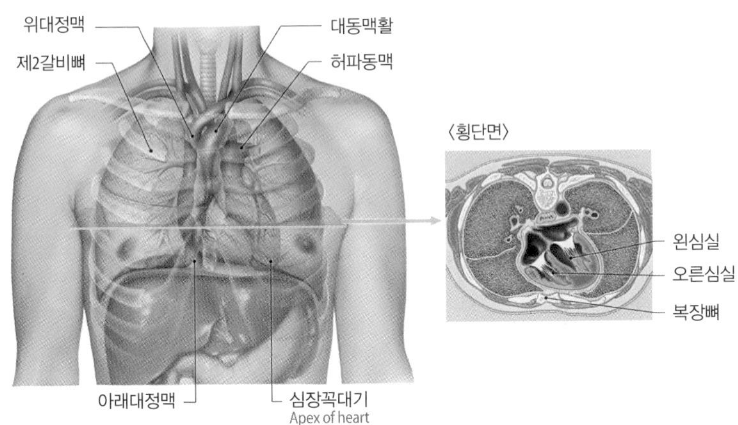
위대정맥
제2갈비뼈
대동맥활
허파동맥
〈횡단면〉
왼심실
오른심실
복장뼈
아래대정맥
심장꼭대기
Apex of heart

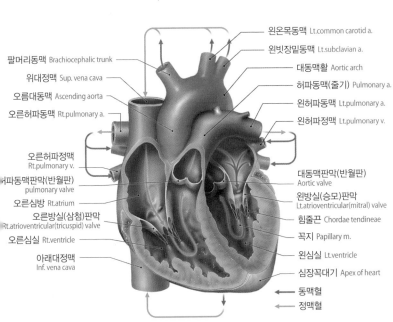

왼온목동맥 Lt.common carotid a.
왼빗장밑동맥 Lt.subclavian a.
팔머리동맥 Brachiocephalic trunk
대동맥활 Aortic arch
위대정맥 Sup. vena cava
허파동맥(줄기) Pulmonary a.
오름대동맥 Ascending aorta
왼허파동맥 Lt.pulmonary a.
오른허파동맥 Rt.pulmonary a.
왼허파정맥 Lt.pulmonary v.
오른허파정맥
Rt.pulmonary v.
파동맥판막(반월판)
pulmonary valve
대동맥판막(반월판)
Aortic valve
오른심방 Rt.atrium
왼방실(승모)판막
Lt.atrioventricular(mitral) valve
오른방실(삼첨)판막
t.atrioventricular(tricuspid) valve
힘줄끈 Chordae tendineae
꼭지 Papillary m.
오른심실 Rt.ventricle
왼심실 Lt.ventricle
아래대정맥
Inf. vena cava
심장꼭대기 Apex of heart
동맥혈
정맥혈

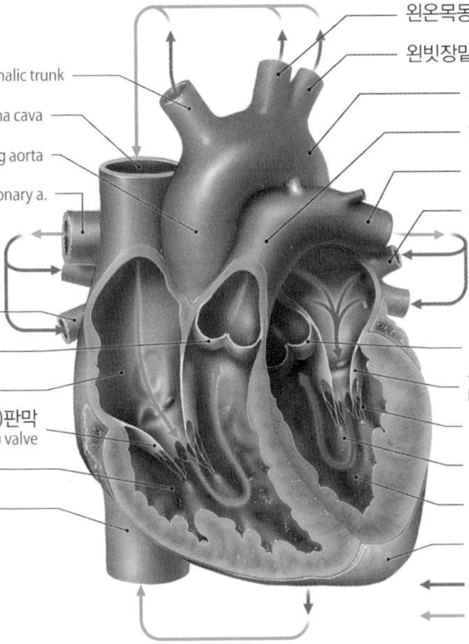

폐순환 · 체순환 Pulmonary·systemic circulation

이것만은 기억하자!

- 오른심실을 나온 혈액(정맥혈)이 허파동맥을 통해 양쪽 허파로 이동해 동맥혈이 되어 허파정맥을 지나 왼심방에 돌아오기까지를 폐순환이라고 한다.
- 왼심실에서 대동맥을 통해 나온 동맥혈이 온몸으로 운반되어 각 조직에 O_2와 영양을 공급하고 노폐물, CO_2를 받아 정맥혈이 되어 위 · 아래대정맥을 지나 오른심방으로 돌아오기까지의 경로를 체순환이라고 한다.
- 위 · 장 · 이자 · 지라 등의 모세혈관들은 정맥(영양분을 풍부하게 포함하고 있다)을 형성하고 간으로 들어가기 전 문맥Portal v.이 되어 간에 들어가 해독된 후 체순환으로 들어간다.

임상 응용

태아의 혈액순환

태아는 모체와 별개의 혈액순환을 가진다. 태아의 CO_2와 노폐물은 배꼽동맥Umbilical a.을 통해 태반Placenta으로 보내진다. 태반에서 O_2와 영양분이 포함된 혈액을 운반하는 배꼽정맥은 탯줄Umbilical cord를 통해 태아의 배로 들어가 대부분은 문맥이나 간에 들어가지 않고 정맥관Ductus venosus (Arantius's duct)을 지나 아래대정맥으로 들어간다(동맥혈과 정맥혈이 섞인다). 심장을 지나 대동맥에서 온몸으로 옮겨지는 혈액은 동맥혈과 정맥혈이 혼합된 상태이다. 그러므로 태아 몸의 아랫쪽 반은 윗쪽 반보다 O_2가 부족한 혈액이 공급되어 발육이 늦어진다.

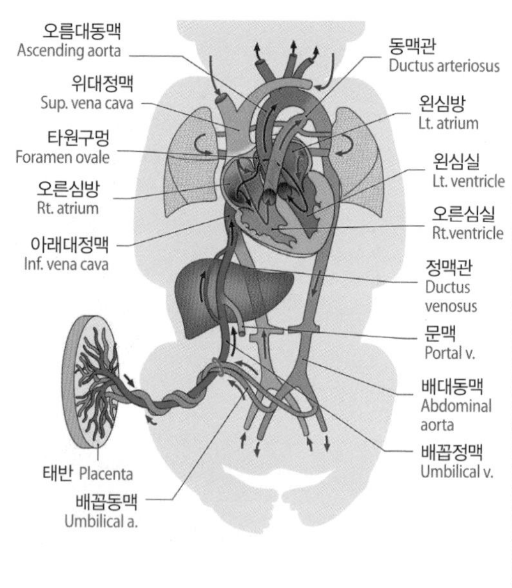
오름대동맥
Ascending aorta
위대정맥
Sup. vena cava
타원구멍
Foramen ovale
오른심방
Rt. atrium
아래대정맥
Inf. vena cava
태반 Placenta
배꼽동맥
Umbilical a.
동맥관
Ductus arteriosus
왼심방
Lt. atrium
왼심실
Lt. ventricle
오른심실
Rt.ventricle
정맥관
Ductus venosus
문맥
Portal v.
배대동맥
Abdominal aorta
배꼽정맥
Umbilical v.

혈액의 순환Blood circulation

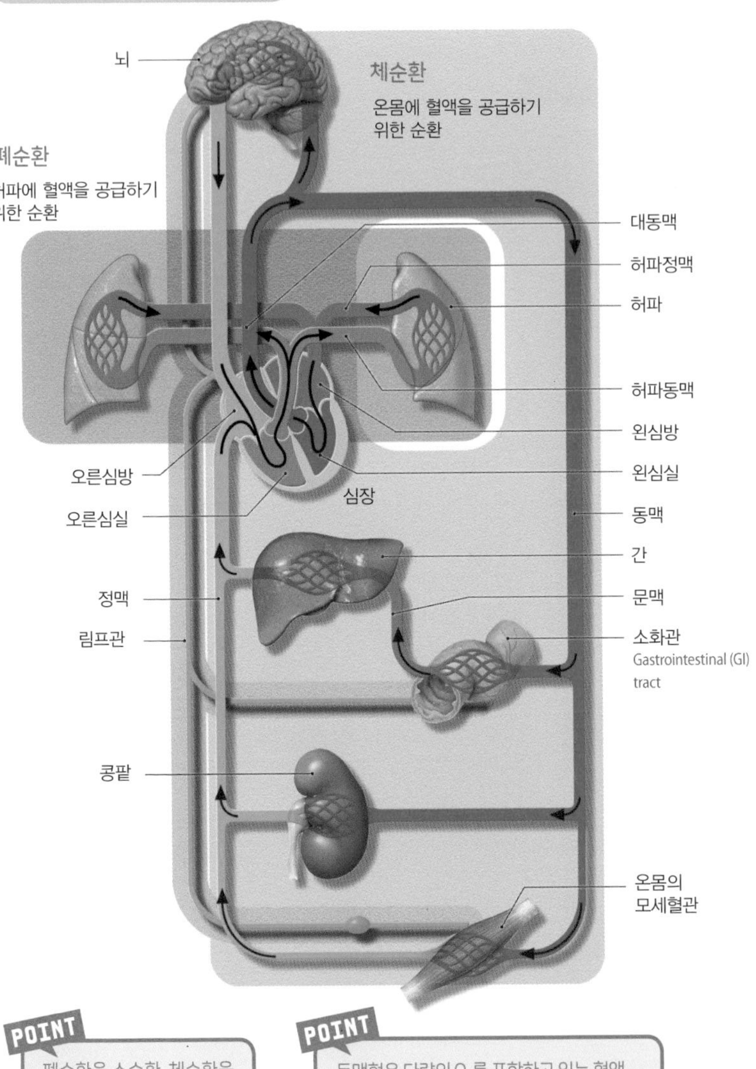
뇌
체순환
온몸에 혈액을 공급하기 위한 순환
폐순환
허파에 혈액을 공급하기 위한 순환
대동맥
허파정맥
허파
허파동맥
왼심방
왼심실
오른심방
오른심실
심장
동맥
간
정맥
문맥
림프관
소화관
Gastrointestinal (GI) tract
콩팥
온몸의 모세혈관

POINT
폐순환을 소순환, 체순환을 대순환이라 한다.

POINT
동맥혈은 다량의 O_2를 포함하고 있는 혈액
정맥혈은 다량의 CO_2를 포함하고 있는 혈액

심장전도계통과 심전도

이것만은 기억하자!

- 심장근육은 항상 일정한 형태로 자발적인 힘을 통해 수축과 이완Cardiac contraction-relaxation을 반복한다(자동성Automaticity). 이 운동을 심장박동Heart beat이라고 한다.
- 박동의 근원은 오른심방의 위대정맥구멍Orifice of sup. vena cava 부근에 위치하는 동굴심방결절Sinoatrial node에서 자연적으로 발생한 활동전압Action potential이 심방근육 전체를 흥분시키고 이어서 방실결절Atrioventricular node, 히스다발Bundle of His(=방실다발Atrioventricular bundle)을 차례로 지나서 심실로 전달된 후, 오른갈래Rt. bundle branch와 왼갈래Lt. bundle branch로 나눠져 심장전도근육섬유Purkinje fiber를 통해 심실전체에 전달 된다. 이 경로를 심장전도계통Cardiac conducting system이라 한다.
- 심장근의 흥분에 따른 활동전압을 이용하여 심장의 전기적 활동을 검사하는 심전도에서 P파*는 심방의 흥분, QRS파*는 심실의 흥분, T파**는 심실수축으로부터의 회복을 의미한다.
- PQ간격은 흥분이 심방에서 심장전도근육섬유까지 전달되는 방실전도시간을 의미한다.
- ST는 심장근의 흥분극기***를 의미한다.

임상 응용

부정맥Arrhythmia과 심전도Electrocardiogram, ECG

정상 심장박동보다 더 빨리 QRS파가 나오는 경우를 주기외수축Extrasystole이라 하며 P파가 있고 QRS파의 형태는 변화하지 않으면 심방주기외수축(PAC–Premature Atrial Contraction) Atrial extra-systole, P파가 없고 QRS파의 형태에 변화가 있으면 심실주기외수축(PVC–Premature ventricular contraction) Ventricular extrasystole이라 한다. 빈도가 적은 경우 문제는 없지만 PVC가 다발적이거나 연속적으로 나타난다면 심실빠른맥(VT–Ventricular tachycardia), 심실세동(VF–Ventricular fibrillation), 심장기능정지Cardiac arrest 등의 위험이 높아진다. 방실차단Atrioventricular block은 심방에서 심실까지의 흥분 전도가 손상된 것으로 PQ간격이나 QRS의 이상을 표시를 보인다.

12유도심전도

심장에 이상이 의심되는 환자에게는 반드시 12유도심전도****를 시행한다. 12종류의 파형이 심장의 전기적 활동상태를 다각적으로 보여준다. 운동협심증Effort angina은 ST가 저하되고, 심근경색에서는 ST가 상승한다.

역주

* 탈분극파 Depolarization wave

** 재분극파 Repolarization wave

*** 심실전체가 탈분극된 상태를 유지하는 시간. 즉, QRS파에서 T파가 끝나는 점까지

**** 표준사지유도 Standard limb leads + 증폭간극 유도 Augmented unipolar leasds + Precordial leads

심전도파형의 구성

POINT

심전도는 ① P파가 있는지 없는지, ② QRS가 규칙적인지 아닌지, ③T파가 있는지 없는지를 먼저 체크!
다음에 ④ PQ간격, ⑤ ST의 상하위치를 살펴본다.

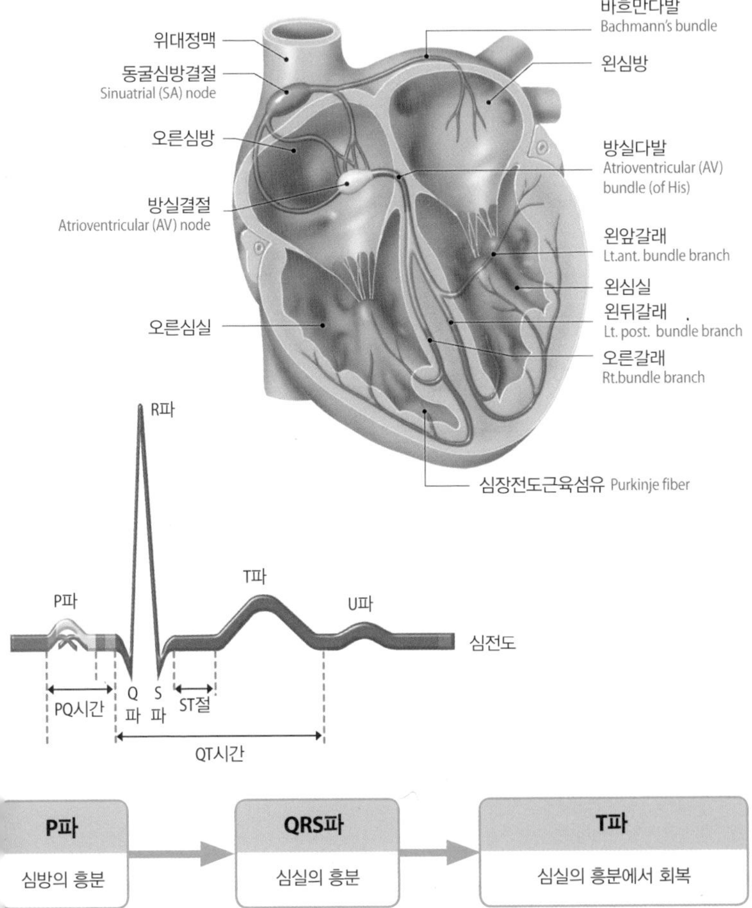
위대정맥
동굴심방결절
Sinuatrial (SA) node
오른심방
방실결절
Atrioventricular (AV) node
오른심실
바흐만다발
Bachmann's bundle
왼심방
방실다발
Atrioventricular (AV) bundle (of His)
왼앞갈래
Lt.ant. bundle branch
왼심실
왼뒤갈래
Lt. post. bundle branch
오른갈래
Rt.bundle branch
심장전도근육섬유 Purkinje fiber
R파
P파
T파
U파
심전도
Q 파
S 파
PQ시간
ST절
QT시간

P파		QRS파		T파
심방의 흥분	→	심실의 흥분	→	심실의 흥분에서 회복

혈관 Blood vessel

이것만은 기억하자!

- 혈관은 온몸을 순환하는 폐쇄계Closed system로 도관Vessel을 통해 혈액을 운반하는 역할을 한다.
- 혈관은 동맥, 모세혈관, 정맥으로 나눠진다.
- 동맥은 혈액을 심장에서 말초로 보내는 혈관이다. 대동맥은 순환의 큰 책임을 담당하고, 중간 크기의 동맥은 대동맥으로부터 나누어진다. 소동맥(세동맥)은 모세혈관에 연속되는 크기가 작은 동맥이다.
- 동맥벽은 속막Tunica intima(내피세포와 결합조직), 중간막Tunica media(민무늬근육과 탄성섬유), 바깥막Tunica adventitia(결합조직) 3층으로 구성되어 있으며 신축성과 탄력이 풍부하다.
- 속막을 둘러싼 탄성섬유를 속탄력막Int. elastic membrane, 민무늬근육층의 바깥을 둘러싼 탄성섬유를 바깥탄력막Ext. elastic membrane이라 한다.
- 모세혈관은 소동맥과 정맥을 엮는 망상(그물) 혈관으로 혈관벽에는 내피세포와 바닥막Basement membrane이 있고 민무늬근육Smooth muscle은 없다. 허파, 소화기, 샘, 콩팥 등 공기교환, 분비, 흡수, 배설과 관련된 장기에 많이 분포하고, 영양과 노폐물, O_2나 CO_2의 교환이 이루어진다.
- 정맥은 말초에서 심장 쪽으로 혈액을 되돌려 보내는 혈관이다. 속막과 중간막은 얇고 바깥막만 두꺼워서 탄력이 부족하다. 반달모양의 정맥판막Venous valve은 혈액의 역류를 방지한다.

관련 질환

동맥경화증Arteriosclerosis

탄력성을 잃어 동맥이 경화한 상태. 속막이나 중간막이 잘 발달된 동맥(심장동맥, 대동맥, 뇌 · 목 · 내장장기 · 팔다리에 분포하는 동맥 등)에 발생하기 쉽다. 속막에 지방이 침착해 속막이 손상되면 혈전Thrombus이 생겨서 협심증Angina pectoris, 심근경색Myocardial infarction, 뇌경색Cerebral infarction, 대동맥류Aortic aneurysm, 신경색Renal infarction, 팔다리의 괴사Necrosis 등이 일어난다.

동맥류Aneurysm

동맥류는 동맥벽이 혹 모양으로 확장한 것으로 진성동맥류True aneurysm(동맥벽 3층이 보존되어 있음), 가성동맥류False aneurysm(동맥벽이 찢어져 주위 결합조직에 의해 둘러싸임)이 있다. 거미막밑출혈Subarachnoid hemorrhage은 뇌동맥류 or 뇌동정맥기형 등으로 인하여 동맥이 파열되어 일어난다.

혈관의 구조

동맥

POINT

중간막은 민무늬근육과 탄성섬유로 이루어져 있어 특히 탄력과 신축성이 풍부하다.

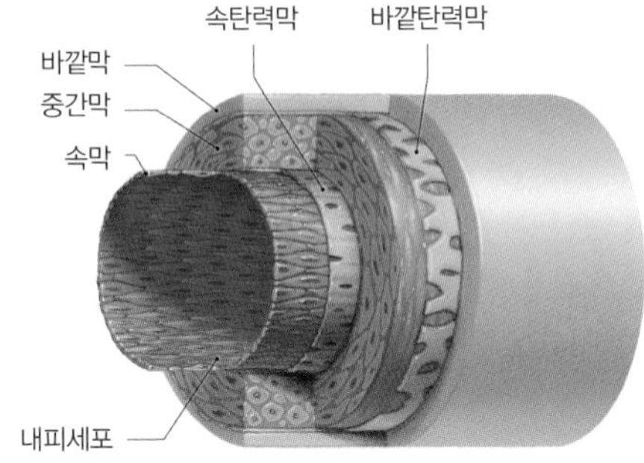
속탄력막
바깥탄력막
바깥막
중간막
속막
내피세포

모세혈관

POINT

내피세포Endothelial cell와 그 바닥막으로 구성돼 있다. 민무늬근육이 없는 2층 구조로 O_2, CO_2, 영양, 노폐물 등의 교환이 이루어진다.

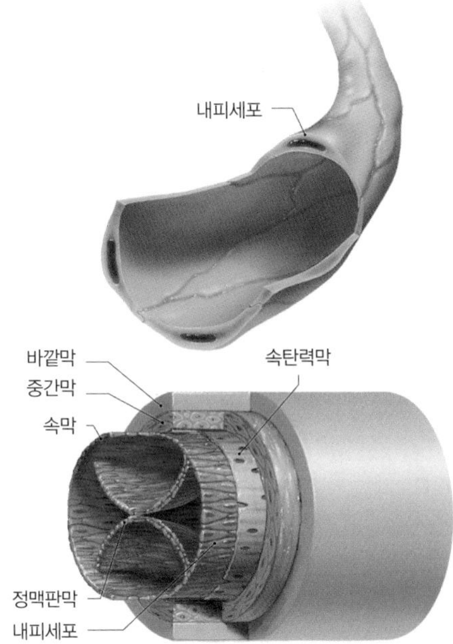
내피세포
바깥막
중간막
속막
속탄력막
정맥판막
내피세포

정맥

POINT

동맥과 같이 정맥도 속·중간·바깥막 3층 구조로 되어 있으나 벽은 얇고 혈액이 파랗게 보인다.

심장동맥(관상동맥)Coronary a.

이것만은 기억하자!

- 심장벽에 분포하는 영양동맥을 심장동맥(관상동맥)이라고 한다. 심장이 수축을 반복하기 위해서는 심장동맥으로부터 영양과 산소를 끊임없이 받아야 한다.
- 심장의 대동맥뿌리Root of aorta에서 좌우의 심장동맥으로 나눠지고 거기서 왼심장동맥은 휘돌이가지Circumflex branch와 내림가지Descending branch로 나누어진다.
- 심장동맥에서 파생된 혈관들을 다시 나눠지고 각각의 위치에 번호가 붙어져서 경색Infarct 부분을 명확하게 표시할 수 있다.

임상 응용

심장동맥조영Coronary arteriography

심장동맥의 촬영은 왼심방카테터법을 이용하고, 위팔동맥Brachial a. or 넙다리동맥Femoral a.을 통하여 대동맥까지 카테터를 보낸다. 카테터 삽입부는 출혈에 주의한다.

촬영영상을 보고 어느 부위가 변색되고, 협착을 일으키고 있는지를 확인한다. 경피경혈관심장동맥확장술PTCA, percutaneous transluminal coronary angioplasty은 카테터 말단의 풍선을 부풀려 동맥 내강을 확장시킨다.

- 오른심장동맥Rt. coronary a.이 경색 → 아래벽경색Inf. wall infarction(합병증: 부정맥)
- 왼심장동맥계Lt. coronary a.가 경색 → 앞벽경색Ant. wall infarction(합병증: 심부전, 심장성쇼크Cardiogenic shock)

관련 질환

허혈성심질환Ischemic heart disease

혈관이 동맥경화나 자극으로 좁아지면 협심증이 되고, 폐색하면 심근경색을 일으킨다. 심근경색은 심장근의 괴사가 일어나 생명을 잃을 수 있다.

오른심장동맥이 폐색하면 12유도심전도에서는 1, 2, aVF에 변화(ST상승 등)가 일어나고, 합병증으로 부정맥을 일으키기 쉽다.

왼심장동맥은 V_1~V_6등 흉부유도파형에 이상이 나타나며 심부전, 쇼크 등의 합병증을 일으키기 쉽다.

심장동맥의 구조

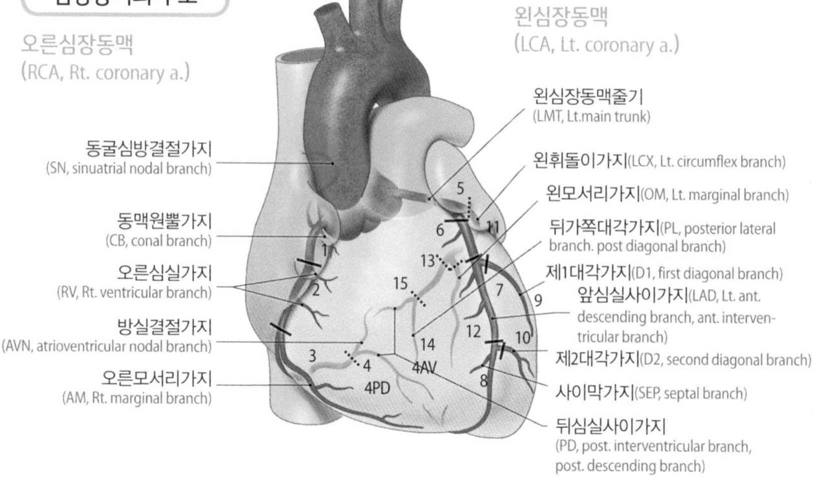

오른심장동맥
(RCA, Rt. coronary a.)

동굴심방결절가지
(SN, sinuatrial nodal branch)

동맥원뿔가지
(CB, conal branch)

오른심실가지
(RV, Rt. ventricular branch)

방실결절가지
(AVN, atrioventricular nodal branch)

오른모서리가지
(AM, Rt. marginal branch)

왼심장동맥
(LCA, Lt. coronary a.)

왼심장동맥줄기
(LMT, Lt.main trunk)

왼휘돌이가지(LCX, Lt. circumflex branch)

왼모서리가지(OM, Lt. marginal branch)

뒤가쪽대각가지(PL, posterior lateral branch. post diagonal branch)

제1대각가지(D1, first diagonal branch)

앞심실사이가지(LAD, Lt. ant. descending branch, ant. interventricular branch)

제2대각가지(D2, second diagonal branch)

사이막가지(SEP, septal branch)

뒤심실사이가지
(PD, post. interventricular branch, post. descending branch)

1 2 3 4 4PD 4AV 5 6 7 8 9 10 11 12 13 14 15

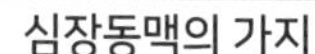

심장동맥의 가지

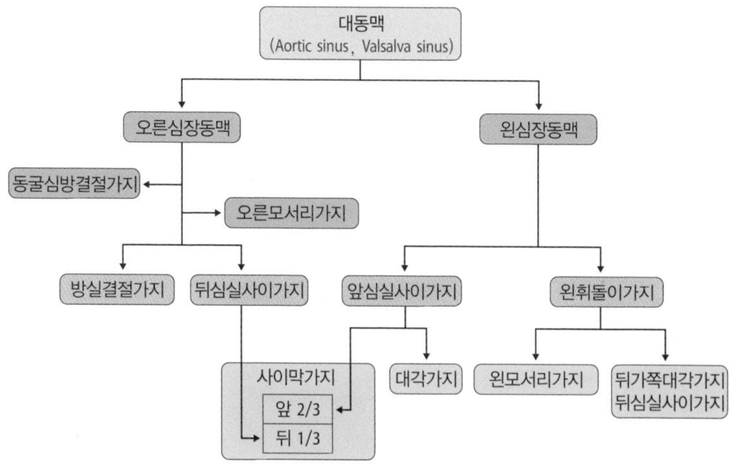
대동맥
(Aortic sinus, Valsalva sinus)
오른심장동맥
왼심장동맥
동굴심방결절가지
오른모서리가지
방실결절가지
뒤심실사이가지
앞심실사이가지
왼휘돌이가지
사이막가지
앞 2/3
뒤 1/3
대각가지
왼모서리가지
뒤가쪽대각가지
뒤심실사이가지

심박출량Cardiac output

이것만은 기억하자!

- 심박출량CO은 1분간 심장에서 배출되는 혈액 양을 말한다.
  심박출량 = 1회 심박출량 X 심박수Heart rate
- 1회 심장박동(심박)을 통해 왼심실에서 나오는 혈액양을 1회 심박출량이라고 한다(약 60mL). 심박이 70회/분이라면 1분간에는 심박출량은 약 4.2L가 된다.
- 성인 남성의 정상치는 4.5~5.5L/분이다.
- 심박출량은 몸의 표면적에 영향을 받기 때문에 체표면적으로 보정한 수치를 심장박출지수Cardiac index, CI라 하며 정상치는 2.5L~4.5L/min/m^2 이다.
- 심박출량이나 허파동맥쐐기압Pulmonary artery wedge pressure, PCWP은 오른심장의 스완-간즈카테터Swan-ganz catheter로 측정할 수 있다.
- 심장박출지수와 허파동맥쐐기압으로 포레스터분류표를 확인하면 심부전의 중증도와 치료방침이 명확해진다.

포레스터Forrester분류

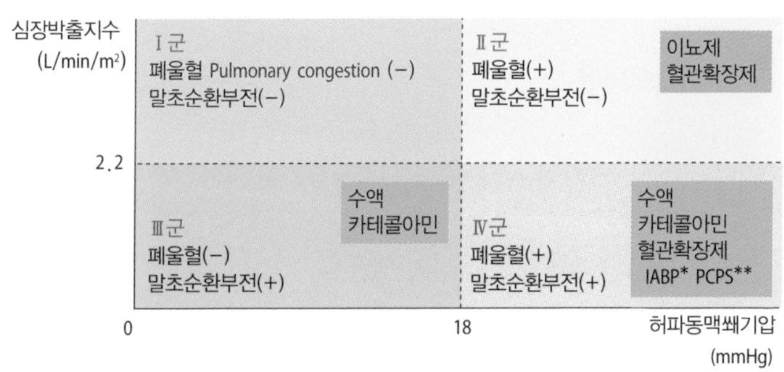
심장박출지수
(L/min/m²)
Ⅰ군
폐울혈 Pulmonary congestion (−)
말초순환부전(−)
Ⅱ군
폐울혈(+)
말초순환부전(−)
이뇨제
혈관확장제
2.2
수액
카테콜아민
Ⅲ군
폐울혈(−)
말초순환부전(+)
Ⅳ군
폐울혈(+)
말초순환부전(+)
수액
카테콜아민
혈관확장제
IABP* PCPS**
0
18
허파동맥쐐기압
(mmHg)

Ⅰ군 : 정상
Ⅱ군 : 폐울혈이 있기 때문에 이뇨제나 혈관확장제로 혈압을 낮춘다.
Ⅲ군 : 말초순환부전이 있기 때문에 수액이나 카테콜아민으로 순환혈액양을 늘린다.
Ⅳ군 : 폐울혈과 말초순환부전 양쪽 치료를 모두 한다.

* IABP (Intraaortic balloon pumping) : 대동맥내 풍선펌프
** PCPS (Percutaneous cardio-pulmonary support) : 경피적심폐유지

임상 응용

스완-간즈카테터 Swan-ganz catheter

스완-간즈카테터의 삽입 후에, 그 말단에서 왼심장계의 압력측정과 냉각된 수액을 주입(열희석법thermodilution)하여 심박출량을 측정할 수 있다. 심장박출지수에 따라 심부전 평가가 가능하다.

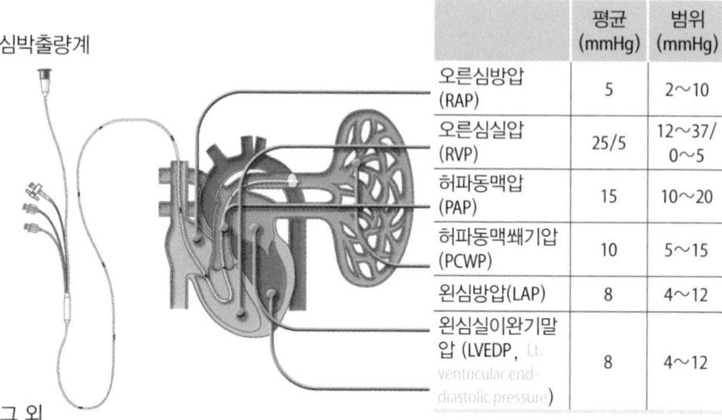
심박출량계

	평균 (mmHg)	범위 (mmHg)
오른심방압 (RAP)	5	2~10
오른심실압 (RVP)	25/5	12~37/ 0~5
허파동맥압 (PAP)	15	10~20
허파동맥쐐기압 (PCWP)	10	5~15
왼심방압(LAP)	8	4~12
왼심실이완기말압 (LVEDP, Lt. ventricular end-diastolic pressure)	8	4~12

그 외

심박출량(CO)	1회 박출량	심장박출지수(CI)	1회 박출계수
4.0~8.0 L/분	60~130mL	2.5~4.5 L/분/m^2	35~70mL/박/m^2

중심정맥압 측정

스완-간즈 카테터 없이도 중심정맥압Central venous pressure (CVP) 측정으로 어느 정도의 정맥환류를 파악할 수 있다.

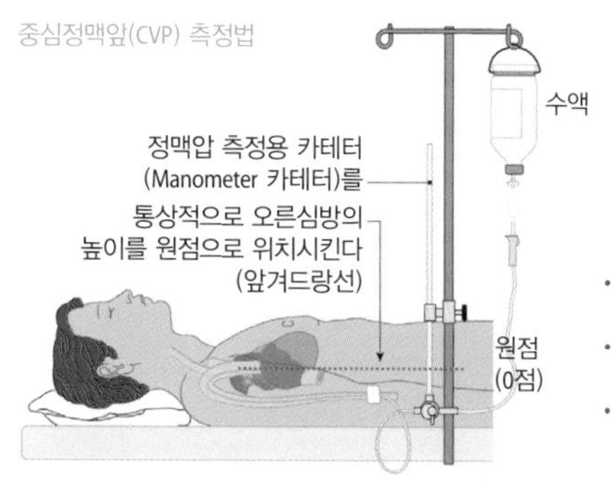
중심정맥압(CVP) 측정법
수액
정맥압 측정용 카테터
(Manometer 카테터)를
통상적으로 오른심방의
높이를 원점으로 위치시킨다
(앞겨드랑선)
원점
(0점)

카테터를 말초정맥에서 대정맥내로 삽입하고 0점(오른심방의 높이)를 기준으로 압력을 측정한다.

- 정상치: 5~10cm H_2O (4~7mmHg)
- 높은 수치: 심부전 → 이뇨제 투여
- 낮은 수치: 말초순환부전(탈수, 출혈) → 수액 등

혈압 Blood pressure

이것만은 기억하자!

- 혈압이란 심장에서 나오는 혈액이 혈관 벽에 미치는 측압Lat. pr.(물체의 내부 측면에 작용하는 압력)을 말한다. 통상적으로 동맥에 혈액이 들어왔을 때의 압력으로 측정된다.
- 심장이 수축할 때와 이완 될 때의 혈압은 다르며 수축기혈압Systolic blood pr.(최고혈압)과 이완기혈압Diastolic blood pr.(최저혈압)으로 표시된다.
- 정상 혈압은 수축기혈압 130mmHg 미만이고 이완기혈압은 85mmHg 미만이다.

성인의 혈압수치 분류

분류		수축기혈압		확장기혈압
정상 혈압	적정혈압	<120	및	<80
	정상혈압	120-129	및 / 또는	80-84
	정상고수치 혈압	130-139	및 / 또는	85-89
고혈압	I 도 고혈압	140-159	및 / 또는	90-99
	II 도 고혈압	160-179	및 / 또는	100-109
	III 도 고혈압	≧ 180	및 / 또는	≧ 110
	(고립성) 수축기고혈압	≧ 140	및	< 90

일본고혈압학회고혈압치료 가이드라인 작성위원회편: 고혈압치료가이드라인 2014. 일본고혈압학회, 도쿄, 2014 : 19 에서 참조함

임상 응용

혈압증가 및 감소의 요인

혈압 = 심박출량 x 혈관저항 이다.

출혈이나 탈수의 경우, 혈압이 내려간다. 동맥경화가 진행되면 혈관의 저항력이 높아지고 혈압은 상승한다. 염분을 취하면 혈류량이 상승하고, 혈압이 높아진다. 따라서 동맥경화를 예방하는 생활습관(저지방, 저칼로리, 운동을 하는 등), 염분 섭취를 삼가하는 것이 고혈압 예방에 효과적이다.

혈압 측정(청진법)에 따른 혈류난음(코로트코프음 Korotkoff sound)의 변화

〈혈압측정의 순서〉

1. 커프Cuff 를 바르게 감는다(중심이 위팔동맥의 위에 오도록).
2. 압력을 가한 후에(예상수축기압 + 30mmHg) 연속적으로 압력을 완화시킨다(감압속도 2mmHg/초).
3. 소리와 압력계를 비교하여 측정한다.

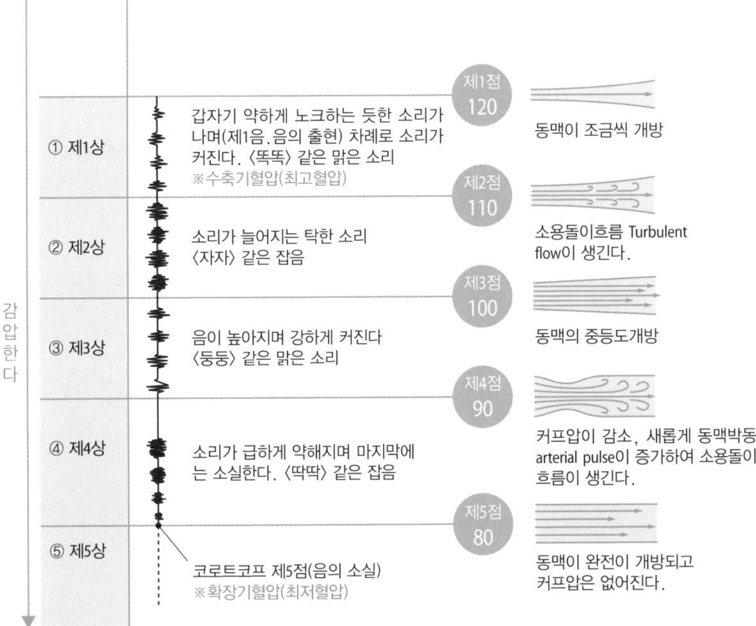

감압한다
① 제1상
② 제2상
③ 제3상
④ 제4상
⑤ 제5상
갑자기 약하게 노크하는 듯한 소리가 나며(제1음. 음의 출현) 차례로 소리가 커진다. 〈똑똑〉 같은 맑은 소리
※수축기혈압(최고혈압)
소리가 늘어지는 탁한 소리 〈자자〉 같은 잡음
음이 높아지며 강하게 커진다 〈둥둥〉 같은 맑은 소리
소리가 급하게 약해지며 마지막에는 소실한다. 〈딱딱〉 같은 잡음
코로트코프 제5점(음의 소실)
※확장기혈압(최저혈압)
제1점 120
제2점 110
제3점 100
제4점 90
제5점 80
동맥이 조금씩 개방
소용돌이흐름 Turbulent flow이 생긴다.
동맥의 중등도개방
커프압이 감소, 새롭게 동맥박동 arterial pulse이 증가하여 소용돌이 흐름이 생긴다.
동맥이 완전이 개방되고 커프압은 없어진다.

箭野育子, 大久保祐子: 바이탈사인의 파악과 간호, 중앙법규출판, 도쿄, 2000: 65부터 일부 개편되어 참조

POINT

촉진법에서는 노동맥Ridial a.을 촉진하면서 커프압력을 가한 후, 감압할 때 맥이 느껴지기 시작하는 곳이 수축기혈압(최고혈압)이다. 이완기혈압(최저혈압)은 측정할 수 없다.

심장의 신경지배

이것만은 기억하자!

- 교감신경이 자극을 받으면 심박수가 증가하고 혈관이 수축되며, 혈압이 상승한다.
- 부교감신경은 교감신경과 길항적으로 작용하며 심박수가 저하되고, 혈관은 확장되어 혈압이 저하된다.
- 숨뇌Medulla oblongata안의 심장중추에서 심장에 들어가는 부교감신경(억제신경)은 미주신경Vagus n.이고, 심장중추에서 척수로 내려가 심장으로 들어가는 교감신경은 촉진신경Accelerator n.(기능적)이다.
- 구심성신경으로는 대동맥활에서 미주신경이 심장중추(심장박동 조절중추)를 향해 주행하고, 목동맥팽대Carotid sinus에서 작은 헤링신경Hering's n.이 혀인두신경Glossopharyngeal n.으로 이어져 심장중추를 향해 주행한다.
- 대동맥에 위치한 압력수용체Baroreceptor의 압력이 높아지면 미주신경(감압신경Depressor n.*)을 통해 숨뇌의 심장중추에 전달되어 심장의 박동이나 혈압을 저하시킨다(대동맥활압수용체반사 or 미주신경반사Vagal reflex).
- 목동맥Carotid a.에서의 반사도 위와 같은 형태로 목동맥팽대반사Carotid sinus reflex라고 한다.
- 대동맥활압수용체반사와 목동맥팽대반사를 합하여 동맥압수용체반사Aortic baroreceptor reflex라고 한다.
- 오른심방이나 대정맥Vena cava의 정맥압이 증가하면 미주신경(승압신경Pressor n.*)을 통해 심장중추에 전해져 심박수를 증가시키고 울혈Congestion을 감소시킨다(베인브리지반사Bainbridge's reflex).
- 반사는 대뇌겉질은 관여하지 않고 불수의적으로 조절된다.

임상 응용

심박수 조절

심박수가 상승한 경우, 안구를 압박하면 삼차신경Trigeminal n.이 자극받아 심박수가 감소한다(Eyeball compression test 아슈네르검사). 심박수가 감소한 경우, 아트로핀을 주사하면 미주신경의 부교감신경이 마비되고 교감신경만 일하게 되어, 심박수를 올리게 된다.

호흡중 흡기에서는 교감신경이, 호기에서는 부교감신경이 작용하여, 심장박동이 증가했다가 감소했다가 한다. 따라서 호기를 길게 하면 안정효과가 있다.

* 미주신경의 구심성신경에는 기능적으로 승압신경과 감압신경이 같이 존재함. 단, 승압신경과 감압신경은 기능적 신경이며, 해부학적 구조물에 의해 따로 나누어져 있는 것이 아님을 주의해야 함.

심장의 신경지배

〈심장중추〉

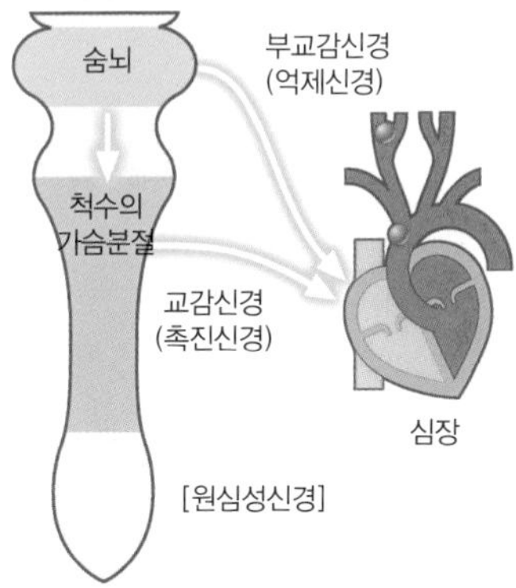
숨뇌
부교감신경
(억제신경)
척수의
가슴분절
교감신경
(촉진신경)
심장
[원심성신경]

	부교감신경	교감신경
신경명(별명)	억제신경	촉진신경
심박수	⬇	⬆
혈관	확장	수축
혈압	⬇	⬆

POINT

원심성신경은 중추에서 말초로 전달된다. 구심성신경은 말초에서 중추로 전달된다.

〈심장중추〉

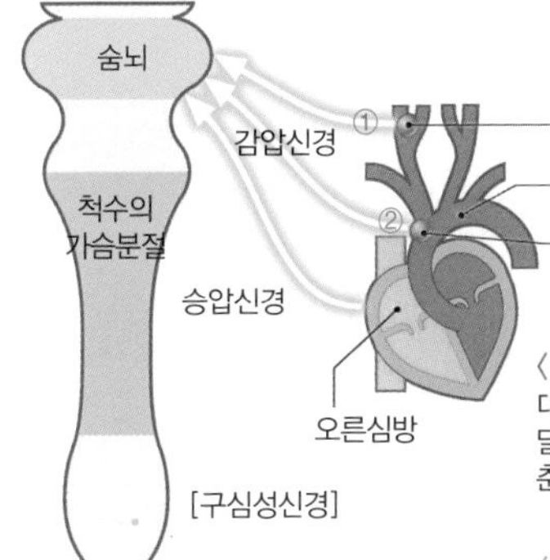
숨뇌
①
감압신경
②
척수의
가슴분절
승압신경
오른심방
[구심성신경]

목동맥팽대 Carotid sinus — ① 혀인두신경 Glossopharyngeal n.

대동맥

대동맥활압수용체 — ② 미주신경 Vagus n.

〈대동맥활압수용체반사, 목동맥팽대반사〉
대동맥과 목동맥의 혈압이 상승하면 자극이 숨뇌에 전달되어, 부교감신경(억제신경)이 심박수와 혈압을 낮춘다.

〈베인브리지 반사(심방반사)〉
오른심방, 대동맥압이 상승하여, 울혈이 생기면 자극이 미주신경(승압신경)을 따라 숨뇌에 전달되어, 심박수를 올리고 울혈을 감소시킨다.

교감신경과 부교감신경의 기능은 자동차의 액셀과 브레이크처럼 길항작용Antagonism을 하여 상호균형을 맞춘다.

림프관Lymphatic vessel과 림프절Lymph node

이것만은 기억하자!

- 림프관은 온몸에 그물처럼 둘러쳐져 있고, 여러가지 형태를 가진다. 모세림프관Lymphatic capillary은 림프절을 지나 서로 합쳐져서 굵은 림프관(림프관줄기Lymphatic trunk or 가슴림프관Thoracic duct)이 되어 정맥계로 흘러 들어간다.
- 오른림프관줄기Rt. lymphatic duct는 오른쪽상체(온몸의 1/4, 오른목림프관줄기Rt. jugular trunk, 오른빗장밑림프관줄기Rt. subclavian trunk, 기관지종격림프관줄기Rt. bronchomediastinal trunk)에서 모인 림프(림프액)가 흐른다.
- 가슴림프관은 왼쪽상체 및 좌우하반신(온몸의 3/4, 왼목림프관줄기Lt. jugular trunk, 왼빗장밑림프관줄기Lt. bronchomediastinal trunk, 창자림프관줄기Intestinal trunk, 허리림프관줄기Lumbar lymphatic trunk 등)에서 모인 림프(림프액)가 흐른다.
- 림프관은 몇 개로 나누어져 림프절에 들어가고(들림프관Afferent lymphatic vessel) 림프동굴Lymphatic sinus 을 통해 날림프관Efferent lymphatic vessel 으로 나온다. 림프동굴내에는 큰포식세포Macrophage가 존재해 이물질이나 세균을 제거한다.
- 림프절은 목, 겨드랑, 샅굴부위 등, 신체의 각 부위에 존재한다.
- 가슴샘Thymus은 림프성기관Lymphoid organ의 기능을 조절한다. 가슴샘에서 림프구인 T세포T lymphocyte가 혈관을 통해 온몸의 림프성기관에 운반된다. T세포는 세포성면역Cell mediated immunity과 관련되어 있다.

임상 응용

림프절전이Lymph node metastasis

암 환자에서 림프절에 전이가 발견된다. 특히, 유방암에서는 겨드랑림프절Axillary lymph nodes이, 위암과 이자암 같은 소화기암에서는 왼목부분에 왼정맥각림프절Lt. venous angle lymph nodes (deep inf. cervical lymph nodes)에 전이되기 쉽고, 촉진 등으로 확인이 가능하다.

관련 질환

악성림프종Malignant lymphoma

악성림프종은 호지킨림프종Hodgkin's lymphoma과 비호지킨림프종Non−Hodgkin's lymphoma으로 나누어 진다. 전자는 원인불명이고 후자는 B림프구 또는 T림프구의 악성종양이다.

림프부종Lymphedema

림프부종은 암 등으로 림프관이 협착 or 폐색되어 울혈이 된 상태다. 림프마사지가 도움이 된다.

온몸의 림프관

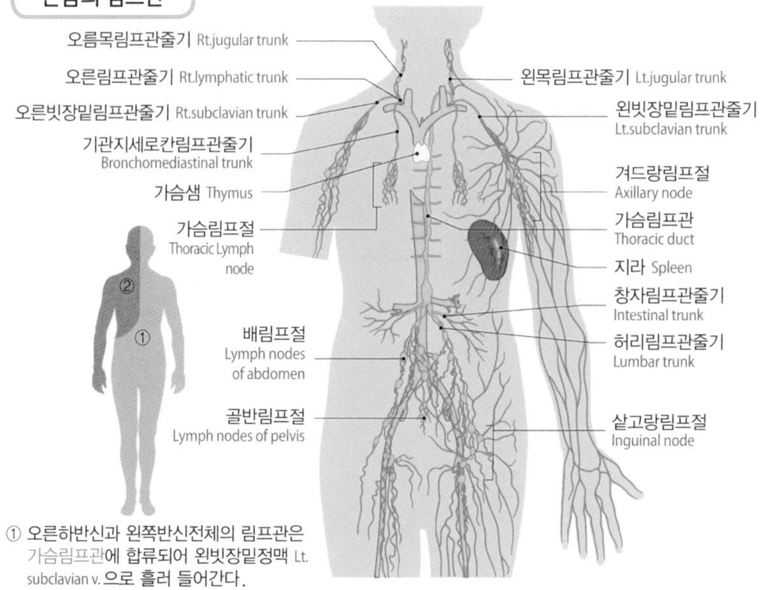

오름목림프관줄기 Rt.jugular trunk
오른림프관줄기 Rt.lymphatic trunk
오른빗장밑림프관줄기 Rt.subclavian trunk
기관지세로칸림프관줄기 Bronchomediastinal trunk
가슴샘 Thymus
가슴림프절 Thoracic Lymph node
배림프절 Lymph nodes of abdomen
골반림프절 Lymph nodes of pelvis
왼목림프관줄기 Lt.jugular trunk
왼빗장밑림프관줄기 Lt.subclavian trunk
겨드랑림프절 Axillary node
가슴림프관 Thoracic duct
지라 Spleen
창자림프관줄기 Intestinal trunk
허리림프관줄기 Lumbar trunk
샅고랑림프절 Inguinal node

① 오른하반신과 왼쪽반신전체의 림프관은 가슴림프관에 합류되어 왼빗장밑정맥 Lt. subclavian v.으로 흘러 들어간다.
② 오른쪽 상체의 림프관은 오른림프관줄기에 합류되어 오른빗장밑정맥 Rt. subclavian v.으로 흘러 들어간다.

림프절의 구조

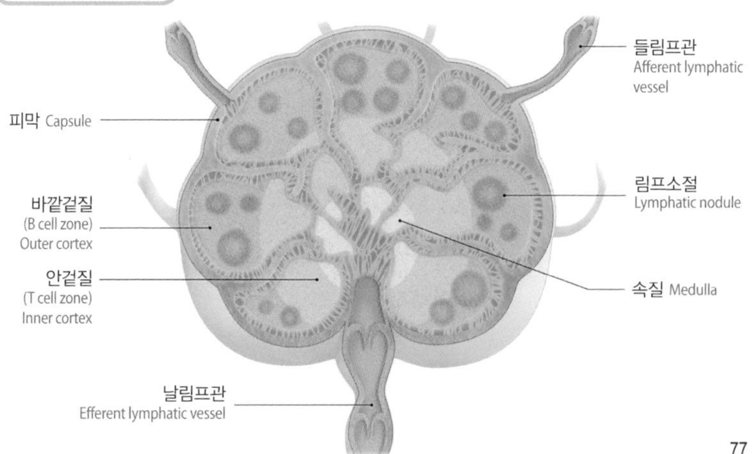
들림프관
Afferent lymphatic vessel
피막 Capsule
림프소절
Lymphatic nodule
바깥겉질
(B cell zone)
Outer cortex
안겉질
(T cell zone)
Inner cortex
속질 Medulla
날림프관
Efferent lymphatic vessel

소화흡수의 흐름

이것만은 기억하자!

- 소화Digestion는 음식물 내의 영양소를 체내 소화기관의 상피세포가 혈액 내로 흡수Absorption시킬 수 있도록 분해시키는 기능이다.
- 소화기계Digestive system는 소화 · 흡수 및 찌꺼기의 배설, 소화액의 분비와 관련된 장기를 말한다. 입Mouth에서 항문Anus까지 이어진 소화관Gastrointestinal(GI) tract (식도Esophagus, 위Stomach, 작은창자Small intestine, 큰창자Large intestine)과 간Liver, 쓸개Gall bladder, 이자Pancreas까지를 말한다.
- 입안에서 음식물은 씹기(저작)Mastication와 삼킴(연하)Deglutition, swallowing 과정을 거치고 위 속에서 부분적으로 소화되고 작은창자에서 마지막으로 소화되어 혈관 및 림프관으로 흡수되며, 남은 찌꺼기는 큰창자를 통해 항문에서 대변으로 배설된다.

임상 응용

소화기의 신체검사

소화기계 장기를 외부에서 신체검사하는 방법으로는 손끝촉진법Fingertip palpation이 있다. 신체검사하는 사람은 환자의 오른쪽에 위치하고 손바닥 전체로 긴장도과 붓기, 장기 표면의 상태를 파악한다. 그런 후 손가락 끝으로 압통부분을 확인한다.

곧창자내진(직장수지검사Digital rectal examination)법은 항문에서 곧창자 하단에 손가락을 삽입하여 병변을 진단한다. 전립샘비대Prostatic hypertrophy, 전립샘암Prostate ca., 더글라스오목종양 · 덩이Tumor · mass in Douglas pouch, 치핵Haemorrhoid 등의 진단에 유용하다.

간을 신체검사할 때는 환자에게 복식호흡을 시키고, 오른쪽 갈비활Costal arch 아래 가장자리에 손가락을 집어넣어 간오른엽의 앞모서리를 촉진한다.

청진기를 이용하여 장음Bowel sound(꾸르륵 소리Gurgling noise)을 듣고 장폐색Ileus 이나 변비, 설사 등을 예측할 수 있다.

고칼로리수액으로 직접 혈액에 영양제를 넣으면 소화기를 사용하지 않게 되기 때문에 융모Villus가 위축되는 단점이 있다. 가능한 소화기를 통해 영양을 섭취하게 하는 것이 좋다.

소화기계와 소화흡수

POINT

위내시경Gastroscopy은 입 안 및 코 안으로 삽입한다.

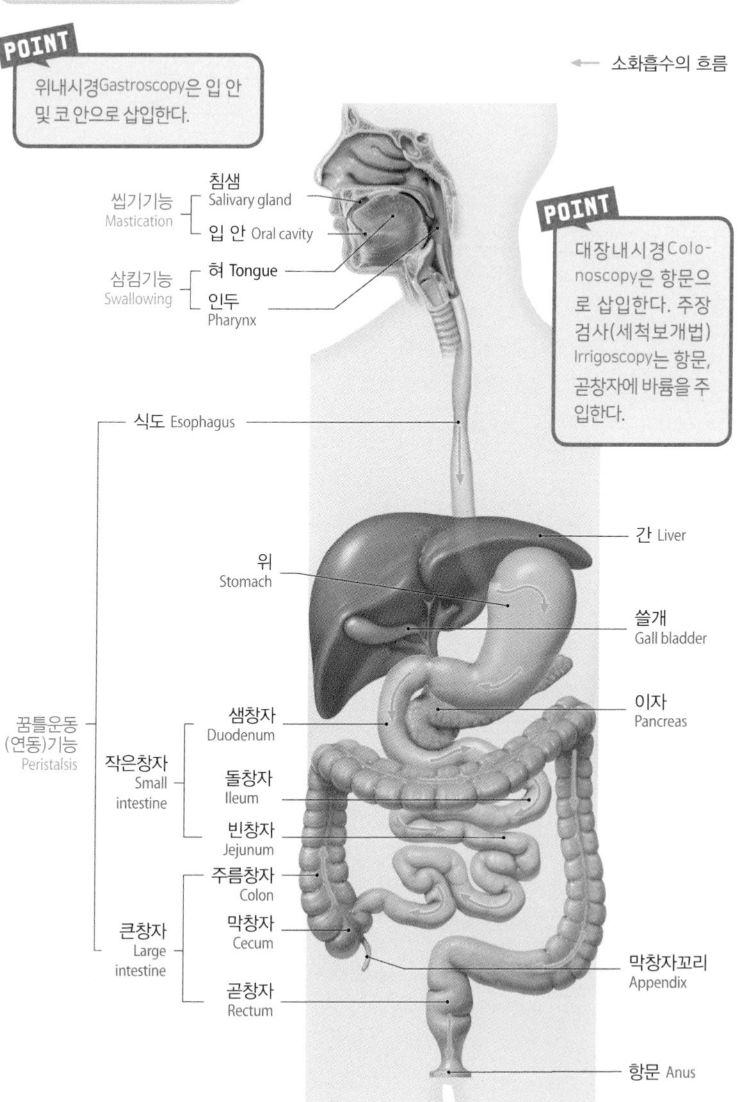

← 소화흡수의 흐름
씹기기능
Mastication
침샘
Salivary gland
입 안 Oral cavity
삼킴기능
Swallowing
혀 Tongue
인두
Pharynx
식도 Esophagus
간 Liver
위
Stomach
쓸개
Gall bladder
이자
Pancreas
꿈틀운동
(연동)기능
Peristalsis
작은창자
Small
intestine
샘창자
Duodenum
돌창자
Ileum
빈창자
Jejunum
큰창자
Large
intestine
주름창자
Colon
막창자
Cecum
막창자꼬리
Appendix
곧창자
Rectum
항문 Anus

POINT

대장내시경Colonoscopy은 항문으로 삽입한다. 주장검사(세척보개법)Irrigoscopy는 항문, 곧창자에 바륨을 주입한다.

입안 oral cavity

이것만은 기억하자!

- 입안은 앞쪽에 입술Lip, 양측에 뺨Cheek, 위쪽에 단단입천장Hard palate와 물렁입천장Soft palate, 아래쪽에는 혀로 둘러싸여 있다. 상하 치열Teeth arrangement의 외측 및 입술과의 사이는 입안뜰Vestibule, rima of mouth이라고 부르며, 치열 안쪽은 고유입안Oral cavity proper이라 한다.
- 음식물은 입안 속에서 씹히고 타액과 섞어져 식도로 넘어간다.
- 입천장(구개)Palate은 입안의 윗부분 즉 천장Roof을 형성하는 부분으로 앞 2/3은 단단입천장, 뒤 1/3은 물렁입천장(뼈가 없는 근육)으로 되어 있다.
- 치아는 음식을 씹기 위한 딱딱한 구조물을 말한다.
- 치아머리Dental crown에는 상아질Dentin 바깥측에 사기질Enamel이 있고 치아뿌리Dental root의 바깥 측에는 시멘트질Cementum이 있다. 사기질, 상아질, 시멘트질 순으로 강도가 세다.
- 치아의 안쪽은 치수공간Pulp cavity이 존재하며 치수Dental pulp가 들어있다. 치수공간의 치아뿌리 부분에는 좁은 치아뿌리관Dental root canal이 존재한다.
- 혀는 음식물의 씹기, 삼키기 및 말하기를 담당하는 기관이다. 혀는 입 안 아래쪽으로부터 돌출되어 나온 구조물이며 가로무늬근으로 구성되어 있고 표피는 중층편평상피(P.15)로 덮여있다.
- 혀의 앞 2/3의 미각은 얼굴신경Facial n.(고실끈신경Chorda tympani n.), 혀의 뒤쪽 1/3은 혀인두신경Glossopharyngeal n. (→P.106)이 지배하고 있다.

임상 응용

입안의 씹기기능

음식물을 이빨로 물어뜯고 이빨과 혀의 씹기를 통해 잘게 부수고 쪼개서 침샘에서 분비된 타액과 섞여져 소화하기 쉬워지게 된다. 따라서, 고령으로 이빨이 결손되거나 침분비가 잘 되지 않으면 소화가 잘 되지 않는다.

관련 질환

흡인폐렴Aspiration pneumonia

음식물이나 침이 잘못해서 기관Trachea내에 들어가서 발생한다. 흡인폐렴을 예방하기 위해서는 입안이 건조하지 않게 하고 칫솔이나 스펀지브러시를 이용하여 청결하게 유지하며, 경구 영양섭취를 하는 등 입 안 내 환경을 정비해야 한다.

입안의 구조

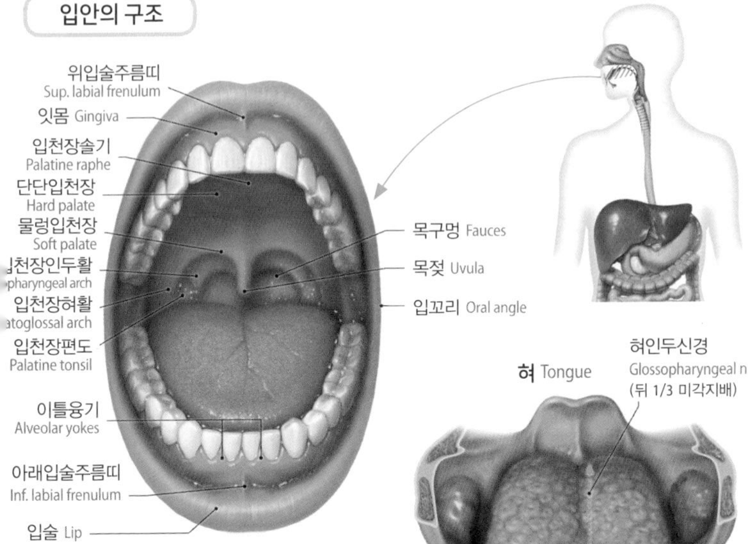

위입술주름띠
Sup. labial frenulum
잇몸 Gingiva
입천장솔기
Palatine raphe
단단입천장
Hard palate
물렁입천장
Soft palate
천장인두활
pharyngeal arch
입천장혀활
atoglossal arch
입천장편도
Palatine tonsil
이틀융기
Alveolar yokes
아래입술주름띠
Inf. labial frenulum
입술 Lip
목구멍 Fauces
목젖 Uvula
입꼬리 Oral angle

혀 Tongue

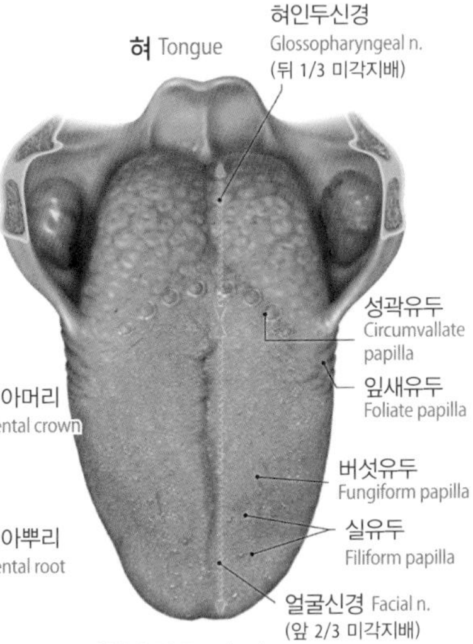

혀인두신경
Glossopharyngeal n.
(뒤 1/3 미각지배)
성곽유두
Circumvallate papilla
잎새유두
Foliate papilla
버섯유두
Fungiform papilla
실유두
Filiform papilla
얼굴신경 Facial n.
(앞 2/3 미각지배)

치주조직 Periodontal tissue

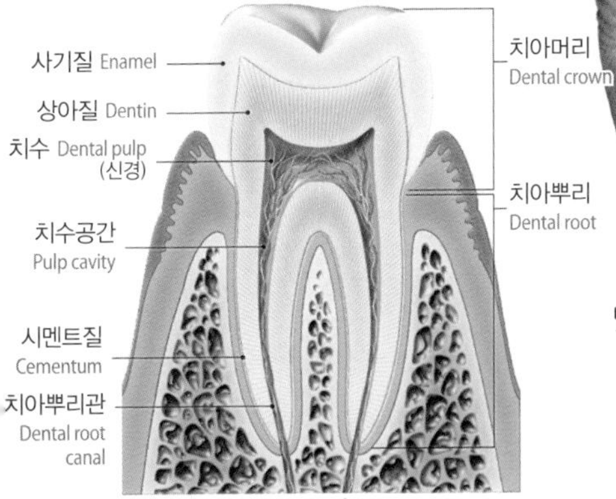

사기질 Enamel
상아질 Dentin
치수 Dental pulp (신경)
치수공간
Pulp cavity
시멘트질
Cementum
치아뿌리관
Dental root canal
치아머리
Dental crown
치아뿌리
Dental root

맛봉오리 Taste bud

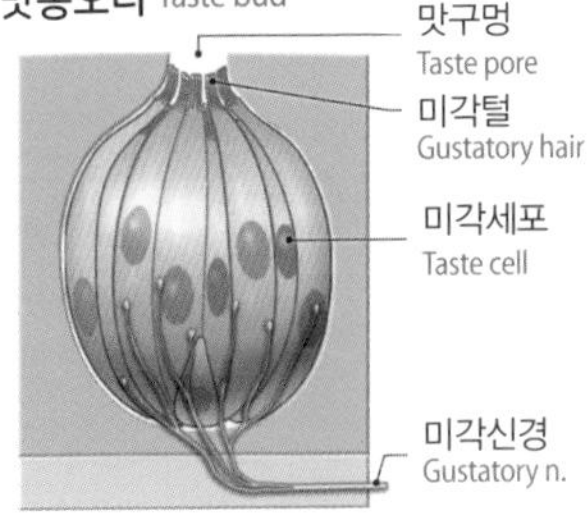

맛구멍
Taste pore
미각털
Gustatory hair
미각세포
Taste cell
미각신경
Gustatory n.

POINT

맛을 느끼는 맛봉오리는 주로 혀의 성곽유두, 잎새유두, 버섯유두에 있다. 혀 이외에 입천장과 인두 점막 등에도 맛봉오리가 존재한다.

인두Pharynx, 식도Esophagus

이것만은 기억하자!

- 입 안에서 편도Tonsil는 세균의 침입을 방지하고 침샘Salivary gland(귀밑샘Parotid gland, 턱밑샘Submandibular gland, 혀밑샘Sublingual gland)은 침Saliva의 분비(녹말소화효소분비: 침에는 아밀라아제Amylase의 하나인 프티알린Ptyalin이 있다.)와 관련이 있다.
- 인두의 입구부분에는 인두편도Pharyngeal tonsil (1개), 입천장편도Tonsil of soft palate (2개), 혀편도Lingual tonsil (1개), 귀인두관편도Tubal tonsil (2개)가 고리모양으로 편도를 둘러싸고 있다(구개인두편도Waldeyer's tonsillar ring).
- 인두에서는 음식물이 인두점막에 닿으면 삼킴운동이 반사적으로 일어나 음식을 식도로 보낸다.
- 식도는 약 25cm로 식도입구부분, 기관갈림Carina부분, 가로막관통부분 등 3부분에서 생리적 협착이 생긴다(→P.83).
- 식도는 점막Mucosa, 점막밑층Submucosa, 근육층Tunica muscularis, 외막Adventitia으로 이루어져 있고 근육층은 속돌림층Inner circular layer과 바깥세로층Outer longitudinal layer으로 이루어져 있다. 식도윗부분은 가로무늬근(수의근)이고 중간 부분부터는 민무늬근육(불수의근)으로 바뀐다. 음식물이 식도의 아래로 들어가면 불수의적인 꿈틀(연동)운동이 일어나 위로 보내진다.

식도점막에는 온도감각이 없기 때문에 뜨거운 것을 삼켜도 느낄 수가 없고 이로 인해 때로는 협착을 일으키기도 한다.

관련 질환

식도정맥류Esophageal varix

식도아랫부분은 정맥이 발달되어 있고, 간문맥Portal v.(→p.94)과 연결되어 있기 때문에 간경화Liver cirrhosis가 되면 식도정맥류가 일어나기 쉽다.

식도암Esophageal cancer

식도암이 자주 발생하는 부위는 식도중부·하부이다. 특히 식도에서 위의 들문부Cardia로 중층편평상피가 단층원주상피로 이행Transition하기 때문에 식도암 발병률이 높다. 또 생리적협착부에서도 발병하기 쉽다.

식도의 위치와 구조

POINT

식도는 기관의 뒤에 있다. L-튜브Levin tube를 삽입할 때는 이 점을 염두해 두자.

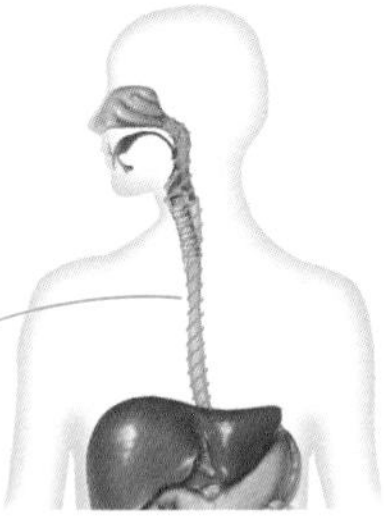

POINT

생리적협착부에는 이물질이 막히기 쉽다.

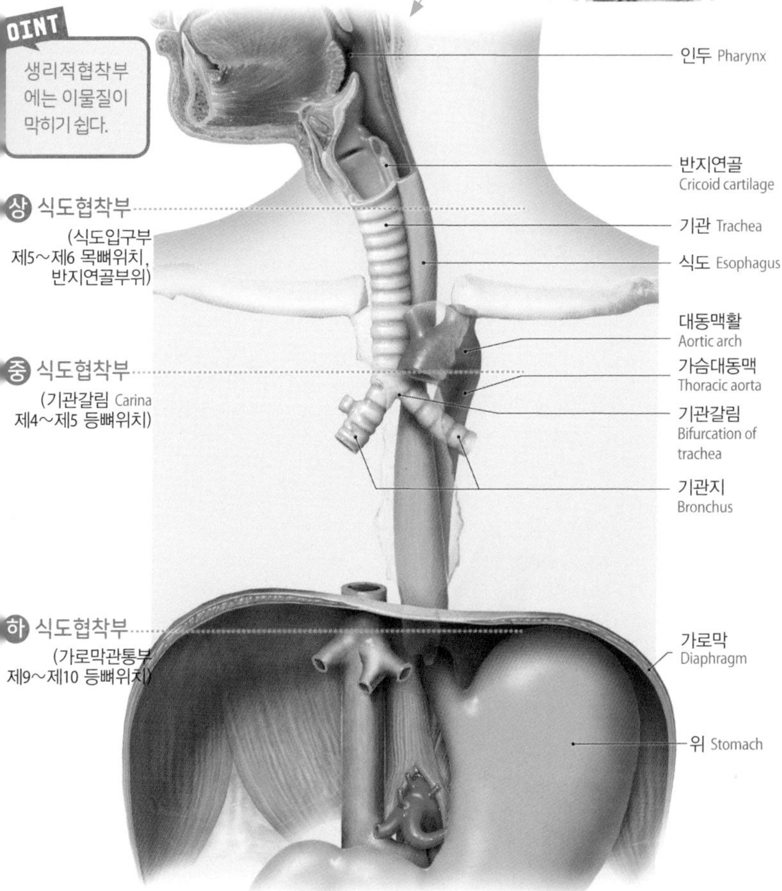

상 식도협착부
(식도입구부 제5~제6 목뼈위치, 반지연골부위)
중 식도협착부
(기관갈림 Carina 제4~제5 등뼈위치)
하 식도협착부
(가로막관통부 제9~제10 등뼈위치)
인두 Pharynx
반지연골 Cricoid cartilage
기관 Trachea
식도 Esophagus
대동맥활 Aortic arch
가슴대동맥 Thoracic aorta
기관갈림 Bifurcation of trachea
기관지 Bronchus
가로막 Diaphragm
위 Stomach

연하(삼킴) Deglutition, swallowing

이것만은 기억하자!

- 섭식(식품섭취Food intake)은 입으로 음식을 삼키는 것을 말한다.
- 삼킴은 음식을 먹기 위해 입안, 인두, 식도의 모든 근육 운동과 반사에 의해 발생한다.
- 삼킴운동은 숨뇌Medulla의 삼킴중추에서 지배하고, 미주신경Vagus n.이 조종한다.
- 섭식 · 삼킴의 ①선행기(인지기)는 음식물을 인지하는 단계다. 시각, 후각, 청각 등 눈 앞의 음식을 인식한다.
- ②준비기(저작기)는 입술이나 이빨, 혀로 삼킬 수 있는 크기의 음식 덩어리를 쪼개는 단계이다.
- ③구강기(삼킴 제1기)는 음식 덩어리를 혀 운동으로 인두로 보내는 단계다.
- ④인두기(삼킴 제2기)는 음식물을 인두에서 식도로 운반하는 시기로 삼킴반사(순간적으로 기도로 들어가지 않도록 성대Vocal cord를 막고 후두덮개Epiglottis가 후두구멍Laryngeal aperture을 뚜껑처럼 닫는다)에 의해 이루어진다(불수의 운동).
- ⑤식도기(삼킴 제3기)는 식도에서 위로 음식 덩어리가 옮겨지는 단계이다.
- 삼킴운동은 제 1~3(③,④,⑤)기로 나누어진다.

임상 응용

연하곤란, 삼키기곤란 Dysphagia

치매가 있으면 선행기에 주로 장애가 발생한다. 또 이빨이 결손되었거나 안면마비가 있는 환자는 준비기에 장애가 발생한다.

뇌혈관질환이 있는 고령자는 삼킴반사도 문제가 있어서 모든 단계의 장애를 가지는 경우도 많다. 입술, 뺨, 목, 어깨의 운동이나 아이스마사지, 이완운동 등의 재활이나 삼키기 쉬운 식사(약간 걸쭉하게 하기, 부드럽게 하기, 한 입 크기로 자르기 등)를 준비한다.

맞춤형 숟가락이나 젓가락, 입안관리, 호흡훈련, 자세의 유지, 주의력집중 등 넓은 의미의 관리가 필요하다.

먹기Eating/삼킴Deglutition(섭식연하)의 기전

	단계	포인트
1. 선행기 (인지기)	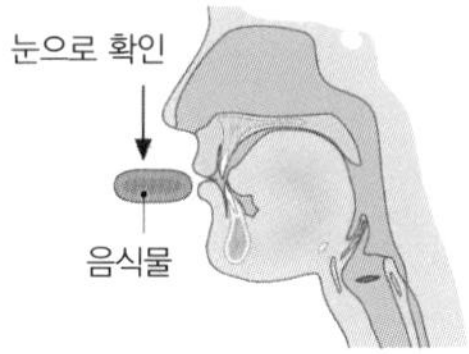 눈으로 확인 음식물	• 시각, 후각, 청각으로 음식물을 확인하고 먹으려고 생각한다. • 식사를 촉진시키려면 식단, 담는 법, 맛있게 보이기, 좋은 향이 나게 하기 등에 신경을 써야 한다.
2. 준비기 (저작기)	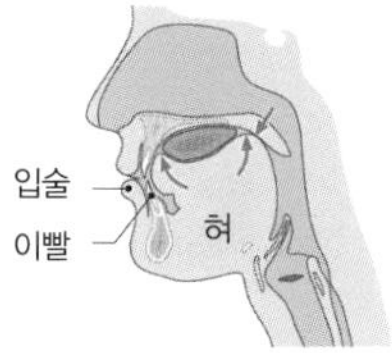 입술 이빨 혀	• 입술, 혀, 이빨로 음식물을 쪼개고 침과 섞어 삼키기 쉬운 덩어리로 만든다. • 바삭바삭하거나 잘 부스러지는 식재료(다진 고기 등)는 덩어리로 만들기 어렵고 걸쭉하게 된다.
3. 구강기 (삼킴 제1기)	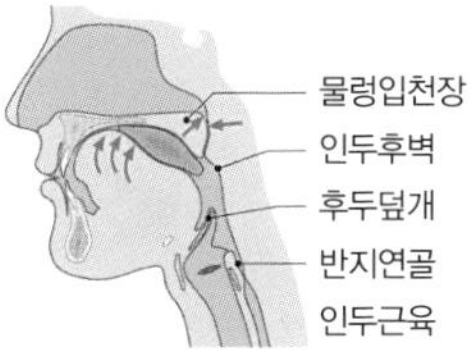 물렁입천장 인두후벽 후두덮개 반지연골 인두근육	• 음식 덩어리를 인두로 보내기 위해 입술을 닫고 혀를 뒷방향 위쪽으로 올린다. • 입술과 혀, 뺨이 잘 움직이도록 훈련한다
4. 인두기 (삼킴 제2기)	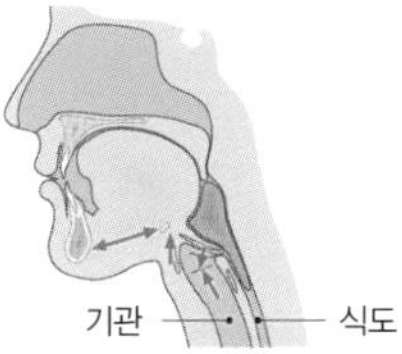 기관 식도	• 음식 덩어리가 인두에 도달하면 신경지배에 의해 인두덮개가 닫혀, 기도Airway내로의 역류를 방지하고 음식덩어리를 식도로 이동시킨다. • 기침, 숨막힘은 없는지 확실히 삼켰는지 입 안을 확인한다.
5. 식도기 (삼킴 제3기)	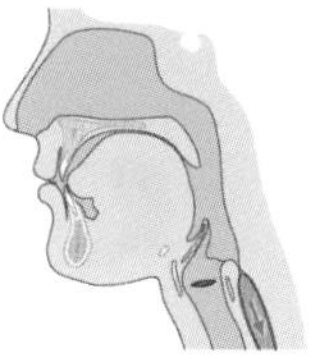	• 식도로 운반된 음식 덩어리는 식도의 꿈틀(연동)운동에 의해 위Stomach로 향한다. • 식사중 일어서거나 앉거나 하는 것으로 꿈틀운동에 도움을 준다.

위 Stomach

이것만은 기억하자!

- 위는 식도에서 운반된 음식물이 모여서 소화되는 큰 주머니 형태의 장기다.
- 위에는 미주신경Vagus n. 이 분포되어 있고 바깥쪽 굽이를 큰굽이Greater curvature, 안쪽 굽이를 작은굽이Lesser curvature라고 한다.
- 위는 장간막Mesentery에 의해 간과 지라, 가로창자Transverse colon와 완만하게 이어져 있고 이동성이 있다.
- 위의 입구 부분을 들문Cardia, 윗부분를 위바닥Fundus, 중앙부를 위몸통Body, 출구를 날문Pylorus이라고 한다. 위바닥샘Fundic gland은 으뜸세포Chief cell(펩시노겐Pepsinogen분비), 벽세포Parietal cell(염산HCl분비), 목점액세포Mucous neck cell(점액분비)로 구성되어 있다. 또한, 들문과 날문에도 점액을 분비하는 들문샘Cardiac gland과 날문샘Pyloric gland이 있다. 분비된 점액은 위의 안쪽Lumen면을 덮어 점막전체를 보호한다.
- 위액은 음식물을 눈으로 보거나 생각하는 것만으로도 분비된다(뇌상 or 두상Cephalic phase). 음식물이 실제로 위 내에 들어가면 위점막에서 가스트린Gastrin이라 불리우는 호르몬이 혈중에 분비되고 위바닥샘을 자극하여 위액분비를 촉진시킨다(위상Gastric phase). 음식물이 작은창자에 들어가면 위액분비가 억제된다(장상Intestinal phase).
- 가스트린은 염산(위산)분비촉진작용을 가진 소화관호르몬으로 위날문안뜰Pyloric antrum의 G세포G cell에서 분비된다.
- 위액에는 염산에 활성화되는 단백질분해요소인 펩신Pepsin이 포함되어 있다. 염산은 단백질분해를 돕고 살균작용을 가진다.
- 위액은 1일 1,000~3,000mL 분비된다.

관련 질환

위암Gastric cancer

자주 발생하는 부위는 위하부→중부→상부순이다. 위 단면 부위에서는 작은굽이에서 자주 발생한다. 헬리코박터 필로리(위나선균)Helicobacter pylori가 큰 발병 요인이며 예방을 위해서 제균해야 한다. 다른 요인에는 염분이 많은 식품, 음주, 흡연, 스트레스가 있다.

위궤양Gastric ulcer

공격인자(위산, 펩신)와 방어인자(점액, 혈류)의 불균형에 의해 발병한다. 위산의 분비가 많아져서 위산과다를 일으킨다.

위의 구조

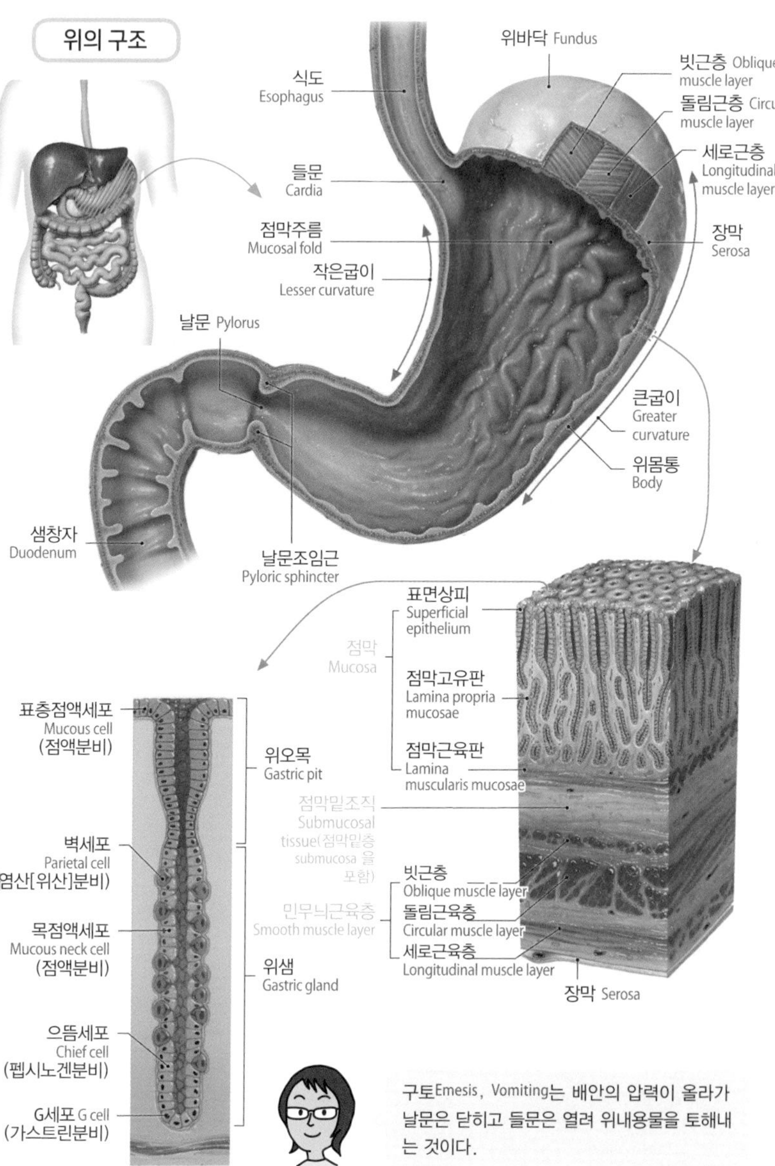

위바닥 Fundus
빗근층 Oblique muscle layer
돌림근층 Circular muscle layer
세로근층 Longitudinal muscle layer
식도 Esophagus
들문 Cardia
점막주름 Mucosal fold
장막 Serosa
작은굽이 Lesser curvature
날문 Pylorus
큰굽이 Greater curvature
위몸통 Body
샘창자 Duodenum
날문조임근 Pyloric sphincter
표면상피 Superficial epithelium
점막 Mucosa
점막고유판 Lamina propria mucosae
점막근육판 Lamina muscularis mucosae
표층점액세포 Mucous cell (점액분비)
위오목 Gastric pit
점막밑조직 Submucosal tissue(점막밑층 submucosa 을 포함)
벽세포 Parietal cell 염산[위산]분비)
빗근층 Oblique muscle layer
민무늬근육층 Smooth muscle layer
돌림근육층 Circular muscle layer
목점액세포 Mucous neck cell (점액분비)
세로근육층 Longitudinal muscle layer
위샘 Gastric gland
장막 Serosa
으뜸세포 Chief cell (펩시노겐분비)
G세포 G cell (가스트린분비)

구토Emesis, Vomiting는 배안의 압력이 올라가 날문은 닫히고 들문은 열려 위내용물을 토해내는 것이다.

작은창자 Small intestine

이것만은 기억하자!

- 작은창자는 창자액Intestinal juice을 분비하고 이자액Pancreatic juice, 쓸개즙Bile을 받아 음식물의 소화흡수에 관여한다.
- 작은창자는 직경 3~4cm, 길이 6~7m로 샘창자Duodenum, 빈창자 Jejunum, 돌창자 Ileum으로 구분한다.
- 큰샘창자유두Greater duodenal papilla (ampulla of Vater)는 이자관Pancreatic duct과 온쓸개관 Common bile duct이 U자 형태로 합류되어, 샘창자로 열린다. 큰샘창자유두 위쪽으로 수cm 정도에는 작은샘창자유두Lesser duodenal papilla가 존재하고, 이곳에서 덧이자관Accessory pancreatic duct이 열린다.
- 음식물이 작은창자에 들어오면 꿈틀(연동)운동Peristalsis과 분절운동Segmental movement, 진자운동Pendular movement, 역운동Reverse peristalsis이 일어난다.
- 작은창자의 점막면에는 융모Villus 라 불리는 무수히 작은 돌기가 있어 흡수 표면적을 넓혀서 흡수의 능률을 높인다.
- 작은창자에서는 상피세포의 막소화효소Digestive enzymes of intestinal mucosa에 의해 음식물의 분해와 흡수가 일어난다.
- 창자액은 약 알카리성으로 위에서 들어온 산성의 음식물을 중화시킨다. 1일 1,500~3,000mL 분비된다.
- 창자액은 샘창자샘Duodenal gland (Brunner's gland)과 장샘Intestinal gland (crypt of Lieberkuhn)에서 분비된다.
- 작은창자에서 이자액의 효소(아밀라아제Amylase, 트립신Trypsin, 리파아제Lipase 등)와 작은창자상피의 막소화효소 [말타아제Maltase (엿당Maltose → 포도당Glucose), 역전효소Invertase (수크로스Sucrose → 포도당Glucose, 과당Fructose), 락타아제Lactase(유당Lactose → 포도당Glucose, 갈락토오스Galactose), 디펩티다제Dipeptidase 등]에 의해 협동으로 소화가 일어난다.

임상 응용

변비Constipation**와 설사**Diarrhea

미주신경(부교감신경)은 작은창자의 운동을 촉진시키고 교감신경은 운동을 억제시킨다. 스트레스 등으로 교감신경이 활성화될 때는 장의 운동이 저하되고 변비가 생긴다.

설사는 세균이나 바이러스, 염증, 자율신경의 이상 등에 의해 장점막의 수분흡수가 저하되거나, 장운동이 항진되어 발생한다.

작은창자의 구조

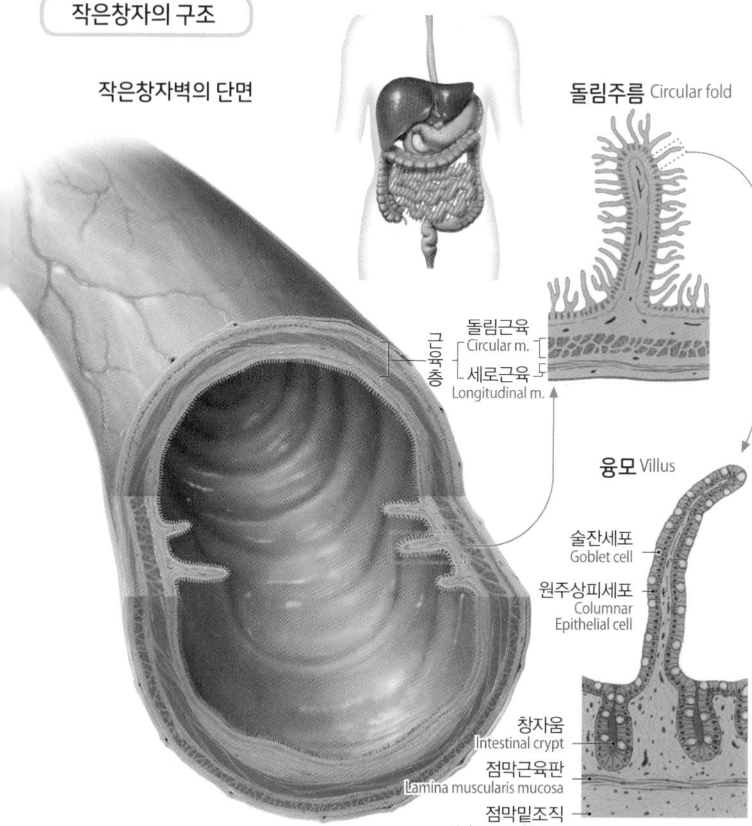

작은창자벽의 단면

돌림주름 Circular fold

근육층

돌림근육 Circular m.

세로근육 Longitudinal m.

융모 Villus

술잔세포 Goblet cell

원주상피세포 Columnar Epithelial cell

창자움 Intestinal crypt

점막근육판 Lamina muscularis mucosa

점막밑조직 Submucosal tissue

POINT

작은창자의 점막 표면에는 돌림모양의 주름과 융모가 무수히 많으며 미세융모 Microvilli 가 있기 때문에 장의 흡수면적이 넓어진다.

작은창자의 꿈틀운동

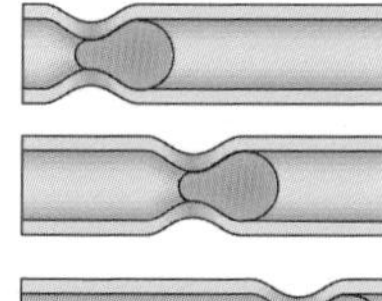

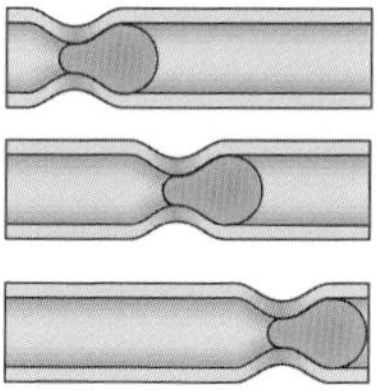

돌림근육이 잘록해져서 수축륜(뒤당김고리Retraction ring)이 만들어지고 이것이 이동하면서 음식을 옮긴다.

작은창자의 분절운동

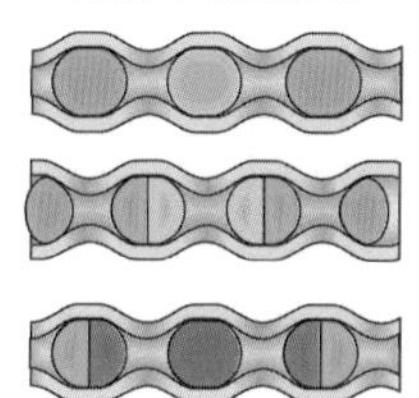

잘록한 부분이 여러군데 있으며 같은 장소에서 이완과 수축을 반복한다.

큰창자 Large intestine

이것만은 기억하자!

- 큰창자는 작은창자보다도 두껍고 길이가 약 1.5m인 장기이다.
- 큰창자는 막창자Cecum, 주름창자Colon, 곧창자Rectum로 나눠진다.
- 막창자에는 막창자꼬리Vermiform appendix가 있고 맥버니점McBurney's point *(배꼽과 오른쪽위앞엉덩뼈가시Ant. sup. iliac spine을 잇는 선으로 배꼽에서 2/3부분)에 맞닿아 있다.
- 주름창자는 오름잘록창자Ascending colon, 가로창자Transverse colon, 내림잘록창자Descending colon, 구불창자Sigmoid colon으로 나눠진다. 큰창자는 꿈틀(연동)운동과 분절운동이 나타나고(막창자와 오름잘록창자에서는 역연동도 보여진다) 물 흡수가 이루어진다. 오름잘록창자, 내림잘록창자는 후복벽Retroperitoneal wall에 유착되어 있고 장간막을 가지고 있지 않다. 반면, 가로창자, 구불창자는 장간막을 가지고 있기 때문에 이동성Mobility이 있다.
- 큰창자는 융모 없이 수분흡수가 일어나며 점액을 분비하는 세포가 많이 있다.
- 곧창자는 약 20cm로 곧창자가로주름Transverse rectal folds(sup./mid./inf. rectal valve)이 3개 있다. 항문에서 약 6cm 위쪽에 중간곧창자판막Mid. rectal valve가 있다. 항문점막하submucosa에는 곧창자정맥얼기Rectal venous plexus, Hemorrhoidal plexus가 있다.
- 작은창자, 큰창자의 근육층은 2층의 민무늬근육이다.
- 곧창자의 출구는 항문이고 속항문조임근Int. anal sphincter, IAS (민무늬근육 →P.18), 바깥항문조임근Ext. anal sphincter, EAS (골격근 →P.18)에 둘러싸여 있다. IAS는 반사적으로 작동하는 불수의근이고 EAS는 의지에 의해 조절되는 수의근이다.

역주 * 맥버니점 : Acute appendicitis때 압통있음

임상 응용

영양 섭취

영양물은 긴 소화기계 경로에서 각각의 장기가 소화액을 분비하여 서서히 음식물을 분해하고 혈중으로 흡수된다.

중심정맥영양법Central parenteral nutrition은 소화기를 경유하지 않고 직접 혈중에 영양물을 넣기 위한 것으로 부작용으로는 소화기능저하를 일으키고, 바늘 삽입부에 감염이 발생할 수 있기 때문에 주의해야 한다.

관련 질환

큰창자암

큰창자암은 폴립Polyp과 폴립증Polyposis(큰창자 내 폴립이 다수존재하는 상태)의 악성화로 인한 샘암종Adenocarcinoma이 주를 이룬다.

큰창자의 구조

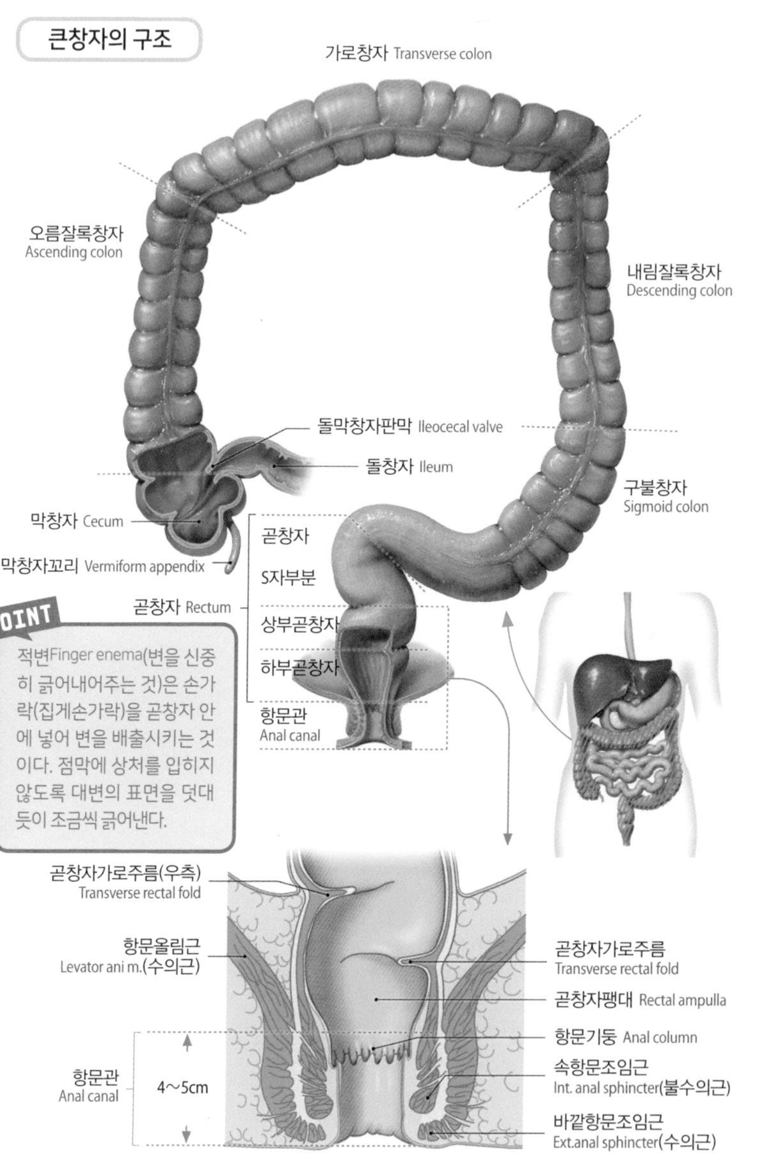

가로창자 Transverse colon
오름잘록창자
Ascending colon
내림잘록창자
Descending colon
돌막창자판막 Ileocecal valve
돌창자 Ileum
구불창자
Sigmoid colon
막창자 Cecum
막창자꼬리 Vermiform appendix
곧창자
S자부분
곧창자 Rectum
상부곧창자
하부곧창자
항문관
Anal canal
곧창자가로주름(우측)
Transverse rectal fold
항문올림근
Levator ani m.(수의근)
곧창자가로주름
Transverse rectal fold
곧창자팽대 Rectal ampulla
항문기둥 Anal column
항문관
Anal canal
4~5cm
속항문조임근
Int. anal sphincter(불수의근)
바깥항문조임근
Ext.anal sphincter(수의근)

POINT

적변Finger enema(변을 신중히 긁어내어주는 것)은 손가락(집게손가락)을 곧창자 안에 넣어 변을 배출시키는 것이다. 점막에 상처를 입히지 않도록 대변의 표면을 덧대듯이 조금씩 긁어낸다.

간 Liver

이것만은 기억하자!

- 간은 상복부에 있는 가장 큰 장기이다.
- 간은 암적갈색이고, 무게는 약 1,200g으로 오른엽과 왼엽으로 크게 구분된다. 오른엽은 왼엽보다도 크고 두껍다. 아래면에서 보면 네모엽Quadrate lobe과 꼬리엽Caudate lobe이 좌우엽의 사이에 끼어 있다.
- 간의 아랫면에는 이 4엽에 둘러쌓인 간문Hepatic hilum이 있고 고유간동맥 Proper hepatic a.(영양혈관으로 동맥혈), 문맥Portal v. (정맥혈), 쓸개관Bile duct, 림프관Lymphatic vessel, 신경이 드나든다. 간의 후방(뒤위쪽)에는 여러 개의 간정맥이 빠져나와 있고 간문을 지나지 않고 아래대정맥Inf. vena cava으로 흘러 들어간다.
- 간은 영양소의 대사에 중심적인 역할을 한다.

임상 응용

간기능저하에 따른 증상

간은 예비력Reserve이 높아서 간 기능이 떨어지는 초기 단계에서는 자각증상이 적다. 권태감, 황달이나 출혈경향, 복수, 암모니아 냄새, 살 빠짐, 빈혈 등의 증상이 나타날 때에는 이미 간 기능이 꽤 저하되어 있다고 생각되기 때문에 간기능검사 수치(AST, ALT 등)에 주의한다.

▼ **간, 담도기능검사**Liver function test

검사명	기준치
AST (Aspartate transaminase)	8～40IU/L
ALT (Alanine transaminase)	5～45IU/L
r-GTP (r-glutamyl transpeptidase)	남성 : 10～50 IU/L 여성 : 9～32 IU/L
ALP (Alkaline phosphatase)	115～359 IU/L

* 검사기준은 측정법이나 측정시약에 따라 달라지는 경우가 있음. 시설 기준을 확인할 것.
AST는 GOT(Glutamic oxalacetic transaminase), ALT는 GTP(Glutamic pyruvate transaminase)라고도 한다.

간의 구조

앞

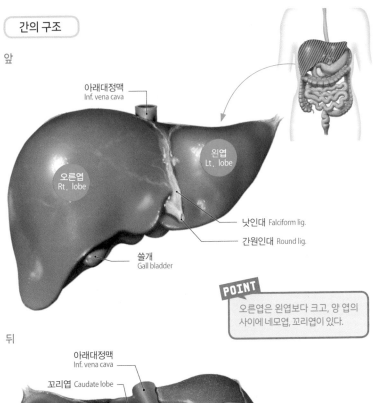

아래대정맥
Inf. vena cava
왼엽
Lt. lobe
오른엽
Rt. lobe
낫인대 Falciform lig.
간원인대 Round lig.
쓸개
Gall bladder

POINT
오른엽은 왼엽보다 크고, 양 엽의 사이에 네모엽, 꼬리엽이 있다.

뒤

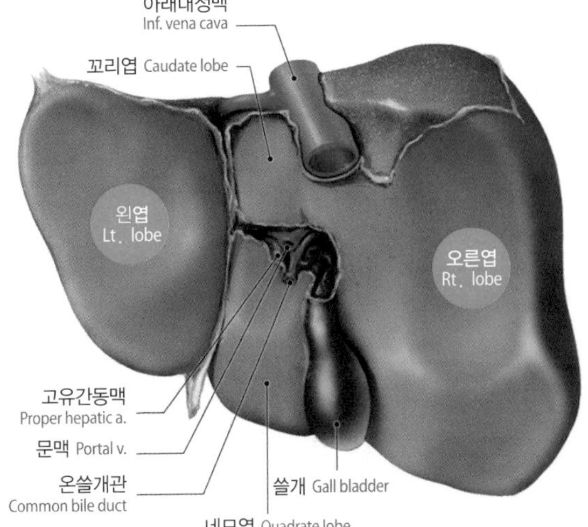
아래대정맥
Inf. vena cava
꼬리엽 Caudate lobe
왼엽
Lt. lobe
오른엽
Rt. lobe
고유간동맥
Proper hepatic a.
문맥 Portal v.
온쓸개관
Common bile duct
쓸개 Gall bladder
네모엽 Quadrate lobe

간의 혈관과 문맥Portal vein

이것만은 기억하자!

- 문맥은 위, 장, 이자, 지라 등의 영양물이 포함된 정맥혈이 모여서 간으로 운반되는 기능혈관이다. 한편, 고유간동맥은 산소가 풍부한 동맥혈을 운반하는 영양혈관이다.
- 문맥으로부터의 혈류는 간에 들어가면 동굴모세혈관Sinusoid 이라고 하는 특수한 모세혈관을 통해 간세포로 흘러 들어간 후 간정맥을 경유하여 아래대정맥으로 들어간다.

간의 기능

1 물질대사

① 글리코겐Glycogen의 생성과 처리(문맥에서 들어온 혈액 중 포도당이 많은 경우, 글리코겐으로 축적한다. 혈중 포도당이 부족하면 글리코겐을 분해하여 포도당 농도를 높인다.

② 알부민Albumin 생성과 아미노산의 처리(알부민 or 피브리노겐Fibrinogen을 만들며 불필요해진 아미노산에서 생성된 암모니아NH_3를 요소Urea로 전환하여 콩팥에서 배출시킨다)

③ 지방대사Lipid metabolism(지방산을 분해, 콜레스테롤을 생성)

④ 호르몬 불활성화

2 쓸개즙Bile생성

1일 500~800mL 분비. 담즙산Bile acid 은 지방을 유화하고 지방분해효소를 돕는다.

3 해독작용Detoxication

혈중의 유해물질을 해독시키고 쓸개즙에 섞어서 배출시킴

4 혈액응고Blood coagulation

응고를 돕는 피브리노겐Fibrinogen, 프로트롬빈Prothrombin, 응고를 막아주는 헤파린Heparin을 생성

5 조혈Hematopoiesis 및 괴혈Hematocrasia 작용

태생기에는 간에서 조혈작용Embryonic hematopoiesis을 하고, 오래된 적혈구를 파괴하여 빌리루빈Bilirubin을 생성

6 혈액, 비타민의 저장 등

출혈 시에 저장하고 있는 혈액으로 부족한 혈액을 보충한다.

문맥의 기능

위, 장 등에서 흡수된 영양물 → 문맥 → 간 → 남은 포도당은 글리코겐으로 저장

이자 호르몬(인슐린Insulin, 글루카곤Glucagon) → 문맥 → 간 → 글리코겐 대사를 조절

지라에서 파괴된 적혈구에서 만들어진 헤모글로빈 → 문맥 → 간 → 빌리루빈으로 쓸개즙에 섞여져 배출

간의 혈관계

간정맥
Hepatic v.
중심정맥 Central v.
소엽사이쓸개관
Interlobular bile duct
문맥의 가지
문맥
Portal v.
고유간동맥
Proper hepatic a.
쓸개관
Bile duct

POINT

간의 아랫면중앙의 간문Porta hepartis으로 혈관(문맥, 간동맥), 쓸개관이 드나든다.

문맥의 흐름

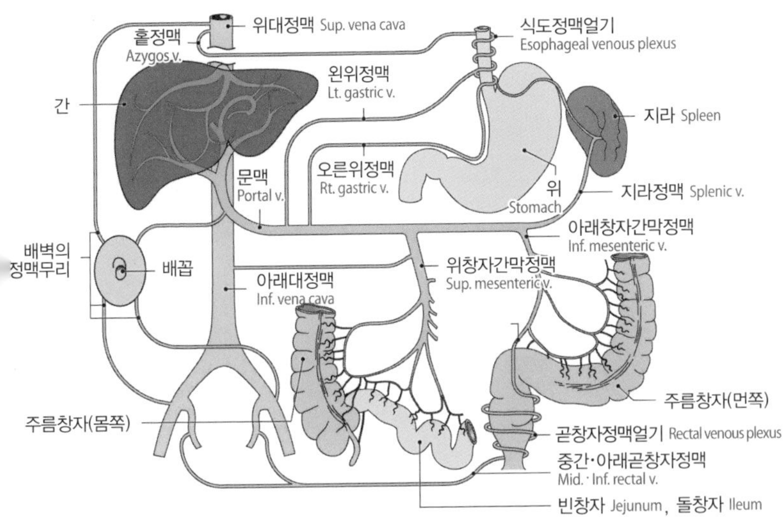
위대정맥 Sup. vena cava
홑정맥
Azygos v.
식도정맥얼기
Esophageal venous plexus
왼위정맥
Lt. gastric v.
간
지라 Spleen
오른위정맥
Rt. gastric v.
문맥
Portal v.
위
Stomach
지라정맥 Splenic v.
아래창자간막정맥
Inf. mesenteric v.
배벽의
정맥무리
배꼽
아래대정맥
Inf. vena cava
위창자간막정맥
Sup. mesenteric v.
주름창자(먼쪽)
주름창자(몸쪽)
곧창자정맥얼기 Rectal venous plexus
중간·아래곧창자정맥
Mid.·Inf. rectal v.
빈창자 Jejunum, 돌창자 Ileum

이자 Pancreas

이것만은 기억하자!

- 이자는 샘창자에 연결된 길이 약 15cm의 담홍색인 소화샘이다.
- 이자는 오른쪽 이자머리에서 주이자관Major pancreatic duct이 온쓸개관과 합류하여 큰샘창자유두Ampula of Vater로 열리게 된다. 덧이자관Accessory pancreatic duct은 작은샘창자유두Lesser duodenal papilla로 열려있다.
- 이자는 호르몬을 분비하는 내분비샘과 소화액인 이자액을 분비하는 외분비샘 모두를 가진다. 세크레틴Secretin, 판크레오지민Pancreozymin 호르몬이 이자액분비를 촉진한다.
- 이자액은 약알칼리성, 무색투명으로 1일 500~860mL 분비된다. 아밀라아제(전분을 엿당으로), 이자리파아제(중성지방을 지방산과 모노아실글리세롤Monoacylglycerol로), 트립신(단백질을 펩티드로) 같은 분해효소가 있다.
- 이자의 이자섬Pancreatic islet(랑게르한스섬Langerhans islets)의 β세포에서 인슐린Insulin이 분비되어 혈당을 낮춘다. α세포에서 글루카곤Glucagon이 분비되어 혈당을 상승시킨다. 이자섬은 이자머리보다 이자꼬리에 더 많이 분포한다.
- δ세포에서는 소마토스타틴Somatostatin 등이 분비되어 인슐린과 글루카곤 양쪽 모두의 분비를 억제한다.

관련 질환

당뇨병Diabetes

인슐린이 결핍되면 당뇨병이 발병하고, 반대로 과잉 분비되면 저혈당Hypoglycemia이 된다. 당뇨병환자 치료에는 식사요법, 운동요법, 약물요법이 있으며 약물요법에는 경구혈당강하제요법과 인슐린요법이 있다. 인슐린은 종류(즉효형, 중간형, 지정형)에 따라 작용시간이 다르기 때문에 환자의 발병원인을 근거로 지시한 시간과 양을 정확하게 투여할 수 있도록 주의시켜야 한다.

이자암Pancreatic cancer

이자암은 이자머리에서 발병할 가능성이 높다. 암이 이자머리의 바터팽대Ampulla of Vater를 압박하여, 쓸개길Biliary tract을 폐쇄하기 때문에 황달이 일어난다.

이자의 구조

POINT

이자는 외분비(이자액을 생성)와 내분비(인슐린 등을 분비)의 양쪽기능을 모두 가진다.

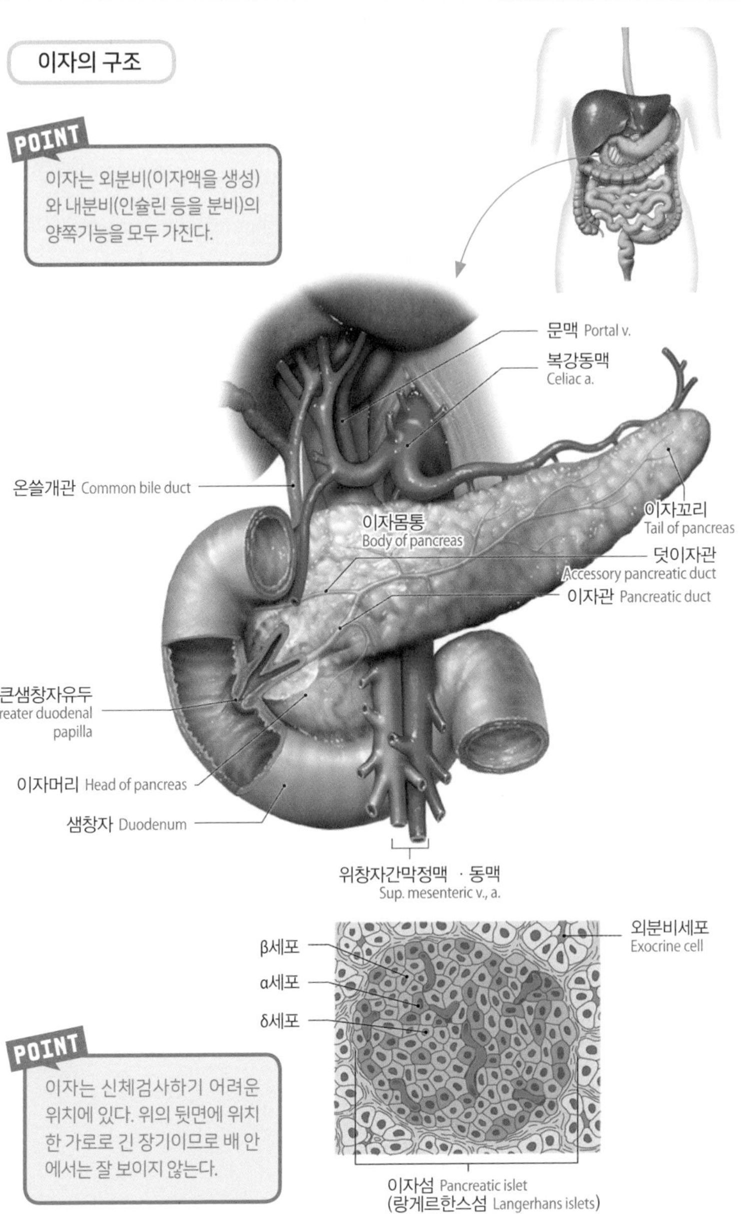
문맥 Portal v.
복강동맥
Celiac a.
온쓸개관 Common bile duct
이자몸통
Body of pancreas
이자꼬리
Tail of pancreas
덧이자관
Accessory pancreatic duct
이자관 Pancreatic duct
큰샘창자유두
Greater duodenal papilla
이자머리 Head of pancreas
샘창자 Duodenum
위창자간막정맥 · 동맥
Sup. mesenteric v., a.
β세포
α세포
δ세포
외분비세포
Exocrine cell
이자섬 Pancreatic islet
(랑게르한스섬 Langerhans islets)

POINT

이자는 신체검사하기 어려운 위치에 있다. 위의 뒷면에 위치한 가로로 긴 장기이므로 배 안에서는 잘 보이지 않는다.

쓸개 Gall bladder

이것만은 기억하자!

- 쓸개는 가지Eggplant 모양으로 길이 약 10cm, 폭 약 4cm, 부피 30~50mL의 주머니 형태의 장기이다.
- 간에서 만들어진 쓸개즙은 쓸개관을 통해 쓸개로 운반된다.
- 쓸개즙은 1일 약 1L 생산되고 쓸개즙은 쓸개에서 농축, 저장된다.
- 음식물이 샘창자에 도달하면 쓸개가 수축하고 쓸개관을 통해 쓸개즙이 샘창자로 방출되어 지방의 소화를 돕는다.
- 쓸개즙의 성분은 물, 담즙산, 빌리루빈(쓸개즙색소), 콜레스테롤 등이고 소화효소는 없다.
- 쓸개길Biliary tract은 쓸개즙이 흐르는 길로 쓸개관Biliary duct이라 불린다. 쓸개길에는 좌우 간관Hepatic duct, 온간관Common hepatic duct, 쓸개, 온쓸개관, 샘창자유두(바터팽대)를 포함한다.
- 온간관은 간에서 나온 좌우 간관이 합류한 것이다 .
- 온쓸개관은 온간관과 쓸개에서 나온 쓸개관이 합류하는 곳에서 샘창자로 열리는 곳까지의 관을 말한다.

임상 응용

대변의 색

황색의 대변은 쓸개즙의 빌리루빈 색이다. 그러므로 쓸개관이 종양이나 결석 등으로 막혀 쓸개즙이 배출되지 않으면 대변의 색이 흰색이 된다.

관련 질환

담석증(쓸개돌증)Cholelithiasis

쓸개즙 중 콜레스테롤과 빌리루빈이 결정Crystalization이 되어 커진 것을 결석Stone(담석)이라 한다. 장소에 따라 쓸개결석Cholecystolithiasis, Cystic stone, 쓸개관결석Biliary stone, 간내결석Hepatolithiasis, Hepatic calculus이 있다.

무증상인 경우가 많은데 담석이 쓸개관이나 온쓸개관을 폐색하게 되면 오른쪽 늑골아래부분에 산통(쓸개급통증)Biliary colic을 일으키고, 세균감염을 동반하여 중독성 염증을 일으킬 때가 있다(급성쓸개염Acute cholecystitis, 급성쓸개관염Acute cholangitis).

쓸개염의 통증은 오른쪽 등과 오른팔로 통증이 퍼질 수도 있다(방사통증Radiating pain, 연관통증Referred pain).

쓸개의 구조

POINT

쓸개의 크기는 꽉 쥔 주먹의 반 정도(약 4cmx8cm). 쓸개즙을 일시적으로 저장하고 농축한다.

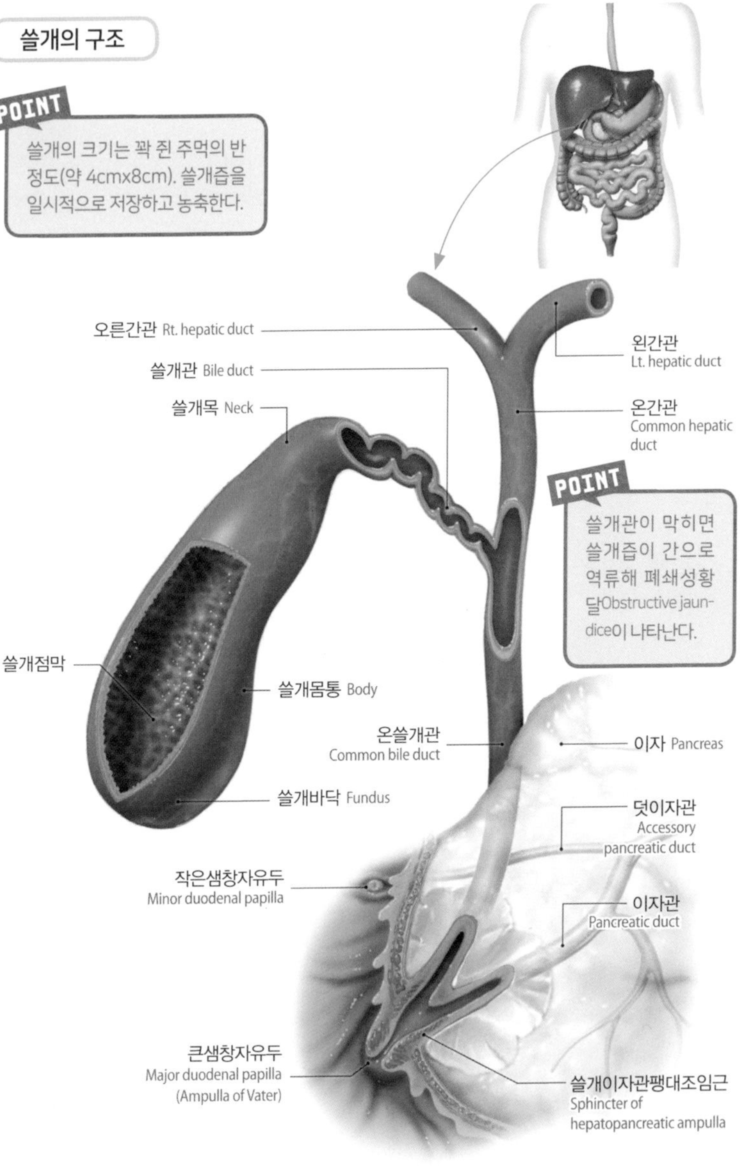

오른간관 Rt. hepatic duct

쓸개관 Bile duct

쓸개목 Neck

왼간관
Lt. hepatic duct

온간관
Common hepatic duct

POINT

쓸개관이 막히면 쓸개즙이 간으로 역류해 폐쇄성황달Obstructive jaundice이 나타난다.

쓸개점막

쓸개몸통 Body

온쓸개관
Common bile duct

이자 Pancreas

쓸개바닥 Fundus

덧이자관
Accessory pancreatic duct

작은샘창자유두
Minor duodenal papilla

이자관
Pancreatic duct

큰샘창자유두
Major duodenal papilla
(Ampulla of Vater)

쓸개이자관팽대조임근
Sphincter of hepatopancreatic ampulla

뇌 Brain

이것만은 기억하자!

- 신경계는 중추신경(뇌, 척수)과 말초신경(뇌신경12쌍, 척수신경31쌍 및 각 분지신경)으로 나눠진다.
- 대뇌겉질Cerebral cortex은 이마엽Frontal lobe, 뒤통수엽Occipital lobe, 관자엽Temporal lobe, 마루엽Parietal lobe, 대뇌섬Insula으로 나눠진다.
- 대뇌반구에는 운동영역Somatomotor area이라 불리는 팔다리, 몸통, 머리의 운동을 담당하는 부분과 브로카영역Broca's area(운동성언어중추)이 있다. 청각영역Acoustic area에는 관자엽 위면의 청각피질과 베르니케영역Wernicke's area(감각성언어중추)이 있다.
- 사이뇌Diencephalon는 시상Thalamus과 시상하부Hypothalamus로 구성된다. 시상은 시각과 청각의 경로이며 시상하부는 자율신경의 최고중추로서 체온조절, 물질대사 및 수분대사의 조절, 성, 수면의 중추이다.
- 중간뇌Midbrain에는 자세를 바르게 유지하는 자세반사Postural reflex와 동공대광반사Pupillary light reflex의 중추가 있고 파킨슨병과 관계된 흑색질Substantia nigra이 있다.
- 다리뇌pons에는 뇌신경에 관련된 핵Nucleus(갓돌림신경핵Abducens nu., 얼굴신경핵Facial nu. 등)이 있다.
- 소뇌Cerebellum는 몸의 평형 조절을 한다.
- 연수Medulla는 호흡, 기침 · 발성, 혈관운동, 심장, 씹기(저작) · 삼킴(연하), 구토, 침분비, 발한 등 생명 유지에 중요한 중추를 가진다.

임상 응용

언어장애Dysphasia

언어장애는 구음장애Dysarthria와 실어증Aphasia이 있다. 구음장애는 혀와 얼굴 등의 근육의 마비가 원인이고 실어증은 뇌(언어중추)의 장애 때문이다.

- 운동성언어중추장애: 발성기Vocal apparatus에 문제가 없어도 언어를 뱉는 것이 되지 않는다(운동성실어증Motor aphasia).
- 감각성언어중추장애: 언어 그 자체의 이해와 말 흉내내기가 되지 않는다(감각성실어증Sensory aphasia).
- 시각성언어중추(독서중추)장애: 문자를 봐도 이해가 되지 않는다(시각성실어증Visual aphasia).

뇌의 구조

뇌의 안쪽면

뇌들보 Corpus callosum
투명사이막 Septum pellucidum
시상 Thalamus
시상하부 Hypothalamus
중간뇌 Midbrain
다리뇌 Pons
숨뇌 Medulla oblongata
대뇌반구 Cerebral hemisphere (끝뇌 Telencephalon)
띠이랑 Cingulate gyrus (대뇌변연계 Limbic system)
셋째뇌실 Third ventricle
소뇌 Cerebellum
넷째뇌실 Fourth ventricle
척수 Spinal cord

뇌의 아래면

대뇌세로틈새 Longitudinal fissure of cerebrum
오른뇌
왼쪽뇌
오른뇌후각망울 Olfactory bulb
이마엽 Frontal lobe
이마엽 Frontal lobe
시각신경 Optic n.
관자엽 Temporal lobe
관자엽 Temporal lobe
삼차신경 Trigeminal n.
눈돌림신경 Oculomotor n.
도르래신경 Trochlear n.
얼굴신경 Facial n.
갓돌림신경 Abducens n.
속귀신경 Vestibulocochlear n.
혀밑신경 Hypoglossal n.
숨뇌 Medulla oblongata
소뇌 Cerebellum

뇌의 횡단면

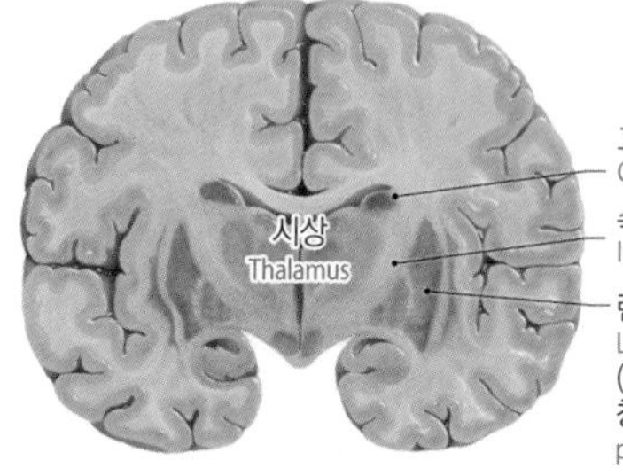
시상
Thalamus

꼬리핵 Caudate nucleus
속섬유막 Internal capsule
렌즈핵 Lentiform nucleus (조가비핵 Putamen+창백핵 Globus pallidus)

POINT

대뇌바닥핵Basal nuclei에는 꼬리핵과 렌즈핵이 있고, 골격근의 긴장을 조절한다. 여기에 손상을 입으면 헌팅톤병Huntinton's disease이 발생한다. 중간뇌 흑색질Substantia nigra이 손상되면 파키슨병Parkinson disease이 발생한다.

뇌의 기능

중심앞이랑Precentral gyrus은 온몸의 골격근에 명령을 보내 수의적 움직임을 조절한다(1차운동겉질 Primary motor cortex).

① 이마엽Frontal lobe
생각이나 판단 등 가장 인간적인 정신활동에 관여한다.

② 마루엽Parietal lobe
감각을 담당한다.

중심뒤이랑Postcentral gyrus은 촉각, 온각, 통각 등 온몸의 피부감각을 받아들인다(1차몸감각영역Primary somatosensory cortex).

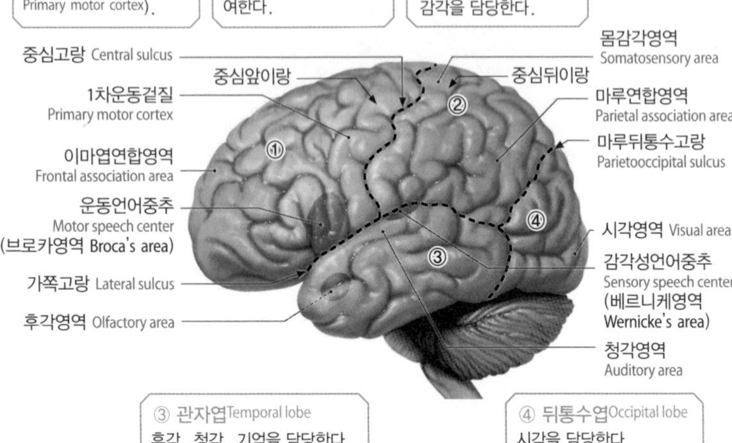
중심고랑 Central sulcus
중심앞이랑
1차운동겉질
Primary motor cortex
이마엽연합영역
Frontal association area
운동언어중추
Motor speech center
(브로카영역 Broca's area)
가쪽고랑 Lateral sulcus
후각영역 Olfactory area
몸감각영역
Somatosensory area
중심뒤이랑
마루연합영역
Parietal association area
마루뒤통수고랑
Parietooccipital sulcus
시각영역 Visual area
감각성언어중추
Sensory speech center
(베르니케영역
Wernicke's area)
청각영역
Auditory area
①
②
③
④

③ 관자엽Temporal lobe
후각, 청각, 기억을 담당한다.

④ 뒤통수엽Occipital lobe
시각을 담당한다.

사이뇌Diencephalon 뇌줄기Brain stem 소뇌Cerebellum 의 기능

POINT
치매Dementia 일 때 해마가 위축된다.

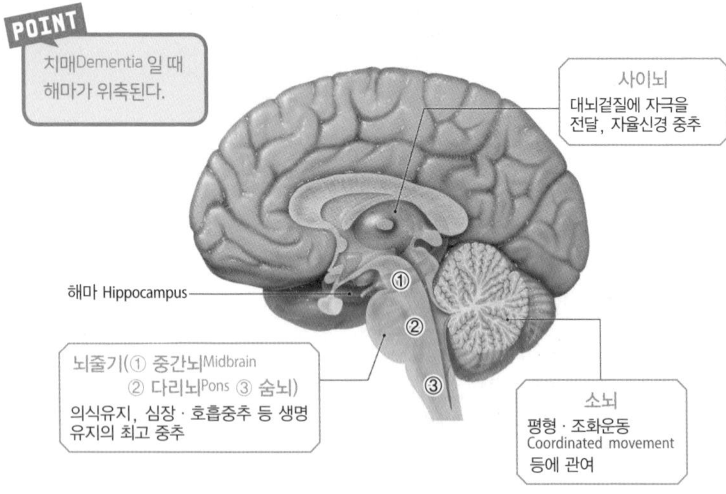
해마 Hippocampus
①
②
③

사이뇌
대뇌겉질에 자극을 전달, 자율신경 중추

뇌줄기(① 중간뇌Midbrain ② 다리뇌Pons ③ 숨뇌)
의식유지, 심장 · 호흡중추 등 생명유지의 최고 중추

소뇌
평형 · 조화운동 Coordinated movement 등에 관여

뇌의 동맥 Cerebral artery

이것만은 기억하자!

- 뇌의 동맥은 좌우의 속목동맥Int. carotid a. 과 척추동맥Vertebral a.이 뇌바닥에서 합류하고, 고리 형태를 형성하고 있다. 이러한 문합Anastomosis 형태를 윌리스 고리Circle of Willis(대뇌동맥고리Cerebral arterial circle)라고도 한다.
- 대뇌동맥고리에서 앞 · 중간 · 뒤 대뇌동맥이 대뇌의 앞 · 중간 · 뒤부분에 분포하고 있다. 따라서 한 곳이라도 손상을 받으면 고리형태이기 때문에 혈류의 흐름을 유지하기 어렵게 된다.

뇌 동맥의 주행

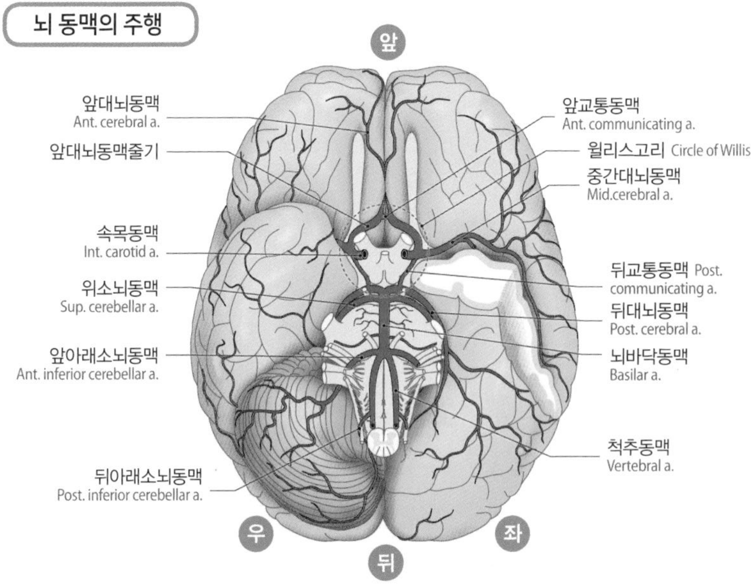
앞
앞대뇌동맥
Ant. cerebral a.
앞대뇌동맥줄기
속목동맥
Int. carotid a.
위소뇌동맥
Sup. cerebellar a.
앞아래소뇌동맥
Ant. inferior cerebellar a.
뒤아래소뇌동맥
Post. inferior cerebellar a.
앞교통동맥
Ant. communicating a.
윌리스고리 Circle of Willis
중간대뇌동맥
Mid.cerebral a.
뒤교통동맥 Post. communicating a.
뒤대뇌동맥
Post. cerebral a.
뇌바닥동맥
Basilar a.
척추동맥
Vertebral a.
우
뒤
좌

관련 질환

뇌출혈Cerebral hemorrhage

윌리스고리를 포함한 뇌 동맥의 동맥류aneurysm나 기형malformation으로 인해 뇌출혈이 일어나기 쉽다. 뇌혈관촬영으로 이상 부위를 확인할 수 있다.

뇌척수막Meninge과 뇌척수액Cerebrospinal fluid

이것만은 기억하자!

- 뇌와 척수는 뇌척수막으로 싸여있다. 뇌척수막은 겉에서 안쪽 순으로 경질막Dura mater, 거미막Arachnoid, 연질막Pia mater으로 나뉜다. 거미막과 연질막의 사이에는 거미막밑공간Subarachnoid space이 있고 뇌척수액이 흐르고 있다.
- 뇌실Ventricle은 뇌에 있는 내강(공간)으로 좌우의 가쪽뇌실Lateral ventricle과 셋째뇌실Third ventricle, 넷째뇌실Fourth ventricle이 있다. 가쪽뇌실과 셋째뇌실은 뇌실사이구멍Interventricular foramen (몬로공Foramen of Monro)으로 연결되고 셋째뇌실과 넷째뇌실은 중간뇌수도관Cerebral aqueduct (실비우스수도Aqueduct of Sylvius)으로 서로 통한다. 각 뇌실의 천장에는 맥락얼기Choroid plexus가 있어 뇌척수액Cerebrospinal fluid (CSF)을 생산한다.
- 뇌척수액은 물 형태의 투명한 액체로 중추신경계의 보호, 대사산물의 배설기능을 가진다. 뇌실을 채운 뇌척수액은 넷째뇌실에서 거미막밑공간Subarachnoid space으로 흘러나와 뇌의 주변을 채우고 거미막과립Arachnoid granulation을 통해 정맥동굴Venous sinus로 흡수되어 빠져나간다.

임상 응용

뇌척수액검사CSF examination

뇌척수액검사에서 허리천자Spinal tap(→P.26)로 CSF를 채취한다. 수막염Meningitis 등에서는 뇌압이 올라가고 뇌출혈에서는 혈성Bloody CSF가 나타난다.

- 뇌척수액의 정상량: 60∼150mL
- 뇌척수압의 정상치: (바로누운자세Supine position) 40∼150mmH_2O

관련 질환

경막외혈종Epidural hematoma**과 거미막하출혈**Subarachnoid hemorrhage

경막외혈종과 거미막하출혈은 예후Prognosis가 다르다. 경막외혈종은 머리뼈와 경질막 사이에 출혈이 일어난 것으로 뇌 손상의 합병증이 없으며, 혈종Hematoma을 제거할 수 있으면 예후가 좋다. 거미막하출혈은 뇌동맥파열 등에 따른 거미막밑공간에 출혈이 일어나 CSF에 혈액이 섞이게 되고 수막자극증상Meningeal irritation이 나타나 급사할 확률도 높다.

물뇌증Hydrocephalus

물뇌증은 머리뼈안의 CSF의 흐름이 나쁘게 정체되어 뇌실Ventricle의 확장으로 인해 발생한다. 선천성 기형, 뇌종양, 거미막하출혈, 수막염 등의 합병증을 일으킨다. 물뇌증이 발생한 경우 뇌실과 복강 내에 션트Shunt술을 수행할 수 있다.

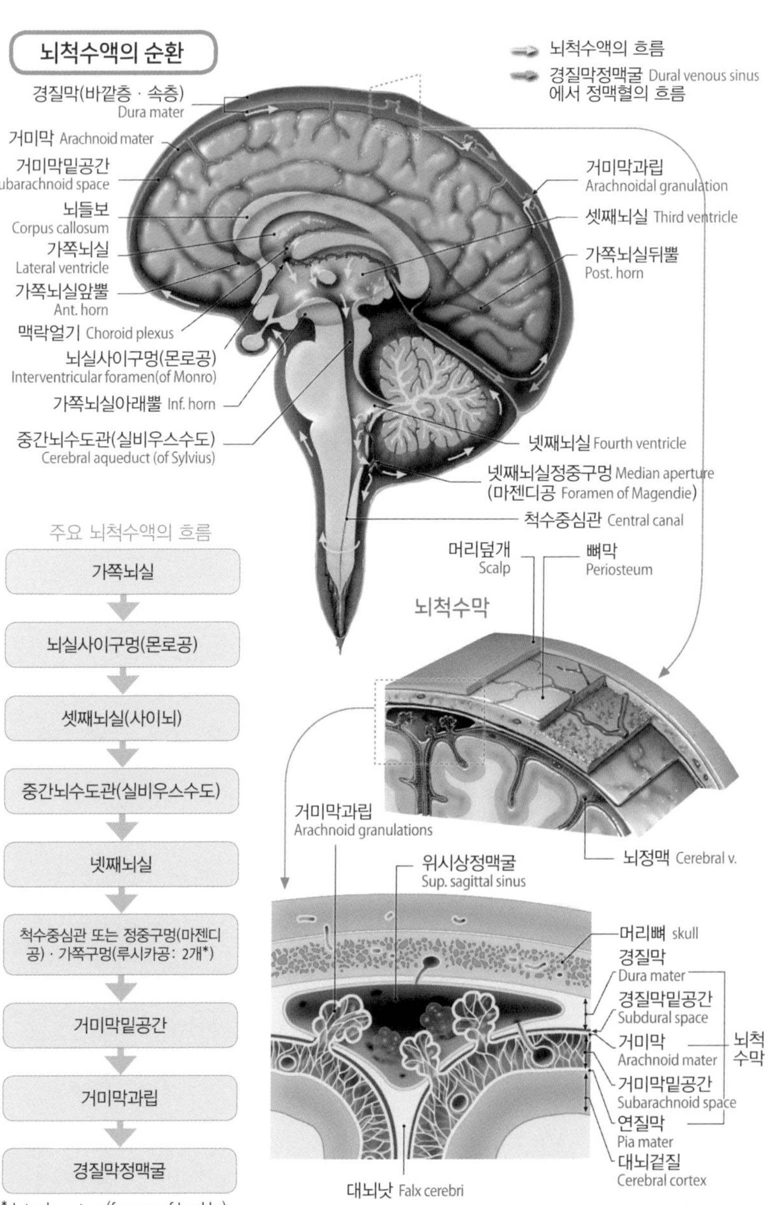
뇌척수액의 순환
뇌척수액의 흐름
경질막정맥굴 Dural venous sinus 에서 정맥혈의 흐름
경질막(바깥층 · 속층) Dura mater
거미막 Arachnoid mater
거미막밑공간 Subarachnoid space
뇌들보 Corpus callosum
가쪽뇌실 Lateral ventricle
가쪽뇌실앞뿔 Ant. horn
맥락얼기 Choroid plexus
뇌실사이구멍(몬로공) Interventricular foramen(of Monro)
가쪽뇌실아래뿔 Inf. horn
중간뇌수도관(실비우스수도) Cerebral aqueduct (of Sylvius)
거미막과립 Arachnoidal granulation
셋째뇌실 Third ventricle
가쪽뇌실뒤뿔 Post. horn
넷째뇌실 Fourth ventricle
넷째뇌실정중구멍 Median aperture (마젠디공 Foramen of Magendie)
척수중심관 Central canal
주요 뇌척수액의 흐름
가쪽뇌실
뇌실사이구멍(몬로공)
셋째뇌실(사이뇌)
중간뇌수도관(실비우스수도)
넷째뇌실
척수중심관 또는 정중구멍(마젠디공) · 가쪽구멍(루시카공: 2개*)
거미막밑공간
거미막과립
경질막정맥굴
* Lateral aperture (foramen of Luschka)
머리덮개 Scalp
뼈막 Periosteum
뇌척수막
거미막과립 Arachnoid granulations
뇌정맥 Cerebral v.
위시상정맥굴 Sup. sagittal sinus
머리뼈 skull
경질막 Dura mater
경질막밑공간 Subdural space
거미막 Arachnoid mater
거미막밑공간 Subarachnoid space
연질막 Pia mater
뇌척수막
대뇌겉질 Cerebral cortex
대뇌낫 Falx cerebri

뇌신경Cranial nerves

이것만은 기억하자!

- 뇌신경은 좌우 12쌍이 있고 이마엽쪽에서 Ⅰ ~ Ⅻ 번호가 붙여져 있다.
- 뇌신경이 손상을 입으면 다양한 증상이 나타난다.

뇌신경의 종류와 기능

번호	뇌신경 명칭	지배 · 역할	임상증상
Ⅰ	후각신경Olfactory n.	후각(후상피)	후각 소실
Ⅱ	시각신경Optic n.	시각(망막)	완전실명 or 한 눈 실명
Ⅲ	눈돌림신경 Oculomotor n.	• 바깥눈근육Extraocular m.(위빗근Sup. oblique m. 가쪽곧은근Lat. rectus m.은 제외)의 운동 • 부교감신경(원심성): 섬모체근Ciliary m., 동공조임근Sphincter of pupil (동공수축Miosis)	위눈꺼풀처짐(상안검하수)Ptosis, 눈알(안구)은 하외방향Inferiolateral, 동공Pupil이 열린다.
Ⅳ	도르래신경Trochlear n.	위빗근, 눈알은 하외방향이 된다.	눈알의 방향이 바뀐다. 복시Diplopia
Ⅴ	삼차신경Trigeminal n.	얼굴의 감각, 씹기근Masticatory m.	깨물근Masseter m. 마비, 얼굴이나 입안의 감각마비
Ⅵ	갓돌림신경Abducent n.	가쪽곧은근	눈알의 외전Abduction 곤란, 복시
Ⅶ	얼굴신경Facial n.	표정근, 혀의 앞 2/3 미각, 타액 · 눈물분비	얼굴마비Facial palsy, 타액 · 눈물분비 장애, 혀의 앞 2/3 미각손상
Ⅷ	속귀신경 Vestibulocochlear n.	청각 · 평형감각 · 가속도감지	난청Hearing loss, 어지럼증Vertigo
Ⅸ	혀인두신경 Glossopharyngeal n.	혀의 뒤 1/3 미각, 타액분비, 상부의 인두근	혀의 뒤쪽 미각과 감각장애, 삼킴장애
Ⅹ	미주신경 Vagus n.	• 입천장근육Palate m., 인두수축근Pharyngeal constrictor m., 내후두근Intrinsic laryngeal m., 식도 상부1/3운동 • 부교감신경(원심성): 후두, 가슴, 복부내장의 민무늬근육 · 심근운동, 샘분비 등 • 내장감각: 후두, 흉가슴 · 복부내장(소화관 · 기관 · 기관지 · 폐 · 심장 등) 감각	삼킴장애, 쉰목소리(사성) Hoarseness, 위 · 장꿈틀(연동)운동저하, 변비
Ⅺ	더부신경Accessory n.	목빗근Sternocleidomastoid m. · 등세모근Trapezius m.	머리나 어깨의 운동장애
Ⅻ	혀밑신경Hypoglossal n.	혀의 근육무리	혀의 운동장애, 삼킴장애, 언어장애

[뇌신경 쉽게 외우는 예]
냄새(Ⅰ) 맡아보고(Ⅱ), 돌아가는(Ⅲ) 도르래(Ⅳ)들의 세 번째(Ⅴ) 갓쪽(Ⅵ) 것이, 얼굴(Ⅶ)에 부딪히는 소리(Ⅶ)에 혀(Ⅸ)의 꼬리(Ⅹ)와 더불어(Ⅺ) 혀 밑(Ⅻ)도 아프다.

뇌신경의 분포

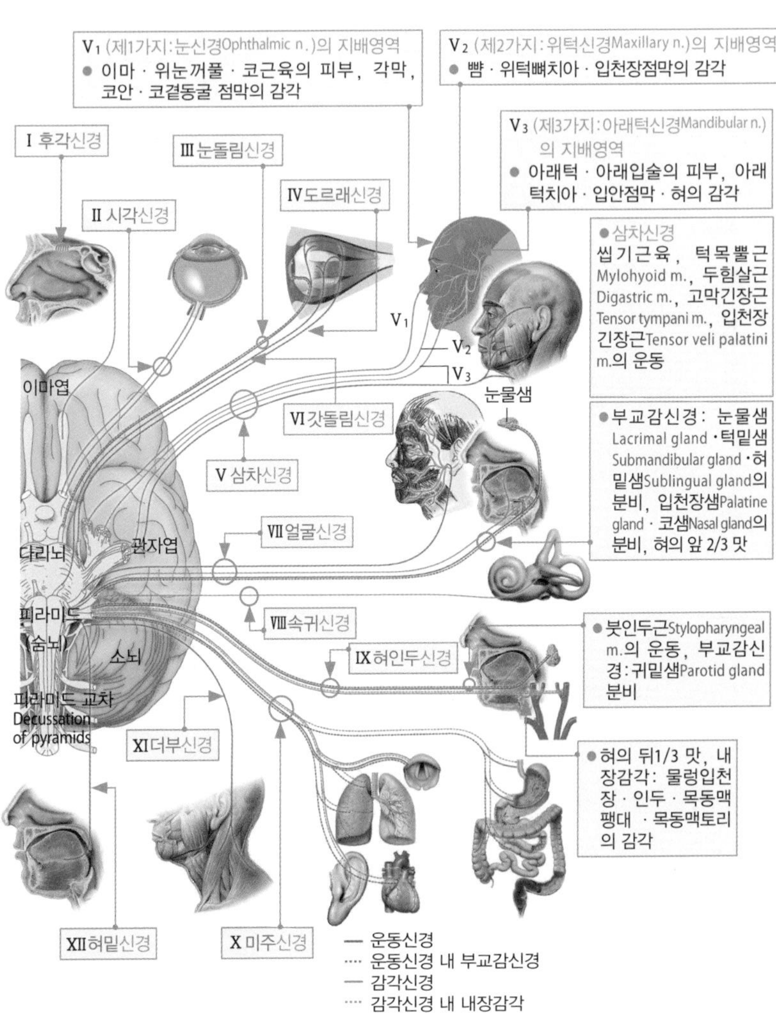
V1 (제1가지: 눈신경Ophthalmic n.)의 지배영역
● 이마 · 위눈꺼풀 · 코근육의 피부, 각막, 코안 · 코곁동굴 점막의 감각
V2 (제2가지: 위턱신경Maxillary n.)의 지배영역
● 뺨 · 위턱뼈치아 · 입천장점막의 감각
V3 (제3가지: 아래턱신경Mandibular n.) 의 지배영역
● 아래턱 · 아래입술의 피부, 아래턱치아 · 입안점막 · 혀의 감각
I 후각신경
III 눈돌림신경
IV 도르래신경
II 시각신경
●삼차신경
씹기근육, 턱목뿔근Mylohyoid m., 두힘살근Digastric m., 고막긴장근Tensor tympani m., 입천장긴장근Tensor veli palatini m.의 운동
V1
V2
V3
이마엽
눈물샘
VI 갓돌림신경
V 삼차신경
●부교감신경: 눈물샘Lacrimal gland · 턱밑샘Submandibular gland · 혀밑샘Sublingual gland의 분비, 입천장샘Palatine gland · 코샘Nasal gland의 분비, 혀의 앞 2/3 맛
VII 얼굴신경
다리뇌
관자엽
피라미드
(숨뇌)
소뇌
VIII 속귀신경
IX 혀인두신경
●붓인두근Stylopharyngeal m.의 운동, 부교감신경: 귀밑샘Parotid gland 분비
피라미드 교차
Decussation of pyramids
XI 더부신경
●혀의 뒤1/3 맛, 내장감각: 물렁입천장 · 인두 · 목동맥팽대 · 목동맥토리의 감각
XII 혀밑신경
X 미주신경
— 운동신경
···· 운동신경 내 부교감신경
— 감각신경
···· 감각신경 내 내장감각

임상 응용

대광반사(빛반사Light reflex)

빛을 받은 후에 망막Retina의 신호는 시각신경으로 전달되어 시각교차Optic chiasm에서 반대 방향으로 교차하여 좌우 양측의 중뇌위둔덕Sup. colliculus으로 전해진다. 그 후, 위둔덕의 덮개앞핵Pretectal nu.에서 좌우 덧눈돌림신경핵Accessory oculomotor nu. or Edinger–Westphal nu.으로 전달되어, 눈돌림신경(Ⅲ)을 통해 동공조임근Sphincter of pupil을 지배하여 동공이 수축된다.

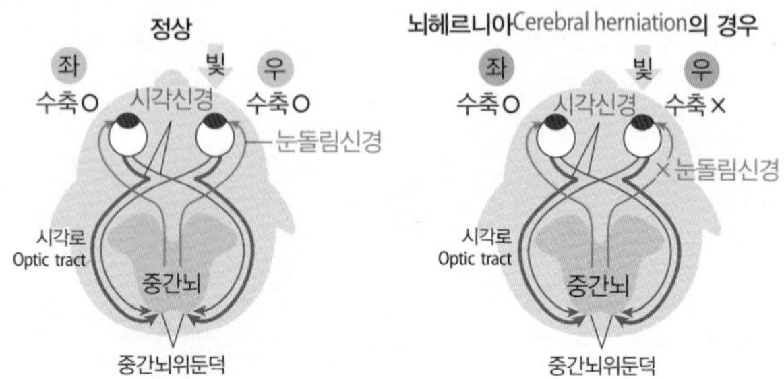
정상
좌
빛
우
수축O
시각신경
수축O
눈돌림신경
시각로
Optic tract
중간뇌
중간뇌위둔덕
뇌헤르니아Cerebral herniation의 경우
좌
빛
우
수축O
시각신경
수축×
×눈돌림신경
시각로
Optic tract
중간뇌
중간뇌위둔덕

시각신경 손상과 시야결손Visual field defect

시야결손의 임상양상에 따라 손상부위를 추측할 수 있다.

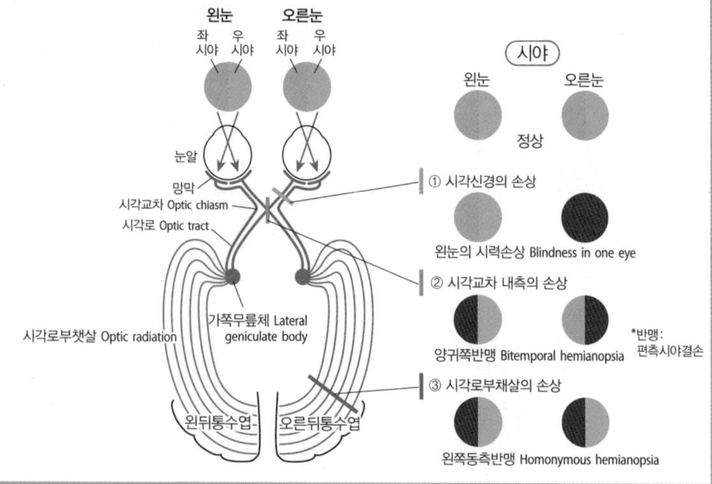
왼눈
오른눈
좌 시야
우 시야
좌 시야
우 시야
눈알
망막
시각교차 Optic chiasm
시각로 Optic tract
시각로부챗살 Optic radiation
가쪽무릎체 Lateral geniculate body
왼뒤통수엽
오른뒤통수엽
시야
왼눈
오른눈
정상
① 시각신경의 손상
왼눈의 시력손상 Blindness in one eye
② 시각교차 내측의 손상
양귀쪽반맹 Bitemporal hemianopsia
*반맹: 편측시야결손
③ 시각로부채살의 손상
왼쪽동측반맹 Homonymous hemianopsia

관련 질환

뇌하수체Pituitary gland종양

시각교차는 뇌하수체의 바로 위에 위치하고 있어 뇌하수체종양이 있으면 시각교차가 압박 되어 양귀쪽반맹(양안외측의 시야결손)이 발생한다.

척수신경 Spinal nerves

이것만은 기억하자!

- 척수의 양측으로 출입하는 척수신경은 목신경Cervical nerves (C) 8쌍, 가슴신경Thoracic nerves (Th) 12쌍, 허리신경Lumbar nerves (L) 5쌍, 엉치신경Sacral n. (S) 5쌍, 꼬리신경Coccygeal n. (Co) 1쌍, 합계 31쌍이다.
- 척수신경은 앞뿌리Ant. or ventral root [Motor root] (골격근을 지배하는 운동성신경)와 뒤뿌리Post. or dorsal root [Sensory root] (감각성신경) 통해서 섬유다발 형태로 출입한다. 앞뿌리는 원심성신경, 뒤뿌리는 구심성신경이다(벨 · 마장디의 법칙Bell-Magendie's law).
- 앞뿌리와 뒤뿌리는 척추뼈사이구멍Intervertebral foramen에서 합류된 후 바로 앞가지Ant. ramus(전면부 방향)와 뒤가지Post. ramus(후면부 방향)로 나눠진다.
- 목신경은 가로막신경Phrenic n. (가로막의 지배운동), 정중신경Median n., 자신경Ulnar n., 노신경Radial n. 을 형성한다.
- 가슴신경에서는 갈비사이신경Intercostal n., 허리신경에서는 넙다리신경Femoral n., 엉치신경에서는 궁둥신경Sciatic n. (인체최대의 신경:연필 굵기) 등이 형성된다.
- 일정한 자극이 구심성으로 척수에 전달되면 그에 반대하여 불수의적인 운동이 일어나는 것을 척수반사Spinal reflex 라고 한다. 척수반사는 구심성신경로→척수 중추→원심성신경로를 지나 무의식적으로 이루어진다(예: 뜨거운 것을 만지면 손을 뗀다, 서 있는 자세 유지, 무릎을 두드리면 다리를 앞쪽으로 뻗는 것 등).

무릎힘줄반사 Patellar tendon reflex

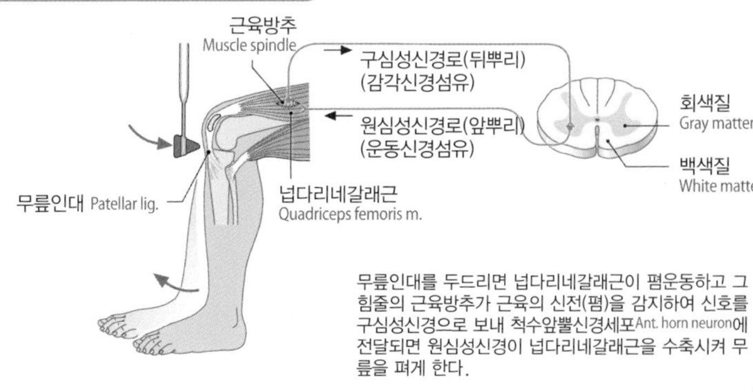
근육방추
Muscle spindle
구심성신경로(뒤뿌리)
(감각신경섬유)
원심성신경로(앞뿌리)
(운동신경섬유)
회색질
Gray matter
백색질
White matter
무릎인대 Patellar lig.
넙다리네갈래근
Quadriceps femoris m.

무릎인대를 두드리면 넙다리네갈래근이 폄운동하고 그 힘줄의 근육방추가 근육의 신전(폄)을 감지하여 신호를 구심성신경으로 보내 척수앞뿔신경세포Ant. horn neuron에 전달되면 원심성신경이 넙다리네갈래근을 수축시켜 무릎을 펴게 한다.

척수신경과 그 손상

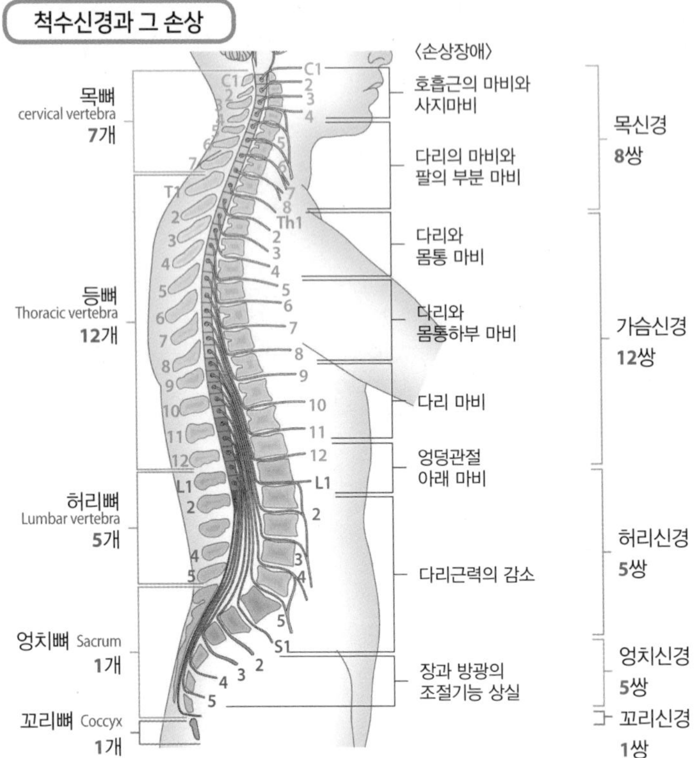

〈손상장애〉
목뼈
cervical vertebra
7개
등뼈
Thoracic vertebra
12개
허리뼈
Lumbar vertebra
5개
엉치뼈 Sacrum
1개
꼬리뼈 Coccyx
1개
호흡근의 마비와
사지마비
다리의 마비와
팔의 부분 마비
다리와
몸통 마비
다리와
몸통하부 마비
다리 마비
엉덩관절
아래 마비
다리근력의 감소
장과 방광의
조절기능 상실
목신경
8쌍
가슴신경
12쌍
허리신경
5쌍
엉치신경
5쌍
꼬리신경
1쌍

* 마비Paralysis는 손상정도에 따라 증상의 차이가 크고 같은 손상부위라도 다르게 나타날 수 있다.

관련 질환

신경손상

정중신경손상에서는 원숭이손Ape hand*이, 자신경손상에서는 갈퀴손Claw hand**, 노신경손상에서 손목처짐Wrist drop 현상이 나타난다.

궁둥신경손상에는 신경통이나 무릎굽힘, 발의 발바닥쪽굽힘Plantar flexion의 장애가 나타난다.

음부신경Pudendal n.이 마비되면 요도 or 항문조임근Urinary/anal sphincter의 폐쇄부전(변뇨실금 Rectal/urinary incontinence)이 생긴다.

역주

* 앞팔의 굽힘(굴)근Flexor과 엎침(회내)근Pronator이 마비되어 손의 엎침, 굽힘과 손가락의 굽힘, 엄지손가락의 벌림Abduction이 장애를 받는다.

** 손허리손가락관절Metacarpophalangeal joint의 과다폄Hyperextension과 손가락뼈사이관절Interphalangeal joint의 폄운동이 원인이다.

척수신경의 피부지배영역Dermatome

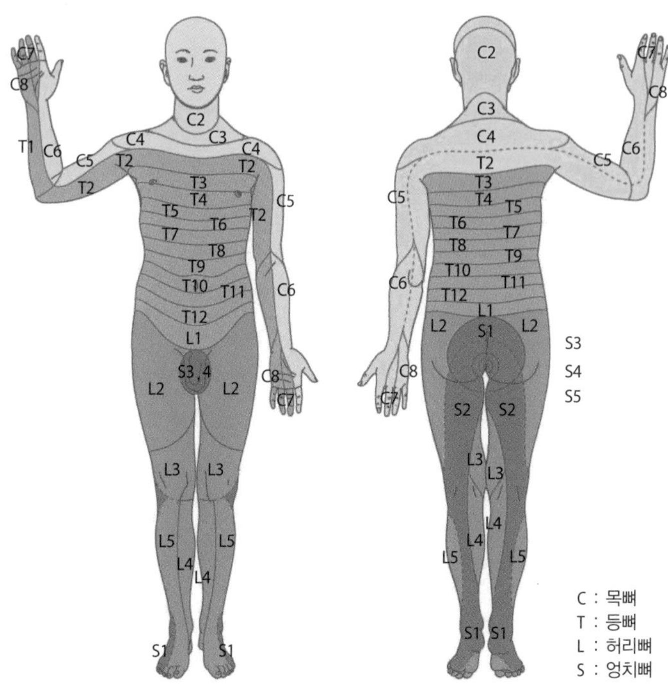
C7
C8
T1
C6
C5
T2
C2
C4
C3
C4
T2
T3
T4
T5
T6
T7
T8
T9
T10
T11
T12
L1
C5
C6
S3,4
L2
L2
C8
C7
L3
L3
L5
L5
L4
L4
S1
S1
C2
C3
C4
T2
T3
T4
T5
T6
T7
T8
T9
T10
T11
T12
L1
L2
S1
L2
S3
S4
S5
S2
S2
L3
L3
L4
L4
L5
L5
S1
S1
C : 목뼈
T : 등뼈
L : 허리뼈
S : 엉치뼈

관련 질환

척수손상

교통사고 등으로 강한 외력을 받으면 척수 골절로 인해 척수가 손상되고 지배하는 부위의 운동이나 감각에 장애가 발생한다.

예를 들면, 목뼈 손상의 경우 호흡근이나 사지마비뿐만 아니라 배뇨 조절도 문제가 생긴다.

운동신경Motor neuron과 감각신경Sensory neuron

이것만은 기억하자!

- 운동신경은 중추신경에서 골격근에 운동명령을 전달하는 신경이다.
- 대뇌겉질에서 나온 것을 상위운동신경세포Upper motor neuron, UMN, 뇌신경이나 척수에서 나온 것을 하위운동신경세포Lower motor neuron, LMN이라고 한다.

POINT

척수에서 UMN(피라밋로Pyramidal tract)의 대부분은 가쪽섬유단Lat. funiculus 을 지난다. 근육위축가쪽경화증 Amyotrophic lateral sclerosis, ALS (루게릭병Lou Gehrig's Disease)은 가쪽섬유단이 손상을 입어 지배하는 근육의 마비를 일으킨다.

관련 질환

파킨슨병Parkinson's disease

중간뇌의 흑색질Substantia nigra에 있는 도파민을 생산하는 신경세포의 감소로 발생한다. 이로 인해 추체외로증상Extrapyramidal symptoms (피라미드바깥길장애Extrapyramidal disorder, 경축Rigidity, 운동불능Akinesia, 손떨림Tremor)이 나타난다.

운동신경의 전도로
(추체로 or 피라미드로)

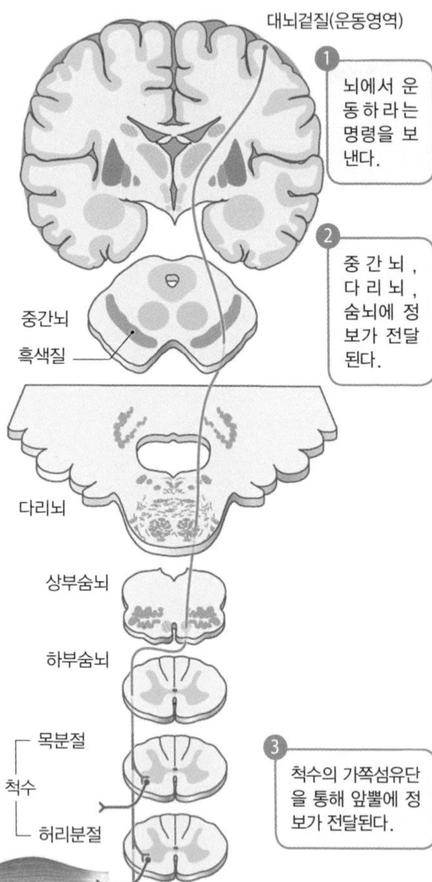
대뇌겉질(운동영역)
1 뇌에서 운동하라는 명령을 보낸다.
2 중간뇌, 다리뇌, 숨뇌에 정보가 전달된다.
중간뇌
흑색질
다리뇌
상부숨뇌
하부숨뇌
목분절
척수
허리분절
3 척수의 가쪽섬유단을 통해 앞뿔에 정보가 전달된다.
골격근

4 말초신경으로 전해져 근육에 있는 신경근연접Neuromuscular junction에 신호가 전달된다.

상위운동신경세포 UMN

하위운동신경세포 LMN (말초신경)

POINT

운동신경은 하행성이고 감각신경은 상행성이다.

- 감각신경은 피부나 근육, 눈 등의 감각수용기로부터 정보를 중추계신경으로 전달하는 신경이다.
- 감각을 전달하는 전도로는 감각수용기에서 척수로 전달하는 1차뉴런, 척수에서 시상으로 전달하는 2차뉴런, 시상에서 대뇌겉질로 전달하는 3차뉴런이 있다.

감각신경의 전도로

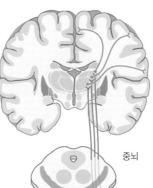

④ 정보가 연합영역 Frontal association area에 전달되어 이 마엽에서 적절한 의사가 결정된다.
대뇌겉질
(1차감각영역
Primary sensory area)
중뇌
③ 다리뇌에 정보가 도착하면 시상을 통하여 대뇌겉질로 전달된다.
다리뇌
(얼굴로부터)
① 피부의 수용기에 정보가 입력된다.
숨뇌
② 척수에서 숨뇌로 정보가 전달된다.
팔로부터
목분절
척수
다리로부터
허리분절
1차뉴런
2차뉴런
3차뉴런

그림은 온도감각이나 거칠고 엉성한 촉각Touch, 압각Pressure의 전도로를 표시하고 있다. 정교한 촉각 · 압각이나 의식할 수 있는 심부감각은 이 그림과 다른 경로를 통한다.

자율신경 Autonomic nerves

이것만은 기억하자!

- 자율신경은 의식이 없어도 생명이 있는 한 자율적으로 독립해서 작용하는 신경으로 교감신경Sympathetic n.과 부교감신경Parasympathetic n.으로 분류된다.
- 교감신경말단Sympathetic nerve ending에서 노르아드레날린Noradrenaline, NA이 분비되고 부교감신경말단Parasympathetic nerve ending에서는 아세틸콜린Acetylcholine, Ach이 분비된다.
- 심장의 교감신경은 심장의 박동을 촉진시키고 부교감신경(미주신경)은 박동을 억제한다. 이와 같이 두 신경은 서로 길항Counteraction하는 기능을 가진다.
- 자율신경의 최고중추는 시상하부에 있다.

임상 응용

교감신경흥분제Sympathomimetic drug

아드레날린작용약Adrenergic durg or Adrenomimetic은 교감신경을 흥분시킨다. 예를 들어, 기관지확장Bronchodilation(기관지천식Bronchial asthma에 적용), 동공확대Mydriasis(산동, 동공확장제), 혈압상승(승압제Vasopressor) 작용이 있다.

콜린성약물Cholinergic drug은 부교감신경을 흥분시킨다. 소화기의 꿈틀(연동)항진Hyperperistalsis(변비약), 안압저하Ocular hypotonia(녹내장Glaucoma치료제), 동공수축Miosis(축동) 작용이 있다.

교감신경자극 (노르아드레날린 방출)	장기	부교감신경자극 (아세틸콜린방출)
확대	동공	수축
분비억제	소화샘	분비증가
연동억제	소화기	연동항진
이완	기관민무늬근육	수축
증가	심박수	감소
수축	말초혈관	확장
이완	방광벽	수축

관련 질환

자율신경성운동실조Autonomic ataxia

두근거림, 어깨통증, 어지럼증, 설사, 변비 등의 증상이 나타난다.

자율신경의 기능

POINT

교감신경의 신경절이전섬유는 척수의 가슴분절·목분절의 가쪽뿔Lat. horn에서 나오고, 부교감신경의 신경절이전섬유는 중간뇌·다리뇌·숨뇌에 있는 일부 뇌신경핵(덧눈돌림신경핵 등)과 척수의 엉치분절의 가쪽뿔에서 나온다.

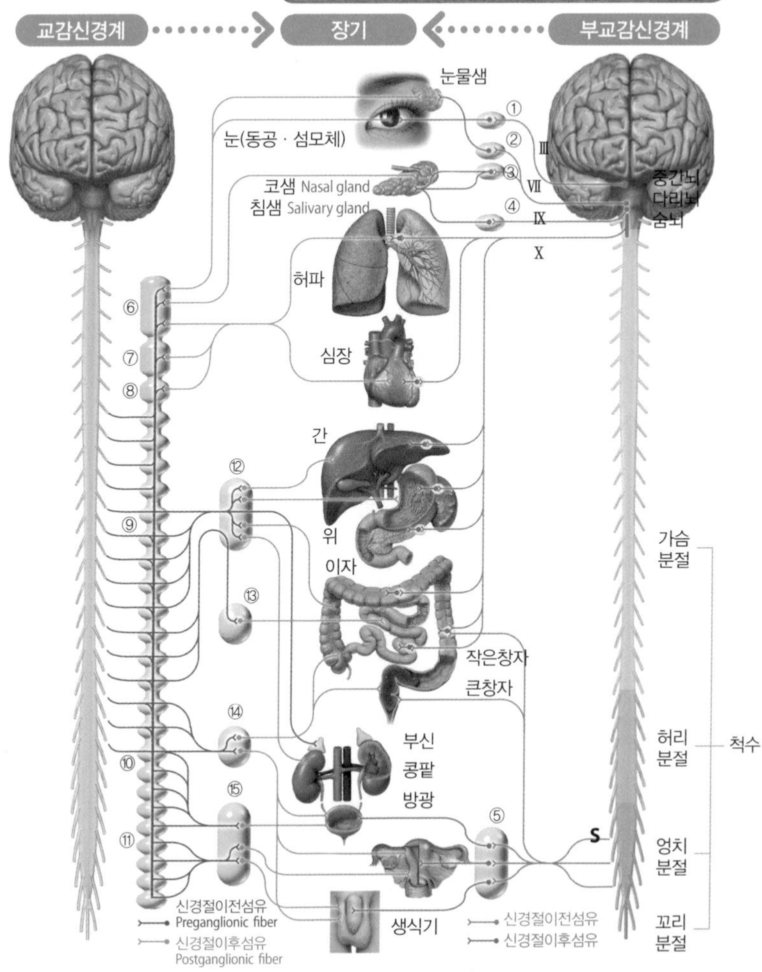
교감신경계
장기
부교감신경계
눈물샘
눈(동공 · 섬모체)
코샘 Nasal gland
침샘 Salivary gland
허파
심장
간
위
이자
작은창자
큰창자
부신
콩팥
방광
생식기
①
②
③
④
⑤
⑥
⑦
⑧
⑨
⑩
⑪
⑫
⑬
⑭
⑮
Ⅲ
Ⅶ
Ⅸ
Ⅹ
중간뇌
다리뇌
숨뇌
S
가슴
분절
허리
분절
엉치
분절
꼬리
분절
척수
신경절이전섬유
Preganglionic fiber
신경절이후섬유
Postganglionic fiber
신경절이전섬유
신경절이후섬유

Ⅲ: 눈돌림신경 Ⅶ: 얼굴신경 Ⅸ: 혀인두신경 Ⅹ: 미주신경 S: 골반내장신경 Pelvic splanchnic n.

① 섬모체신경절 Ciliary ganglion ② 날개입천장신경절 Pterygopalatine ganglion ③ 턱밑신경절 Submandibular ganglion ④ 귀신경절 Otic ganglion ⑤ 엉치신경절 Sacral ganglia ⑥ 위목신경절 Sup. cervical ganglion ⑦ 중간목신경절 Mid. cervical ganglion ⑧ 아래목신경절 Inf. cervical ganglion ⑨ 가슴신경절 Thoracic ganglia ⑩ 허리신경절 Lumbar ganglia ⑪ 엉치신경절 Sacral ganglia ⑫ 복강신경절 Celiac ganglia ⑬ 위창자간막신경절 Sup. mesenteric ganglion ⑭ 아래창자간막신경절 Inf. mesenteric ganglion ⑮ 골반신경절 Pelvic ganglia

호르몬Hormone 분비

이것만은 기억하자!

- 내분비계Endocrine system는 신경계와 함께 몸의 항상성Homeostasis을 유지 · 제어한다.
- 내분비계의 체내정보전달물질을 호르몬이라고 하고 내분비샘에서 분비되며 혈액을 통해 온몸으로 보내진다.
- 호르몬에는 다양한 종류가 있고 그 화학구조나 특이적수용체Receptor의 특징에 따라 물에 녹지 않는 지용(소수)성 호르몬과 물에 녹는 수용(친수)성 호르몬으로 크게 구별한다.
- 대부분의 호르몬분비의 조절은 혈액의 조성변화를 감지하는 사이뇌의 시상하부가 관여하고 뇌하수체앞엽Pituitary ant. lobe에서의 자극호르몬(→P. 118)에 의해 하위 내분비기관에서 호르몬이 분비된다.

임상 응용

외분비샘과 내분비샘 Exocrine gland vs Endocrine gland

외분비샘은 관을 가지고 있고 그것을 통해 분비된다(예: 침샘, 땀샘).

내분비샘은 관이 없고 샘에서 직접 혈중으로 호르몬이 분비되는 샘기관이다.

갑상샘기능검사Thyroid function test

갑상샘호르몬Thyroid hormone에는 T3와 T4가 있고 갑상샘에 작용하는 뇌하수체호르몬에는 갑상선자극호르몬Thyroid-stimulating hormone, TSH (thyrotropin)이 있다. TSH는 T4와의 음성되먹임negative feedback 기전에 의해 T4 분비를 조절한다.

관련 질환

갱년기Climacteric**증상**

폐경전후의 약 10년간을 갱년기(44~55세 전후)라 하며, 여성호르몬(에스트로겐Estrogen)의 분비가 저하되고 다양한 증상[두통, 어지럼증, 난청, 달아오름Blushing(홍조), 발한Diaphoresis, 두근거림Palpitation(심계항진), 기침, 입안건조 등]이 나타난다.

호르몬의 구조적분류

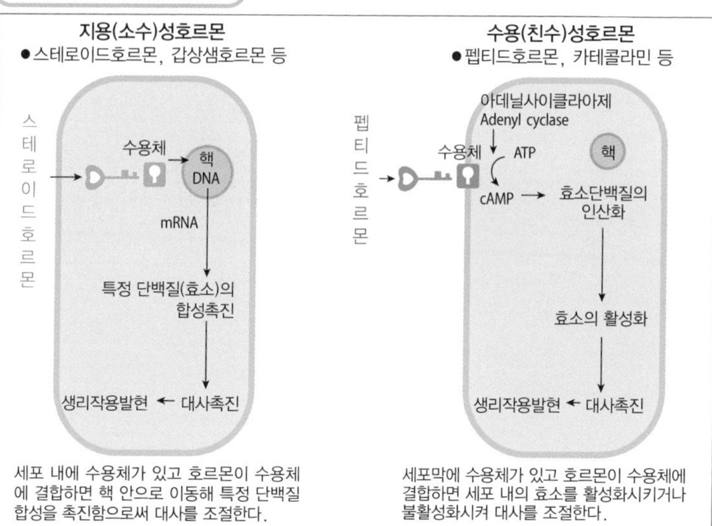
지용(소수)성호르몬
●스테로이드호르몬, 갑상샘호르몬 등
스테로이드호르몬
수용체
핵
DNA
mRNA
특정 단백질(효소)의
합성촉진
생리작용발현
대사촉진
수용(친수)성호르몬
●펩티드호르몬, 카테콜라민 등
펩티드호르몬
아데닐사이클라아제
Adenyl cyclase
수용체
ATP
cAMP
핵
효소단백질의
인산화
효소의 활성화
생리작용발현
대사촉진

세포 내에 수용체가 있고 호르몬이 수용체에 결합하면 핵 안으로 이동해 특정 단백질 합성을 촉진함으로써 대사를 조절한다.

세포막에 수용체가 있고 호르몬이 수용체에 결합하면 세포 내의 효소를 활성화시키거나 불활성화시켜 대사를 조절한다.

호르몬분비의 기전

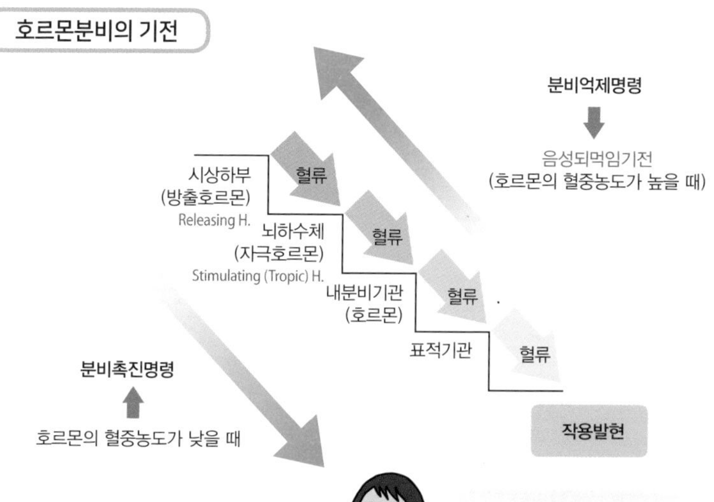
분비억제명령
음성되먹임기전
(호르몬의 혈중농도가 높을 때)
시상하부
(방출호르몬)
Releasing H.
혈류
뇌하수체
(자극호르몬)
Stimulating (Tropic) H.
혈류
내분비기관
(호르몬)
혈류
표적기관
혈류
작용발현
분비촉진명령
호르몬의 혈중농도가 낮을 때

호르몬은 명령에 따라 분비되는 정보전달 물질입니다.

주요 호르몬의 종류와 그 작용

내분비기관		약어	호르몬명	기능
시상하부		GHRH	Growth Hormone Releasing Hormone 성장호르몬 방출 호르몬	성장호르몬(GH)의 분비 촉진
		PRH	Prolactin-releasing hormone 프로락틴 방출 호르몬	프로락틴(PRL)의 분비 촉진
		TRH	Thyrotropin Releasing Hormone 갑상샘자극호르몬 방출 호르몬	갑상샘자극호르몬(TSH)의 분비 촉진, 성장호르몬, 프로락틴분비 촉진
		GnRH	Gonadotropin releasing hormone 생식샘자극호르몬 방출 호르몬	난포자극호르몬(FSH)과 황체형성호르몬(LH)의 분비 촉진
		CRH	Corticotropin Releasing Hormone 부신겉질자극호르몬 방출 호르몬	부신겉질자극호르몬(ACTH)의 분비 촉진
		GHIH	Growth hormone-inhibiting hormone 성장호르몬 억제 호르몬	성장호르몬(GH) 분비 억제
		PIH	Prolactin-inhibiting hormone 프로락틴 억제 호르몬	도파민Dopamine, 프로락틴(PRL)의 분비 억제
뇌하수체	앞엽	GH	Growth hormone 성장호르몬	몸전체의 성장촉진, 과다분비 시 거인증Gigantism, 말단비대증Acromegaly
		TSH	Thyroid stimulating hormone 갑상샘자극호르몬	갑상샘을 자극해 갑상샘호르몬 분비 촉진
		ACTH	Adrenocorticotropic hormone 부신겉질자극호르몬	당질코르티코이드Glucocorticoid의 합성과 분비 촉진
		LH	Luteinizing Hormone 황체형성호르몬	여성에게는 배란Ovulation유발과 황체Corpus luteum형성유발, 남성은 고환에서 남성호르몬생성 촉진
		PRL	Prolactin 젖분비호르몬	젖생성 · 분비 촉진, 황체의 퇴화를 방지
		FSH	Follicle Stimulating Hormone 난포자극호르몬	여성의 배란유발, 난포Follicle발육, 남성의 정자 형성 촉진
	뒤엽	ADH	Anti-diuretic hormone=Vasopressin 항이뇨호르몬	콩팥에서 물 재흡수의 촉진, 부족하면 요붕증
		OT	Oxytocin 옥시토신	자궁근육수축, 젖분비촉진
솔방울샘 Pineal body			Melatonin 멜라토닌	광주기(빛-어둠)를 조절(수면조절)
갑상샘		T_4	Thyroxine	갑상샘호르몬. 열량생성, 기초대사항진
		T_3	Triiodothyronine	
		CT	Calcitonin	혈중 Ca^{2+} 농도 저하
부갑상샘		PTH	Parathyroid hormone 부갑상샘호르몬	혈중 Ca^{2+} 농도 상승
이자			Insulin 인슐린	혈당치의 저하
			Glucagon 글루카곤	혈당치 상승
부신	겉질 Adrenal cortex	MC	Mineralocorticoid 전해질코르티코이드	Na^+ 재흡수, K^+배출을 촉진
		GC	Glucocorticoid 당질코르티코이드	당신생Glyconeogenesis의 촉진, 단백질분해촉진, 항염증 작용
		DHEA	Dehydroepiandrosterone 디히드로에피안드로스테론	남성호르몬Androgen의 일종
	속질 Adrenal medulla	A	Adrenalin 아드레날린	심박수의 증가, 혈당치 상승
		NA	Noradrenalin 노르아드레날린	혈관저항증대 혈압의 상승
난소		E	Estrogen 에스트로겐	여성생식기 · 유방 발육, 자궁내막 증식
		P	Progesterone 프로게스테론	수정란의 착상과 임신의 유지
고환		T	Testosterone 테스토스테론	남성생식기관 발육, 정자 형성

부신 Adrenal gland

이것만은 기억하자!

- 부신은 콩팥 바로 위에 위치하고, 속질Medulla과 겉질Cortex로 나눠진다. 속질에서는 아드레날린(Adrenaline or Epinephrine, A), 노르아드레날린(Noradrenaline or Norepinephrine, NA)이 분비된다. 모두 교감신경의 자극에 의해 분비된다. A는 특히 혈당상승, 지방분해 촉진에 NA는 말초혈관에 강하게 작용한다.
- 부신겉질에서는 당질코르티코이드Glucocorticoid, GC, 전해질코르티코이드Mineralocorticoid, MC, 성호르몬DHEA이 분비된다.
- 당질코르티코이드는 조직에 있는 단백질을 아미노산으로 분해하거나 간에서 아미노산을 포도당이나 글리코겐으로 만드는 것을 조절한다.
- 전해질코르티코이드는 요세관Uriniferous tubule에서 Na^+재흡수 촉진, K^+과 H^+의 배출을 증가시킨다. 대표적 예가 알도스테론Aldosterone 이다.

부신의 구조

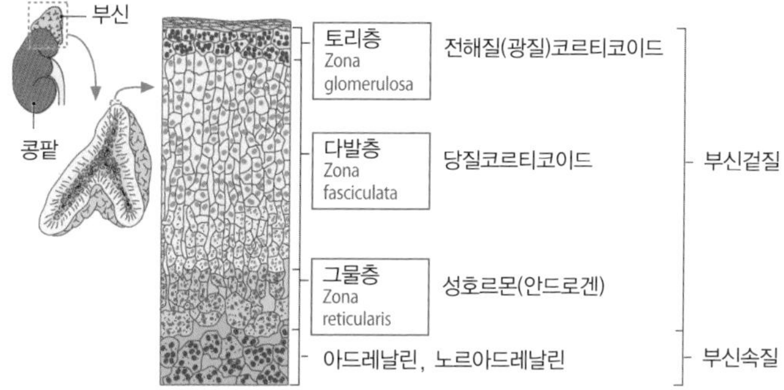
부신
콩팥
토리층
Zona glomerulosa
전해질(광질)코르티코이드
다발층
Zona fasciculata
당질코르티코이드
그물층
Zona reticularis
성호르몬(안드로겐)
아드레날린, 노르아드레날린
부신겉질
부신속질

임상 응용

부신겉질호르몬의 분비이상

갈색세포종(크롬친화세포종Pheochromocytoma) 은 부신속실호르몬 과잉으로 고혈압을 일으킨다. 애디슨병Addison's disease 은 부신겉질호르몬의 분비 저하를 일으켜 식욕부진, 체중감소, 저혈압 증상이 나타난다. 쿠싱증후군Cushing's syndrome 은 부신피질호르몬의 분비 과잉을 일으켜 비만, 고혈압, 고혈당, 털과다Hypertrichosis , 달덩이얼굴Moon face, 궤양 등의 증상이 생긴다.

콩팥(신장)Kidney 과 오줌Urine의 생성

이것만은 기억하자!

- 콩팥은 대사산물이나 노폐물 배출, 산염기평형이나 삼투압, 전해질 평형과 관련된 기능을 가진다.
- 콩팥은 제 11등뼈Thoracic vertebra에서 제 3허리뼈Lumbar vertebra 높이에 같은 모양으로 좌우에 위치하고 오른쪽이 왼쪽보다 약간 낮다.
- 콩팥 1개에 콩팥소체Renal corpuscle와 요세관Uriniferous tubule으로 구성된 네프론Nephron (콩팥단위)이 약 100만개 있다. 네프론은 신장의 구조 · 기능상의 단위다.
- 콩팥소체는 토리Glomerulus 와 토리주머니Glomerular capsule of Bowman로 나눠지고 토리에서는 들어가는 혈관(들세동맥Afferent arteriole)과 나오는 혈관(날세동맥Efferent arteriole)이 있으며 사이에 토리곁장치세포Juxtaglomerular apparatus cell가 있어서 토리곁장치에서 혈압상승물질인 레닌Renin을 분비하고 있다.
- 요세관은 토리쪽세관Proximal tubule, 헨레고리Henle's loop(오름부분, 내림부분), 먼쪽세관Distal tubule으로 나뉜다.
- 토리에는 1분간 약 1,000mL의 혈액이 흐르고 여과된 혈장량Plasma volume은 콩팥의 총 혈장유량Plasma flow의 약 20%이다. 하루에 여과되는 양은 약 160L이지만 요세관에서 99%가 흡수되기 때문에 남은 1%(약 1.6L)만이 오줌으로 배출된다.
- 토리에서 여과된 원뇨는 토리쪽세관에서 물과 Na^+, 포도당, 아미노산, K^+을 흡수한다.
- 먼쪽세관에서는 K^+이 분비되어 오줌으로 배출된다. 여러 개의 요세관이 하나의 집합관Collecting tubule에 연결되고, 다수의 집합관이 모이며 콩팥유두Renal papilla를 통해 오줌이 콩팥깔대기Renal pelvis로 배출된다.

임상 응용

오줌을 통한 배설물

정상인의 경우 포도당은 오줌으로 배출되지 않지만 당뇨병 환자의 경우 원뇨에 포도당이 많아 요세관에서 모두 흡수되지 않아 포도당이 오줌으로 배출된다.

말기 신질환End stage renal disease에서는 오줌으로 K^+ 배출에 어려움이 있어, 고칼륨혈증Hyperkalemia이 생겨 심정지 원인이 된다.

급성토리신우염Acute glomerulonephritis은 토리에 병변이 생겨 단백뇨, 혈뇨가 나타난다.

비뇨기계의 구조(남성)

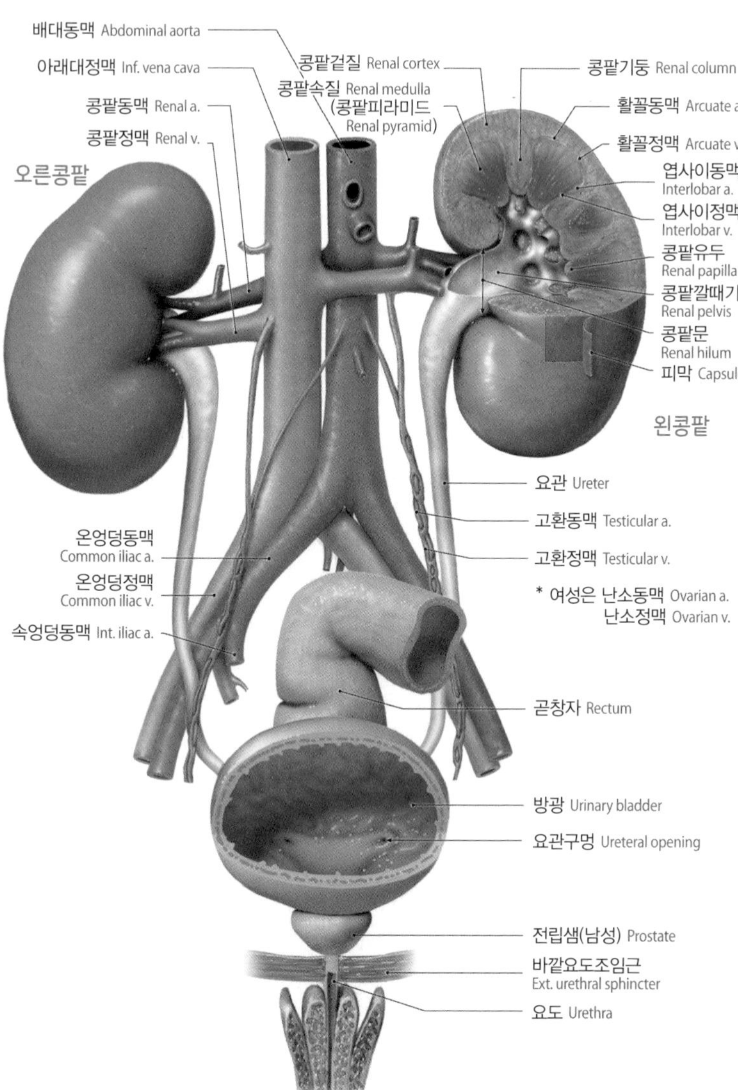
배대동맥 Abdominal aorta
아래대정맥 Inf. vena cava
콩팥동맥 Renal a.
콩팥정맥 Renal v.
오른콩팥
콩팥겉질 Renal cortex
콩팥속질 Renal medulla
(콩팥피라미드
Renal pyramid)
콩팥기둥 Renal column
활꼴동맥 Arcuate a.
활꼴정맥 Arcuate v.
엽사이동맥
Interlobar a.
엽사이정맥
Interlobar v.
콩팥유두
Renal papilla
콩팥깔때기
Renal pelvis
콩팥문
Renal hilum
피막 Capsule
왼콩팥
요관 Ureter
고환동맥 Testicular a.
고환정맥 Testicular v.
* 여성은 난소동맥 Ovarian a.
난소정맥 Ovarian v.
온엉덩동맥
Common iliac a.
온엉덩정맥
Common iliac v.
속엉덩동맥 Int. iliac a.
곧창자 Rectum
방광 Urinary bladder
요관구멍 Ureteral opening
전립샘(남성) Prostate
바깥요도조임근
Ext. urethral sphincter
요도 Urethra

콩팥의 구조

POINT

콩팥은 혈관이 많은 장기다. 콩팥문Renal hilus으로 들어간 **콩팥동맥**Renal a.은 **엽사이동맥**Interlobar a.이 되고 겉질과 속질의 사이에서 **활꼴동맥**Arcuate a.을 형성하고, 겉질로 들어가 **소엽사이동맥**Interlobular a.이 된다. 그 후 들세동맥Afferent arteriole이 되어 토리안으로 들어가서 모세혈관그물을 형성하고 하나의 **날세동맥**Efferent arteriole이 되어 나온다.

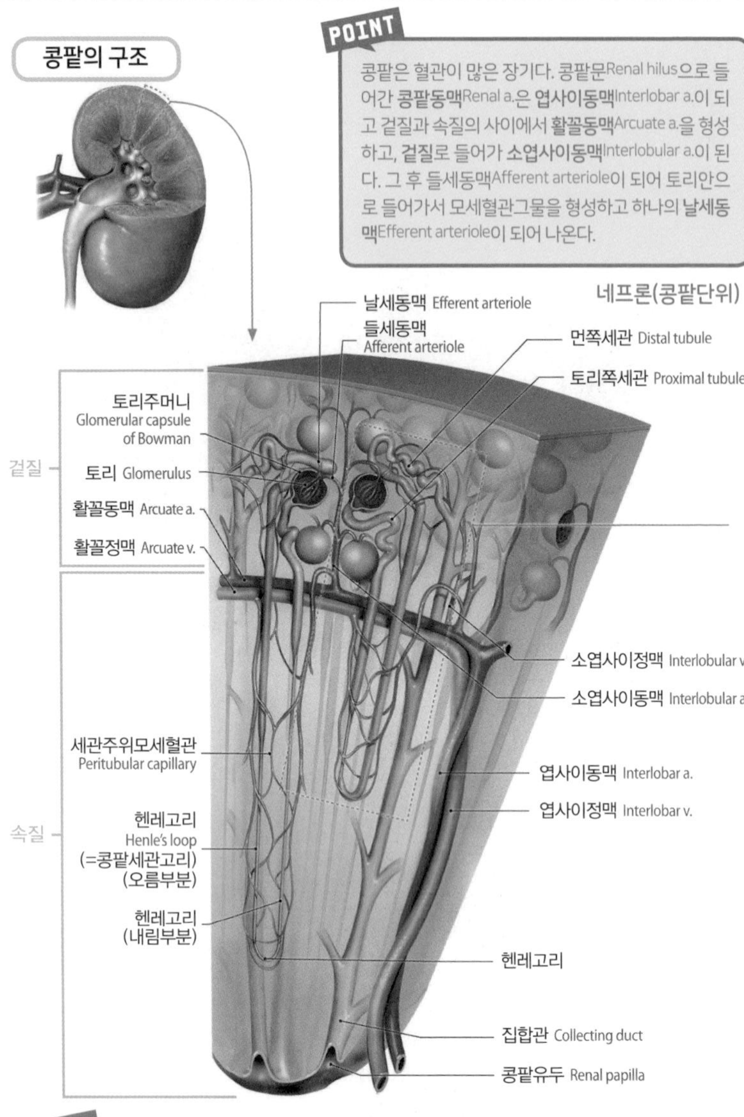
네프론(콩팥단위)
날세동맥 Efferent arteriole
들세동맥
Afferent arteriole
먼쪽세관 Distal tubule
토리쪽세관 Proximal tubule
토리주머니
Glomerular capsule
of Bowman
겉질
토리 Glomerulus
활꼴동맥 Arcuate a.
활꼴정맥 Arcuate v.
소엽사이정맥 Interlobular v.
소엽사이동맥 Interlobular a.
세관주위모세혈관
Peritubular capillary
엽사이동맥 Interlobar a.
엽사이정맥 Interlobar v.
속질
헨레고리
Henle's loop
(=콩팥세관고리)
(오름부분)
헨레고리
(내림부분)
헨레고리
집합관 Collecting duct
콩팥유두 Renal papilla

POINT

콩팥은 육안적으로 내층(속질)과 외층(겉질)로 구분된다.

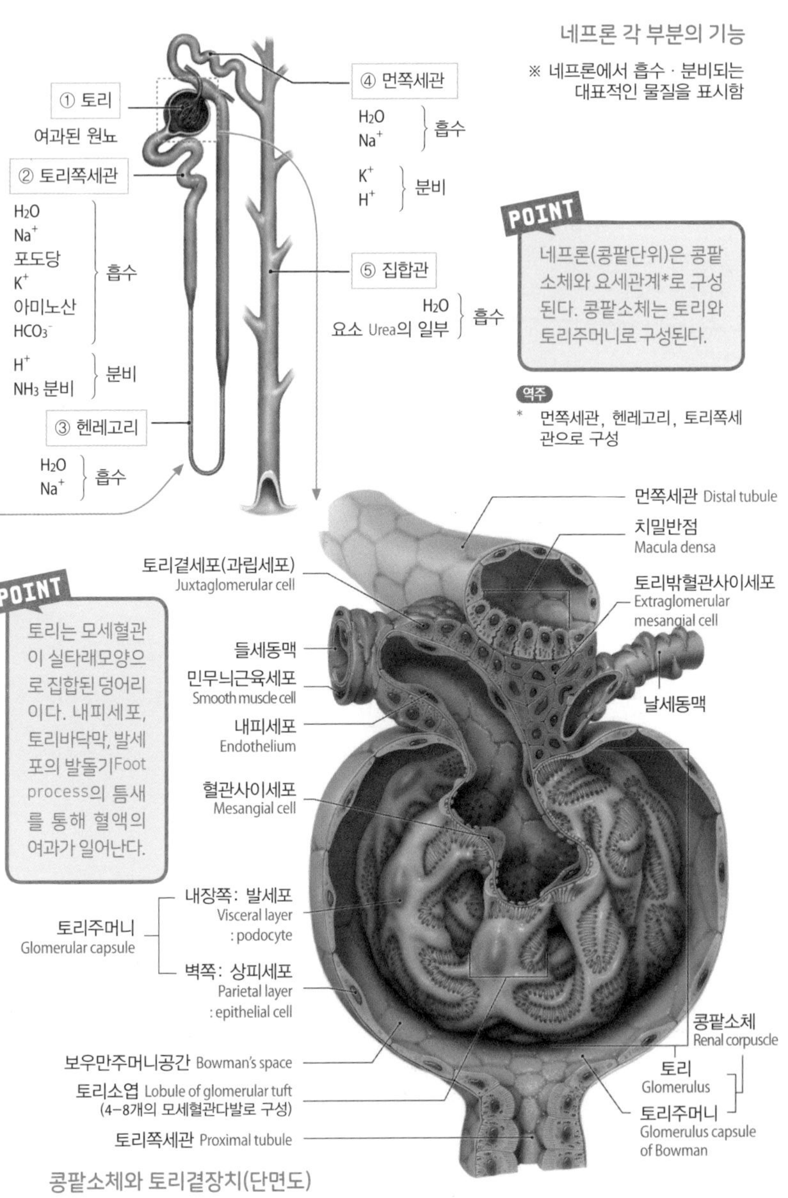
네프론 각 부분의 기능
※ 네프론에서 흡수 · 분비되는
대표적인 물질을 표시함
① 토리
여과된 원뇨
② 토리쪽세관
H_2O
Na^+
포도당
K^+
아미노산
HCO_3^-
흡수
H^+
NH_3 분비
분비
③ 헨레고리
H_2O
Na^+
흡수
④ 먼쪽세관
H_2O
Na^+
흡수
K^+
H^+
분비
⑤ 집합관
H_2O
요소 Urea의 일부
흡수
먼쪽세관 Distal tubule
치밀반점
Macula densa
토리곁세포(과립세포)
Juxtaglomerular cell
토리밖혈관사이세포
Extraglomerular
mesangial cell
들세동맥
민무늬근육세포
Smooth muscle cell
날세동맥
내피세포
Endothelium
혈관사이세포
Mesangial cell
토리주머니
Glomerular capsule
내장쪽: 발세포
Visceral layer
: podocyte
벽쪽: 상피세포
Parietal layer
: epithelial cell
콩팥소체
Renal corpuscle
보우만주머니공간 Bowman's space
토리
Glomerulus
토리소엽 Lobule of glomerular tuft
(4-8개의 모세혈관다발로 구성)
토리주머니
Glomerulus capsule
of Bowman
토리쪽세관 Proximal tubule

콩팥소체와 토리곁장치(단면도)

POINT

네프론(콩팥단위)은 콩팥소체와 요세관계*로 구성된다. 콩팥소체는 토리와 토리주머니로 구성된다.

역주

* 먼쪽세관, 헨레고리, 토리쪽세관으로 구성

POINT

토리는 모세혈관이 실타래모양으로 집합된 덩어리이다. 내피세포, 토리바닥막, 발세포의 발돌기Foot process의 틈새를 통해 혈액의 여과가 일어난다.

레닌·안지오텐신·알도스테론계
Renin angiotensin aldosterone axis

이것만은 기억하자!

- 레닌 · 안지오텐신 · 알도스테론계는 온몸의 혈압을 올리는 역할을 한다.
- 레닌은 날세동맥의 관류저하Hypoperfusion, 먼쪽세관영역의 요류Urinary flow 감소에 자극을 받아 토리곁장치에서 분비된다.
- 레닌은 안지오텐시노겐Angiotensinogen (간에서 합성된 단백질)을 안지오텐신 I Angiotensin I 으로 분해시키는 효소다.
- 안지오텐신 I 은 폐순환계에 있는 안지오텐신전환효소Angiotensin converting enzyme, ACE에 의해 안지오텐신 II Angiotensin II 로 변환된다.
- 안지오텐신 II 는 혈관수축과 부신겉질의 알도스테론의 분비를 촉진하여 혈압을 상승시킨다.
- 알도스테론은 Na^+와 H_2O를 몸 밖으로 배출하는 것을 억제하여, 순환혈액량 및 심박출량, 말초혈관 저항을 증가시켜 혈압을 상승시킨다.

임상 응용

혈압강하제(강압제 Antihypertensive or hypotensor **: 안지오텐신전환효소억제제**Angiotensin converting enzyme inhibitor**)**

ACE를 억제하면 안지오텐신 II 가 만들어지지 않기 때문에 혈관을 수축하지 않고, 혈압을 내릴 수 있다.

관련 질환

고혈압Hypertension

고혈압의 90%이상은 원인을 알 수 없는 본태성고혈압Essential(primary) hypertension 이다. 고혈압이 지속되면 혈관이 손상을 받아, 동맥경화Atherosclerosis, 콩팥손상, 뇌혈관손상, 허혈성심질환Ischemic heart disease 등을 유발시킨다.

고혈압 약물치료에는 이뇨제Diuretic, 교감신경차단제Sympatholytic, 칼슘통로차단제Ca^{2+}–channel blocker, 안지오텐신전환효소억제제ACE inhibitor, 안지오텐신 II 수용체차단제ARB Angiotensin II receptor blocker, 알도스테론길항제Aldosterone Antagonist 등이 있다.

레닌·안지오텐신·알도스테론계의 작용

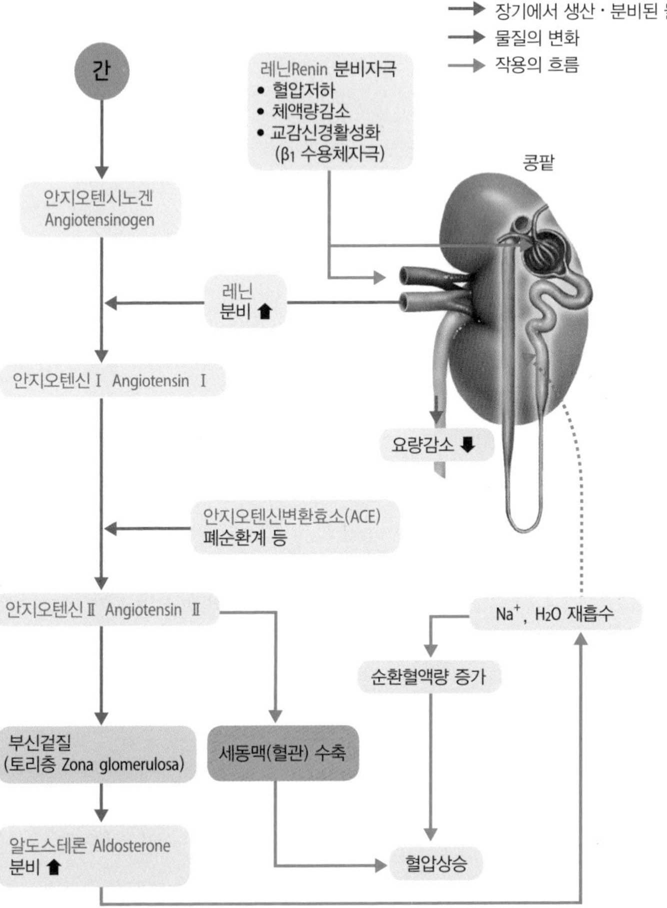
장기에서 생산 · 분비된 물질
물질의 변화
작용의 흐름
간
레닌Renin 분비자극
• 혈압저하
• 체액량감소
• 교감신경활성화
(β1 수용체자극)
콩팥
안지오텐시노겐
Angiotensinogen
레닌
분비 ⬆
안지오텐신 I Angiotensin I
요량감소 ⬇
안지오텐신변환효소(ACE)
폐순환계 등
안지오텐신 II Angiotensin II
Na+, H2O 재흡수
순환혈액량 증가
부신겉질
(토리층 Zona glomerulosa)
세동맥(혈관) 수축
알도스테론 Aldosterone
분비 ⬆
혈압상승

POINT

알도스테론은 먼쪽세관, 집합관에서의 Na^+, H_2O의 재흡수(보상적으로 K^+ 배출), 체액량·순환혈액량 증가, 혈압상승과 관련된 작용을 한다.

배뇨 Urination, Micturition

이것만은 기억하자!

- 콩팥에서 만들어진 오줌은 요관Ureter을 따라 방광에 모여(축뇨), 요도Urethra(남성은 16~18cm, 여성은 약 3cm)를 통해 체외로 배출(배뇨)된다.
- 방광은 약 500mL(개인차 있음)의 용량을 가진 민무늬근육성의 주머니이다.
- 방광의 근육층은 속세로층Inner longitudinal layer, 중간돌림층Mid. circular layer, 바깥세로층Outer longitudinal layer 3층으로 구성되며, 점막은 이행상피Transitional epithelium로 오줌량에 따라 자유롭게 면적이 변한다.
- 방광의 바닥에는 좌우 요관 및 전방에 요도가 열려 있다. 이 3점으로 방광삼각Vesical trigone이 만들어진다. 이 부분은 점막 주름이 없어서 면적이 변하지 않는다.
- 방광에서 요도가 시작되는 부분에 방광조임근Vesical sphincter이 있고, 몇 cm 아래에 요도조임근Urethral sphincter이 있다. 방광조임근은 민무늬근육이고 요도조임근은 골격근이다.
- 아랫배신경Hypogastric n.(교감신경)의 작용으로 방광벽은 이완되고, 방광조임근은 수축되어 배뇨가 억제된다. 방광 내에 오줌이 약 250mL모이고 내압이 100mmHg을 넘으면 대뇌에 전달되어 요의Micturition desire(오줌마려움)를 느낀다.
- 골반내장신경Pelvic splanchnic n. (부교감신경)에 의해 방광벽이 수축(불수의적Involuntary)하고 음부신경Pudendal n.이 억제되어 요도조임근 수의적Voluntary으로 완화되면 배뇨가 일어난다.
- 오줌은 약산성(pH5~7)으로 비중은 1.015~1.025다.

관련 질환

전립샘비대Benign Prostatic Hyperplasia(BPH)

전립샘의 상피속샘Interepithelial grand이 비대해져 일어나는 양성종양이다. 요도가 압박되어 배뇨곤란, 요폐Anuresis, 넘침실금Overflow incontinence 등이 일어난다(배뇨장애Dysuria).

▼ 요실금의 종류

복압성요실금 Stress incontinence	골반바닥근육근Pelvic floor m.(골반저근)이 약해져 복압이 증가하면 요실금이 발생한다.
절박성요실금 Urge incontinence	급하게 요의를 느껴 오줌이 새게 되는 상태
넘침실금 Overflow incontinence	요도가 폐색되어 오줌이 방광내에 쌓이고 요도조임근의 한계를 넘게 되어 흘러넘치 듯 새는 것
심인성요실금=기능성요실금 Psychogenic Incontinence	배뇨의 기능에는 문제없지만 거동 불편 or 치매 등으로 인해 화장실에 대한 인지가 나빠서 실금한다.

배뇨의 과정

1. 방광 내압이 상승하면 요의가 척수를 용해 뇌줄기에 전달된다.

2. 뇌줄기는 골반내장신경(부교감신경)을 자극해 방광은 수축시키고 아랫배신경(교감신경)을 억제해 방광조임근을 이완시킨다.

3. 대뇌겉질에서 배뇨해도 좋다는 명령을 내려 음부신경(체성신경)을 억제하여 요도조임근을 이완시켜 배뇨시킨다.

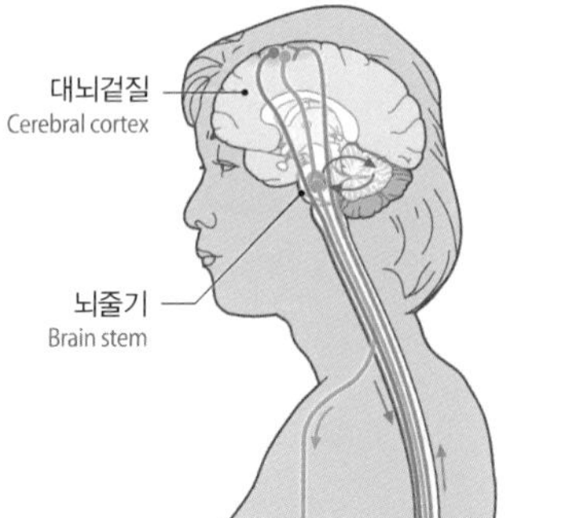

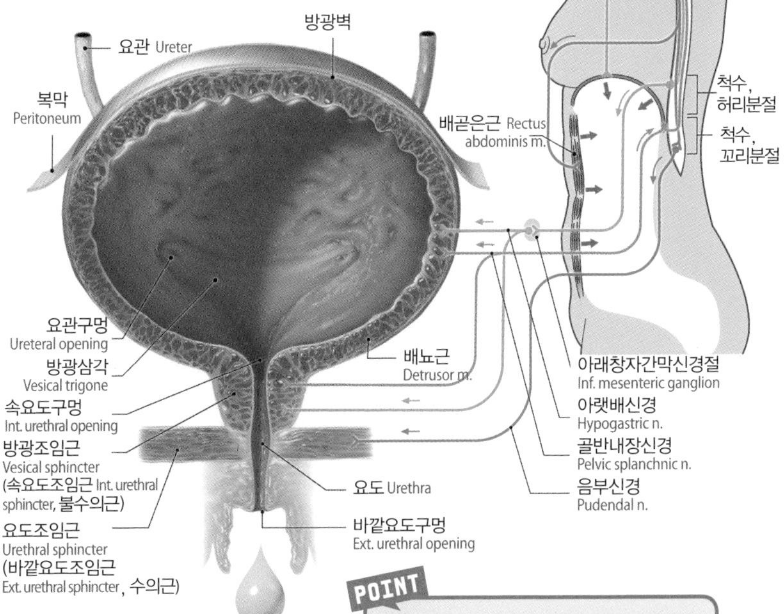

POINT
배뇨를 조절하는 중추는 대뇌겉질, 뇌줄기, 척수

대뇌겉질
Cerebral cortex
뇌줄기
Brain stem
척수,
허리분절
척수,
꼬리분절
배곧은근 Rectus abdominis m.
방광벽
요관 Ureter
복막
Peritoneum
요관구멍
Ureteral opening
방광삼각
Vesical trigone
속요도구멍
Int. urethral opening
방광조임근
Vesical sphincter
(속요도조임근 Int. urethral sphincter, 불수의근)
요도조임근
Urethral sphincter
(바깥요도조임근
Ext. urethral sphincter, 수의근)
배뇨근
Detrusor m.
요도 Urethra
바깥요도구멍
Ext. urethral opening
아래창자간막신경절
Inf. mesenteric ganglion
아랫배신경
Hypogastric n.
골반내장신경
Pelvic splanchnic n.
음부신경
Pudendal n.

POINT
방광삼각은 점막주름이 없고 방광이 차도 늘어나지 않는다. 요관구멍이나 요도구멍의 개폐에 관여한다.

혈액 Blood

이것만은 기억하자!

- 혈액은 체중의 약 1/13~1/10을 차지하고 비중은 1.055~1.066, pH7.35~7.45(약 알칼리성)이다.
- 혈액의 약 60%는 혈장Plasma, 약 40%는 적혈구Erythrocyre, red blood cell, RBC, 나머지 1%는 백혈구Leukocyte, white blood cell, WBC와 혈소판Platelet이다.
- 혈액 $1mm^3$에서의 혈소판 수는 20~50만으로 혈액응고Blood coagulation 역할을 한다.
- 적혈구의 수는 혈액 $1mm^3$에 남성은 약 500만, 여성 약 450만이고 혈색소(헤모글로빈Hemoglobin, Hb)을 포함하고 있으며, 남성 16g/dL, 여성 14~16g/dL가 Hb의 정상치다. 허파→ 조직으로 O_2를, 조직→허파로 CO_2를 운반한다. RBC는 핵을 가지고 있지 않고(골수에서 생성 중에는 핵이 있다), 수명은 약 120일이며 파괴되어 빌리루빈이 만들어진다.
- 백혈구는 과립구Granulocyte(호중구Neutrophil, 호산구Eosinophil, 호염기구Basophil)와 무과립구Agranulocyte(림프구Lymphocyte, 단핵구Monocyte)로 나눠진다. 혈액 $1mm^3$에 백혈구 수는 약 6,000~8,000이다. 세균이 들어오면 호중구가 동원되기 때문에 백혈구 전체의 수는 증가한다. 수명은 10일 전후이다.
- 혈장은 혈액에서 혈구를 제거한 것으로 주성분은 단백질이며 면역을 담당하는 γ글로불린이 포함되어 있다. 혈장에 피브리노겐Fibrinogen이 제거된 것이 혈청Serum이다.
- 혈액이 하는 일은 ①가스나 영양소, 호르몬, 노폐물 운반 ②체온조절 ③산 · 염기 평형의 유지 ④체액량 유지 ⑤지혈 ⑥살균작용 등이다.
- 림프구 B세포는 골수에서 만들어지고 항체Antibody생산을 담당한다(체액성면역 Humoral immunity). T세포는 가슴샘을 경유하고 직접 항원을 처리하는 세포성면역Cell-mediated immunity을 담당하고 있다.
- 림프구가 분화한 자연살해세포(NK세포Natural-killer cell)는 일정한 세포공격작용을 가진다.

임상 응용

질환과 혈액검사 결과

자반병Purpura은 혈소판이 감소하는 질환으로 출혈반Ecchymosis 증상이 나타난다. 감염증에서는 백혈구가 증가하고 철결핍성빈혈에서는 헤모글로빈이 저하된다.

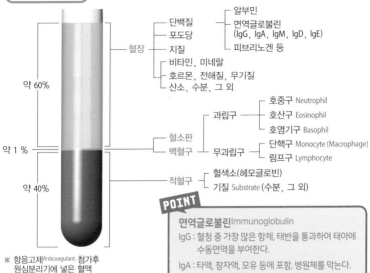

혈액의 구성

- 혈장 (약 60%)
  - 단백질
    - 알부민
    - 면역글로불린 (IgG, IgA, IgM, IgD, IgE)
    - 피브리노겐 등
  - 포도당
  - 지질
  - 비타민, 미네랄
  - 호르몬, 전해질, 무기질
  - 산소, 수분, 그 외
- 혈소판, 백혈구 (약 1 %)
  - 과립구
    - 호중구 Neutrophil
    - 호산구 Eosinophil
    - 호염기구 Basophil
  - 무과립구
    - 단핵구 Monocyte (Macrophage)
    - 림프구 Lymphocyte
- 적혈구 (약 40%)
  - 혈색소(헤모글로빈)
  - 기질 Substrate (수분, 그 외)

※ 항응고제Anticoagulant 첨가후 원심분리기에 넣은 혈액

POINT

면역글로불린Immunoglobulin

IgG : 혈청 중 가장 많은 항체, 태반을 통과하여 태아에 수동면역을 부여한다.

IgA : 타액, 창자액, 모유 등에 포함, 병원체를 막는다. 모유를 통해 유아에게 수동면역을 부여한다.

IgM : 새로운 항원에 대해 최초로 만들어지는 항체

IgD : 상기도도감염을 예방하는 것으로 알려짐

IgE : 기생충 감염을 막고 알레르기 반응을 일으킨다.

주요 혈액검사의 기준치

혈구수	적혈구수(RBC)	• 남성: 440×10^4~580×10^4/μL • 여성: 380×10^4~520×10^4/μL
	적혈구용적율(Hematocrit, Ht)	• 남성: 40~52% • 여성: 34~45%
	혈색소량(헤모글로빈량, Hb)	• 남성: 14~18g/dL • 여성: 12~16g/dL
	혈소판수(Plt)	• 14×10^4~38×10^4/μL
	백혈구수(WBC)	• 성인: 3,700~9,400/μL • 신생아: 8,000~38,000/μL • 유아: 5,000~15,000/μL
응고 및 섬유소 용해 Fibrinolysis	프로토롬빈 시간(Prothrombin time, PT)	• 12~14초 • 활성 : 70~100% • PT-INR : 1±0.15
	피브리노겐(Fibrinogen, Fbg)	• 150~400mg/dL
	피브린/피브리노겐 분해산물 (Fibrin degradation product, FDP)	• FDP : 10μg/mL • D-Dimer : 1μg/mL 미만
	플라스미노겐(Plasminogen, PLG)	• 75~120%
	활성화부분트롬보플라스틴시간 (Activated partial thromboplastin time, APTT)	• 30~40초
	적혈구침강속도(Erythrocyte Sedimentation Rate, ESR)	• 남성 : 1~10mm/hr • 여성 : 3~15mm/hr

※ 기준치는 측정법이나 측정시약에 따라 달라지는 경우가 있음. 각시설의 기준을 확인할 것.

체액 Body fluid

이것만은 기억하자!

- 체액이란 몸 안의 수분과 그 안에 용해된 전해질, 영양소를 모두 포함한 수용액을 말한다.
- 체액은 생명유지에 필수적으로, 삼투압조절, 수분 · 산염기평형, 근긴장 촉진과 관련되어 있다.
- 성인은 체중의 약 60%을 체액(수분)이 차지하고 있다. 체액은 세포내액Intracellular fluid 약 40%와 세포외액Extracellular fluid 약 20%로 나눠져 있다.
- 세포외액에는 조직액Intercellular fuild과 혈장Plasma, 림프액Lymph, 뇌척수액CSF 등이 포함되어 있다.
- 체내에 수분량이 증가하는 경우의 대부분 세포외액의 증가이다.
- 체중 1kg에 해당하는 체내수분량은 연령에 따라 차이가 있으며 신생아는 약 80%, 성인은 약 60%, 고령자는 약 50%를 차지한다.

임상 응용

수분필요섭취량

1일 수분필요섭취량은 성인: 50mL/kg, 아동:80mL/kg, 유아:100ml/kg, 유아(젖먹이): 150ml/kg이다.

소아는 기초대사량이 높아 체중에 비해 체표면적이 크고 불감증산(무감각땀남)Insensible perspiration이 활발하기 때문에 수분필요섭취량이 많아진다. 따라서 수분을 정기적으로 섭취하지 않으면 탈수Dehydration을 일으키기 쉽다.

고령자의 경우, 수분량이 전체적으로 적고 수분을 섭취하지 않으면 원래 적은 상태에서 더 적은 상태로 되기 쉬워서 쉽게 탈수를 일으킨다.

소아나 고령자는 스스로 수분부족을 적극적으로 호소하지 않기 때문에 탈수의 조기발견에 주의해야 한다.

불감증산(무감각땀남)이란 몸에서 끊임없이 일어나고 있는 수분 증발을 말하는 것으로 발한 이외 허파, 피부, 점막에서의 수분증발도 포함한다.

관련 질환

탈수

체액이 소실된 상태를 탈수라 말한다.

물결핍성탈수: 경구섭취곤란, 다량의 발한, 설사, 요붕증Diabetes insipidus에 의해

Na^+결핍성탈수: 물과 나트륨(Na^+)이 결핍된 상태에서 물만 보급된 경우

몸의 구성비율(성인)

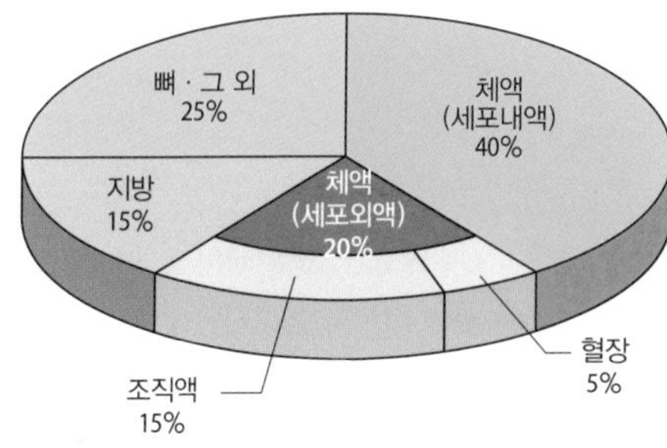
뼈 · 그 외
25%
체액
(세포내액)
40%
지방
15%
체액
(세포외액)
20%
혈장
5%
조직액
15%

POINT

세포외액이란 세포외에 있는 모든 체액.
혈장, 림프액, 뇌척수액 등 관내세포외액과 조직액이 있다.

신생아·유아·성인·노인의 체내수분량과 체액분포(체중 %로 표시)

	신생아	3개월 유아	1년 아이	성인	노인
총체액량	80	70	60	60	50
세포외액	40	30	20	20	20
세포내액	40	40	40	40	30

* 日野原重明, 阿部正和, 浅見一羊 외: 계통간호학강좌 전문기초 1 인체의 구조와 기능 [1] 해부생리학 제6판 의학서원 도쿄 2001:320 부터 인용

체액 평형(1일 수분 입출량: 50kg성인 예)

섭취량(mL/일)		수분배출 · 소실량(mL/일)	
식수	1,200	오줌	1,600
음식물 속 수분	1,000	대변	100
대사수	300	불감증산	
		· 무감각 땀남	500
		· 피부 · 허파	300
계	2,500	계	2,500

POINT

- 수분필요섭취량=요량+불감증산(무감각땀남)+대변 내 수분-대사수*
- 일반성인에서 발열이 없는 경우:
  필요수분량 = 50(mL/kg) x 현재 체중(kg)
- 체온이 1도 상승하면 150mL씩 가한다.

* 대사수Metabolic water: 연소수Water of combustion를 말하는 것으로 체내 물질대사의 과정에서 나타난다. 성인은 1일 약 300mL

POINT

구토나 설사, 발한이 있는 경우 수분보급을 하지 않으면 탈수가 된다.
콩팥이나 심장질환이 있는 경우 요량은 줄지만 수분이 체내에 쌓여 부종Edema이 생긴다.

체액의 pH조절

이것만은 기억하자!

- 정상 혈액(동맥혈)의 pH는 7.35~7.45로 약 알칼리성이다.
- pH 평형에는 중탄산이온(HCO_3^-)과 동맥혈이산화탄소분압($PaCO_2$)이 크게 관여한다.
- 혈액의 pH가 7.35보다 낮아지면 산증Acidosis, 7.45보다 높아지면 알칼리증Alkalosis이라 한다. 산증과 알칼리증은 원인에 따라 대사성과 호흡성으로 분류된다.
- 대사성산증Metabolic acidosis 은 신부전(H^+가 배출되지 않고 HCO_3^- 가 생성되지 않음), 당뇨병케톤산증Diabetic ketoacidosis (유기산인 케톤체가 혈중에 증가), 설사(Na^+과 HCO_3^- 가 감소), 근육의 운동(젖산Lactic acid의 증가)으로 발생한다.
- 대사성알칼리증Metabolic alkalosis은 심한 구토(위액의 염산HCl가 소실될 때)에서 일어난다.
- 호흡성산증Respiratory acidosis은 허파의 환기부전Ventilatory failure 때 이산화탄소의 배출 장애로 $PaCO_2$가 상승하여 일어난다.
- 호흡성알칼리증Respiratory alkalosis은 환기가 비정상적으로 항진되어 이산화탄소배출의 과잉으로 $PaCO_2$가 저하되어 일어난다.

관련 질환

부종을 일으키는 질환

혈관 내에서 세포외액이 조직액으로 이동하여 축적된 상태를 부종Edema이라 한다. 환자 상태 악화의 징후Sign 중 하나로 본다.

- 심장성부종: 심부전, 판막증 등 심질환에 따른 부종
- 콩팥성부종: 콩팥염, 신부전 등 콩팥질환에 따른 부종
- 저단백질성부종: 콩팥증후군Nephrotic syndrome, 영양실조

산증과 알칼리증의 분류와 원인

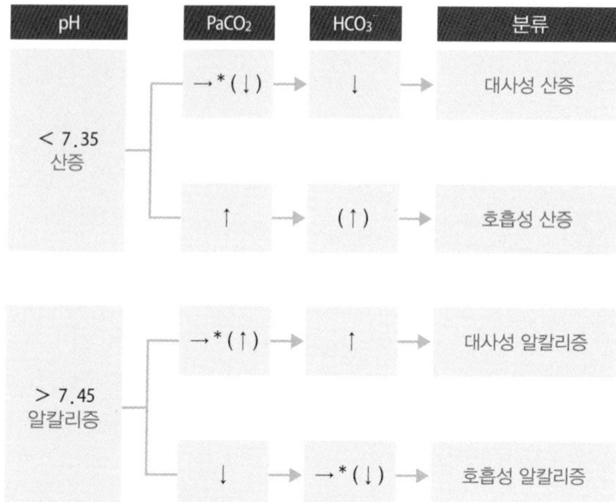
pH
PaCO2
HCO3⁻
분류
< 7.35
산증
→*(↓)
↓
대사성 산증
↑
(↑)
호흡성 산증
> 7.45
알칼리증
→*(↑)
↑
대사성 알칼리증
↓
→*(↓)
호흡성 알칼리증

원인질환 등

- 대사성 산증: 당뇨병, 신부전, 약물중독 등
- 호흡성 산증: 만성폐색성폐질환(COPD), 신경·근질환 등에 따른 호흡장애
- 대사성 알칼리증: 반복된 구토, HCO_3^-의 과잉투여, 알도스테론증*, 쿠싱증후군
- 호흡성 알칼리증: 과다환기증후군Hyper-ventilation syndrome, 약물성 · 저산소증에 기반한 과환기 or 과호흡(간질성 폐염Interstitial pneumonitis 등)

* 호흡성 보상작용Compensatory mechanism이 일어나지 않은 경우
↑ ↓ 는 일차성의 변화를 표현 (↑는 정상보다 상승, ↓는 하강)
(↑) (↓)는 보상작용이 일어났을 경우

역주 * 알도스테론증: 알도스테론 과잉분비로 인한 전해질 평형 이상

세포외액과 세포내액의 이온 구성

번호	주요 양이온(+)	주요 음이온(−)
세포내액	K^+	HPO_4^{2-}
세포외액	Na^+	Cl^-

POINT

pH의 평형에서 무엇보다 중요한 것은 중탄산이온(HCO_3^-)이며, 수소이온H^+과 결합하여, 물H_2O과 이산화탄소CO_2를 배출한다.
pH는 HCO_3^-과 CO_2(탄산H_2CO_3)의 비율에 따라 결정된다.
HCO_3^-을 생산하는 곳은 주로 콩팥의 요세관이며, 콩팥이 손상을 입으면 대사성산증이 나타난다.

전해질 Electrolyte

이것만은 기억하자!

- 전해질(이온)이란 용해중인 양전하(+) 또는 음전하(−)를 띤 이온화Ionization된 물질이다. 혈액 중에는 Na^+, K^+, Cl^-, Ca^{2+} 등이 있다.
- 전해질이상Electrolyte disorders 이란 체액의 전해질농도 평형이 붕괴 된 상태를 말한다.
- 저나트륨혈증Hyponatremia은 혈장 또는 혈청 중 Na^+ 농도가 저하한 상태다. 구토나 설사, 저염식이Low salt diet나 영양섭취불량, 이뇨제투여 등에 의해 발생한다. 몸이 쇠약해지고, 오심Nausea, 의식상태의 저하가 나타난다.
- 저칼륨혈증Hypokalemia은 구토나 설사, 이뇨제장기사용, 영양섭취불량, 부신겉질종양 시 발생한다. 증상으로는 근무력Muscle weakness, 의식장애, 심전도이상 등이 있다. 신부전이나 K^+ 급속투여 등으로 고칼륨혈증이 되면 심장이 정지할 수 있기 때문에 신중히 대처해야 한다.
- 저칼슘혈증Hypocalcemia은 콩팥손상, 부갑상샘기능저하, 비타민 D 결핍 시 발생하고 이 경우 근육의 경련Tetany이 일어나며, 심전도에서 ST의 연장이 보여진다. 고칼슘혈증은 부갑상샘기능항진, 악성종양의 골전이Bone metastasis, 비타민D 과잉섭취 등에서 일어나고 변비, 콩팥결석, 의식장애 등의 증상이 나타난다.

임상 응용

전해질보급

식사나 수분을 섭취할 수 없을 때, 이뇨제 사용, 콩팥 손상 시에는 전해질 균형이 붕괴되기 쉽다. 전해질은 결핍상태에 맞춰서 보급해야 하는데 K^+ 투여는 주의가 필요하다. 급격한 정맥주사IV는 심정지를 부르기 때문에 점적으로 천천히 주입Drip infusion한다.

산증Acidosis인 경우 젖산나트륨액Sodium 2-hydroxypropanoate이나 탄산수소염액(중탄산염 HCO_3^-) 전해질을 보충한다. 알칼리증Alkalosis인 경우 생리식염수를 주로 주입하지만 어느 쪽이든 주의가 필요하다.

땀과 오줌은 전해질의 성분과 닮아 있으나 농도는 땀 쪽이 낮다. 발한량이 많으면 땀의 농도는 저하되기 때문에 물과 함께 NaCl(염화나트륨)을 보충한다.

전해질이상Electrolyte disorders

나트륨(Na^{+})

고
저

고나트륨혈증
- 수분결핍증(설사, 구토, 발한, 다뇨Polyuria, 수분섭취부족)
- 나트륨과잉증(쿠싱증후군, 원발성알도스테론증, 나트륨과잉섭취 등)

고/저 기준치: 134~143mEq/L

저나트륨혈증
- 나트륨결핍증(아디슨병Addison disease, 콩팥증후군Nephrotic syndrome, 염분소실성콩팥염, 설사, 구토등)
- 수분과잉(심인성다음증Psychogenic polydipsia, 저장성Hypotonic수액제제의 과잉투여 등)
- 그 외(울혈성심부전Congestive heart failure, 간경화Hepatic cirrhosis 등)

칼륨(K^{+})

고

고칼륨혈증
- 칼륨배출장애(아디슨병Addison disease, 급성 · 만성신부전, 대사성산증 등)
- 세포내칼륨 유출(용혈성질환Hemolytic disease, 대사성산증, 열상(화상) 등)

고/저 기준치: 3.2~4.5mEq/L

저

저칼륨혈증
- 칼륨섭취부족(영양부족)
- 칼륨소실(구토, 설사, 원발성알도스테론증, 급성신부전의 이뇨기 등)
- 세포내로의 칼륨이동(인슐린투여 시)

칼슘(Ca^{2+})

고

고칼슘혈증
- 원발성부갑상샘기능항진증Primary hyperparathyroidism
- 악성종양(간암, 골전이), 성인T세포백혈병Adult T-cell leukemia
- 비타민D제제 과잉섭취, 티아지드Thiazide계 이뇨제복용 등

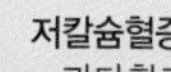
고/저 기준치: 8.8~10.2mg/dL

저칼슘혈증
- 과다환기증후군Hyperventilation syndrome 등에 의한 알칼리증
- 만성신부전에 의한 생활습관형 비타민D생산저하
- 부갑상샘기능저하증(특발성Idiopathic, 유전성Hereditary 및 목Neck 수술이나 방사선치료에 따른 이차성Secondary)
- 비타민D작용의 저하(편식, 저영양, 햇빛노출시간부족)

저

염소(Cl^{-})

고

고염소혈증Hyperchloremia
- 설사, 구토, 다뇨
- 알도스테론결핍
- 호흡성 알칼리증
- 요세관성 산증 등

고/저 기준치: 99~107mEq/L

저

저염소혈증Hypochloremia
- 설사, 구토
- 아디슨병
- 호흡성산증
- 급성 · 만성신부전

西崎祐史, 渡邊千登世編 저: 케어에 활용하는 검사치가이드 제 2판, 조린사, 도쿄 2018을 참조하여 작성
* 기준치는 측정법이나 측정 시약에 따라 다를 수 있다. 각 시설 기준을 확인할 것

지라 Spleen

이것만은 기억하자!

- 지라는 길이 약 10cm, 폭 7cm, 두께 3cm, 무게 100~250g의 타원형의 편평한 장기로 배 안의 오른쪽 윗부분에 위치한다. 앞부분은 위바닥Gastric fundus, 뒷부분은 가로막에 닿여있다.
- 지라는 암적색으로 혈관이 많고 다량의 혈액을 포함하고 있다.
- 지라의 안쪽 중앙에는 지라문Hilum of spleen이 존재하고 지라동맥, 지라정맥Splenic a.,v. 과 신경, 림프관이 출입하며 지라는 바깥 측 피막(복막)이 내부까지 말려들어가 지라잔기둥Trabecula of spleen을 형성하고 지라잔기둥 사이에는 지라속질Splenic pulp이 존재한다.
- 지라는 적색속질Red pulp(적혈구가 풍부, 적암색)과 백색속질White pulp(림프소절이 많음)로 나눠진다.
- 지라에서는 대식 작용에 의해 불필요하거나 수명이 다된 적혈구가 파괴되며 혈액 여과, 림프구 or 면역항체 생산, 철(Fe^{2+})대사 등에 관여한다.
- 후기 태아기에는 적혈구, 백혈구를 만든다.

관련 질환

지라비대Splenomegaly

급성감염증이나 혈액질환, 기생충병 등이 있으면 지라가 커진다. 왼쪽 11번째 가슴뼈활Costal arch 아래에서 촉진할 수 있다.

지라기능항진증Hypersplenism

지라기능항진증에서는 지라가 비대해져 혈액이 쌓이고 지라 호르몬의 분비가 증가되어 골수기능이 억제되며, 혈구파괴가 증가되기 때문에 말초혈액에서 빈혈, 백혈구감소, 혈소판감소 등이 나타난다.

지라는 태아기에는 적혈구를 만들지만 생후에는 적혈구를 파괴하는 장기이다. 지라는 적출되어도 생명에 직접적인 영향은 없다.

지라의 구조

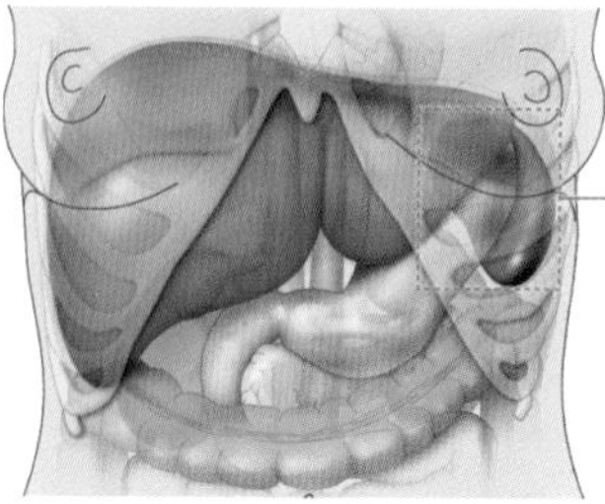

POINT

지라는 배 안의 왼쪽 위에 있다. 뒷면은 가로막, 앞면은 위바닥에 접한다.

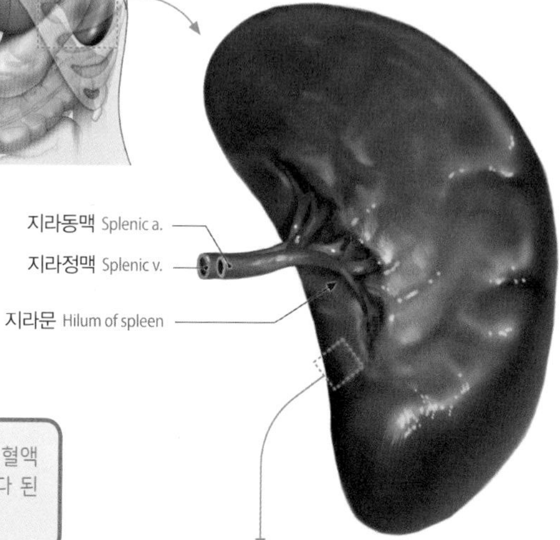

지라동맥 Splenic a.

지라정맥 Splenic v.

지라문 Hilum of spleen

POINT

적색속질은 다량의 혈액이 모이고 수명이 다 된 적혈구를 파괴한다.

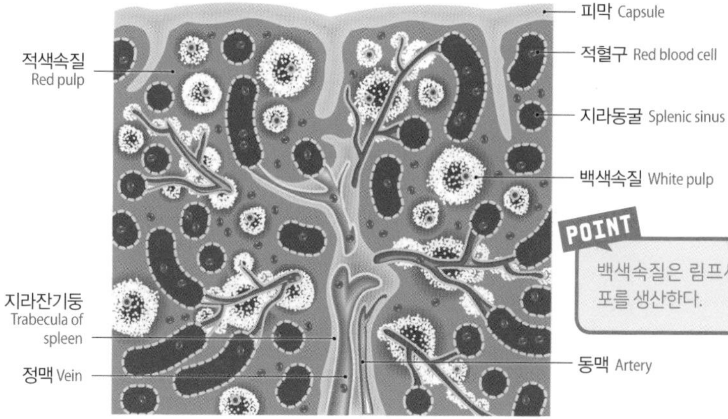

피막 Capsule

적색속질 Red pulp

적혈구 Red blood cell

지라동굴 Splenic sinus

백색속질 White pulp

POINT

백색속질은 림프세포를 생산한다.

지라잔기둥 Trabecula of spleen

정맥 Vein

동맥 Artery

피부 Skin, Integumentary system

이것만은 기억하자!

- 피부는 몸의 표면을 덮고 있고 지각작용(촉각, 통각, 온각, 냉각)을 가진다.
- 피부는 외부자극이나 체액소실 등으로부터의 보호기능, 체온조절, 땀 · 피지 분비 · 배출, 면역기능, 피부호흡, 경피흡수(피부경유흡수Percutaneous absorption) 등의 기능이 있다.
- 피부는 표피Epidermis, 진피Dermis, 피하조직Subcutaneous tissue, 부속기(털, 땀샘, 기름샘, 손톱)로 나뉜다.
- 표피는 피부의 가장 바깥층(표층)이고 대부분은 상피세포Epithelial cell 이다. 바깥을 향하여 바닥층Basal layer, 가시층Spinous layer, 과립층Granular layer, 각질층Corneum 4층으로 나뉜다.
- 진피는 유두층Papillary layer, 유두하층Subpapilliary layer, 그물층Reticular layer 3층으로 나뉘며 섬유성결합조직이다. 털주머니Hair follicle, 기름샘Sebaceous gland, 땀샘Sweat gland, 신경계, 민무늬근육 등이 있다.
- 피하조직에는 많은 지방세포, 피부정맥, 피부신경, 털뿌리의 끝인 털유두Hair papilla가 존재한다.
- 피부에는 기름샘과 땀샘이 있다.
- 기름샘은 지방을 분비하여 피부 표면을 매끈매끈하게 해 피부를 보호한다. 손바닥 · 발바닥를 제외하고 온몸의 진피 내에 존재한다.
- 땀샘에는 작은 땀샘인 에크린샘Eccrine gland과 큰 땀샘인 아포크린샘Apocrine gland이 있다.
- 에크린샘은 온몸에 분포하며 체온조절에 관여한다. 에크린샘에서 분비하는 땀은 약산성으로 수분을 풍부하게 머금고 있다. 아포크린샘은 겨드랑, 유방, 외음부Vulva 등에 분포하며 체모가 자라기 시작하는 사춘기에 기능이 활발해진다. 분비한 땀은 약알칼리성으로 체온조절과는 관계없다.

임상 응용

고령자의 피부관리

고령자의 피부는 샘분비가 적고 취약해서 건조해지기 쉽다. 몸을 씻을 때는 약산성의 비누를 사용하고 잘 헹구며 보습제를 사용한다. 또한 외력에Traumatic 의해 피부표층간의 연부조직Soft tissue에 혈류저하가 계속되면 불가역적인 조혈성 장해를 일으켜 욕창Decubitus ulcer이 생긴다.

피부의 구조

각질층 Corneum
과립층 Granular layer
가시층 Spinous layer
바닥층 Basal layer

POINT

표피에서 바닥층의 기저세포Basal cell가 과립층의 각질세포(각질층)Keratocyte까지 분화되고 세포사Apoptosis를 일으켜서 각질세포가 때Grime로 떨어져 나가기까지(턴오버)의 기간은 2주 ~ 1개월 정도 걸린다. 나이가 많아짐에 따라 기간이 느려진다.

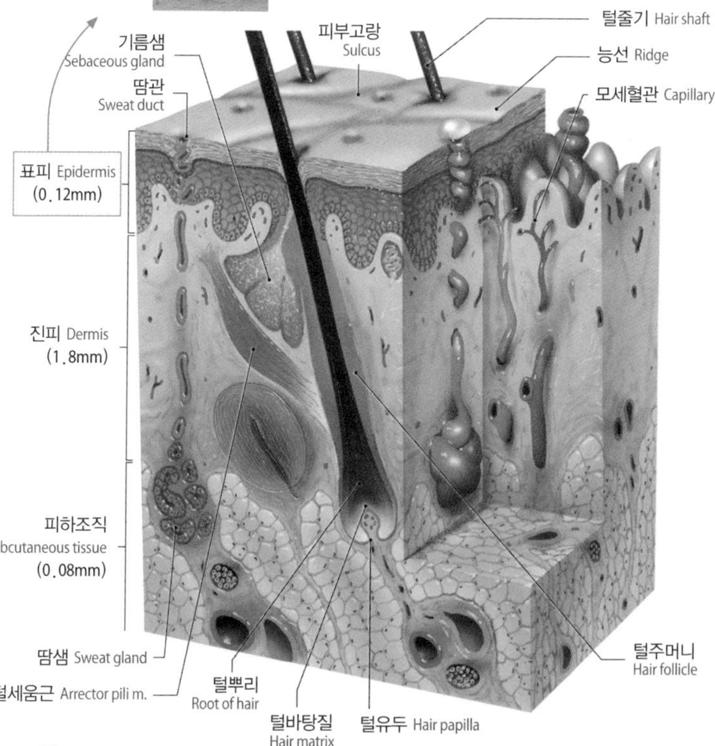
기름샘
Sebaceous gland
땀관
Sweat duct
표피 Epidermis
(0.12mm)
진피 Dermis
(1.8mm)
피하조직
Subcutaneous tissue
(0.08mm)
땀샘 Sweat gland
털세움근 Arrector pili m.
털뿌리
Root of hair
털바탕질
Hair matrix
털유두 Hair papilla
피부고랑
Sulcus
털줄기 Hair shaft
능선 Ridge
모세혈관 Capillary
털주머니
Hair follicle

POINT

피부는 pH4~6의 약산성으로 건조하게 되면 약알칼리성으로 변한다.

눈 Eye

이것만은 기억하자!

- 눈(안구)은 빛의 자극을 느끼고 받아들이는 시각과 관계된 장기이다.
- 각막Cornea은 눈을 보호하는 역할을 하고 빛을 굴절시켜 눈 안으로 보낸다.
- 수정체Lens는 사물에 초점을 맞춰 두께를 자동적으로 조정하고, 망막Retina에 상을 맺게한다. 망막의 바깥층에는 망막색소상피Retinal pigment epithelium, RPE가 있고 RPE 안에는 막대세포Rod cell(명암을 느낀다), 원뿔세포Cone cell(색채를 느낀다)라 불리는 시세포가 포함되어 있다.
- 망막의 안쪽 층에는 시각신경Optic n.이 있다. 시각신경은 시각신경유두(시간신경원반)Optic disc에 집중되어 있고, 공막Sclera를 통해 빠져나온다. 시각신경 유두에는 시세포가 없어 빛을 느끼지 못한다.
- 홍채Iris는 망막에 들어간 빛을 조절하는 조리개 역할을 하여 동공의 크기를 조절한다. 홍채는 섬모체Ciliary body, 맥락막Choroid에 연결되고, 섬모체는 수정체의 두께 조절, 맥락막은 망막의 영양공급과 눈 안을 어둡게(암실화)하여 빛의 분산을 막는다.
- 앞방Ant. chamber(홍채의 앞), 뒷방Post. chamber(수정체와 홍체 사이)는 안구방수Aqueous humor로 채워져 있다.
- 유리체Vitreous body는 무색투명의 젤리형태 물질로 외력을 분산하고 안구 형태를 유지한다.

관련 질환

녹내장Glaucoma과 백내장Cataract

안압Intraocular pr.은 안구방수의 생성과 배출에 의해 조절된다. 원발성녹내장은 안구방수의 배출부인 앞방각Ant. chamber angle의 폐색에 의해 발생한다. 속발성(이차성)녹내장에는 수정체녹내장Lens-induced glaucoma, 신생혈관녹내장Neovascular glaucoma, 스테로이드녹내장Steroid-induced glaucoma, 포도막염녹내장Uveitis glaucoma 등이 있다.
수정체가 하얗게 혼탁해지는 것이 백내장이다. 수정체를 적출하고 안경이나 콘택트렌즈를 사용하면 어느 정도의 시력 회복이 가능하다.

노안Presbyopia

노안은 수정체의 굴절조절 작용이 저하되는 상태다.

근시Myopia와 원시Hyperopia

근시는 평행하게 들어온 빛이 망막의 앞에서 초점을 맺는 상태이고 뒤에서 맺히면 원시이다.
근시의 교정에는 오목렌즈, 원시에는 볼록 렌즈를 사용한다.

안구의 구조

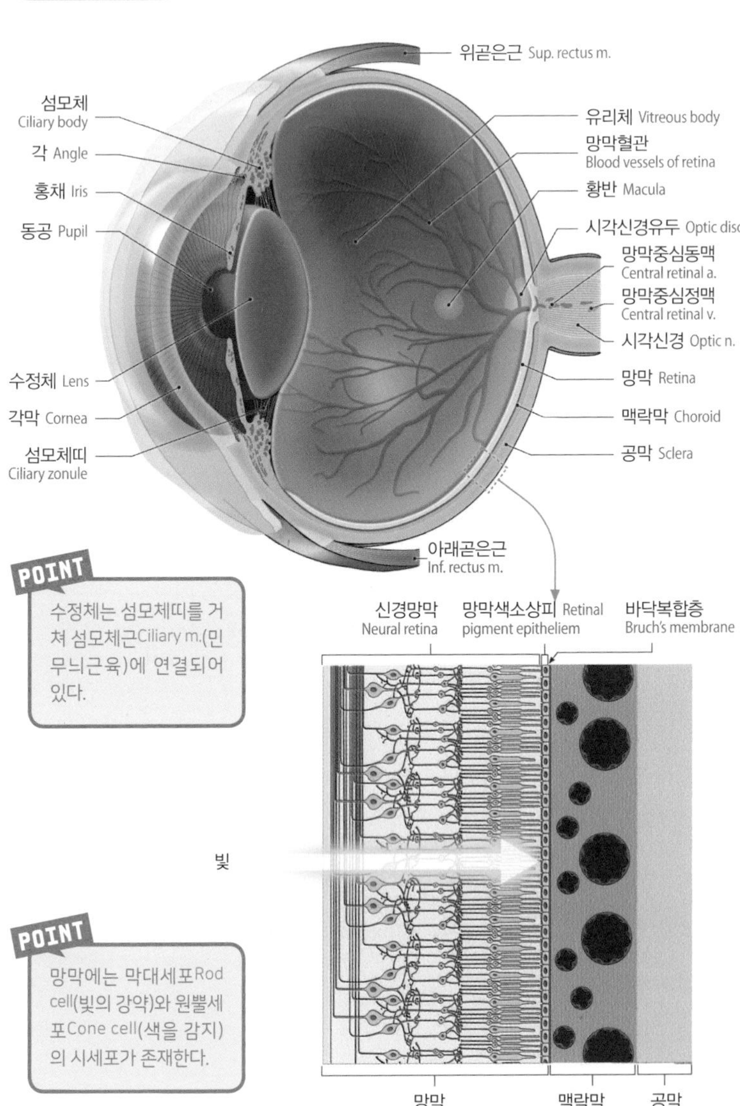
위곧은근 Sup. rectus m.
섬모체 Ciliary body
각 Angle
홍채 Iris
동공 Pupil
수정체 Lens
각막 Cornea
섬모체띠 Ciliary zonule
유리체 Vitreous body
망막혈관 Blood vessels of retina
황반 Macula
시각신경유두 Optic disc
망막중심동맥 Central retinal a.
망막중심정맥 Central retinal v.
시각신경 Optic n.
망막 Retina
맥락막 Choroid
공막 Sclera
아래곧은근 Inf. rectus m.
신경망막 Neural retina
망막색소상피 Retinal pigment epitheliem
바닥복합층 Bruch's membrane
빛
망막 Retina
맥락막 Choroid
공막 Sclera

POINT

수정체는 섬모체띠를 거쳐 섬모체근Ciliary m.(민무늬근육)에 연결되어 있다.

POINT

망막에는 막대세포Rod cell(빛의 강약)와 원뿔세포Cone cell(색을 감지)의 시세포가 존재한다.

귀 Ear

이것만은 기억하자!

- 귀는 청각과 평형감각을 담당한다.
- 귀는 외이(바깥귀), 중이(가운데귀), 내이(속귀)로 나누어진다. 외이와 중이는 소리를 전달하고 내이는 소리를 감지하고 평형감각기가 위치한다.
- 고막Ear drum/myrinx은 외이와 중이의 경계이며 두께는 0.1mm로 진주 모양의 광택이 있다. 소리가 발생하면 고막이 진동하고 연이어 중이의 귓속뼈Ossicle (망치뼈Malleus, 모루뼈Incus, 등자뼈Stapes)가 흔들리면서 움직인다.
- 내이는 뼈미로Bony labyrinth와 막미로Membranous labyrinth로 불리는 복잡한 연조직Soft tissue (안뜰기관Vestibular organ, 반고리관Semicircular duct, 달팽이Cochlea)으로 구성된다. 뼈미로 안에 같은 형태의 막미로가 존재한다.
- 뼈미로와 막미로의 사이에는 외림프Perilymph, 막미로의 내부에는 내림프Endolymph라 불리는 액체가 존재한다.
- 귓속뼈에 전달된 진동은 내이의 안뜰창Oval window, Fenestra vestibularis에서 안뜰계단Scala vestibuli의 외림프로 전달되고 고실계단Scala tympani을 경유해 달팽이창Round window, Fenestra cochleae 을 진동시킨다. 이때 중간계단Scala media(달팽이관Cochlear duct)의 내림프도 진동하고, 주파수에 따라서 기저막Basilar membrane이 진동하여 그 위의 나선기관(코르티기관Organ of Corti)이 그 진동을 감지해서 소리의 전달이 이루어진다. 이 신호가 달팽이신경Cochlear n.에서 청각중추에 전달되어 소리를 느끼게 된다(청각).
- 달팽이신경은 청각전도로Auditory pathway를, 안뜰신경Vestibular n.은 평형감각전도로Vestibular pathway를 구성하고 있다.

임상 응용

난청Hearing loss을 일으키는 질환

난청은 외이의 질환(귀지색전Impacted cerumen, 외이도이물이나 종양 등), 중이의 질환(중이염Otitis media 등), 내이의 질환(메니에르병Meniere's disease, 돌발성난청Sudden deafness 등), 약제나 소음, 연령적 원인 등으로 발생한다. 전음난청Conductive hearing loss은 외이 · 중이의 장애이고 수술이나 보청기로 청각회복효과를 기대할 수 있다. 하지만 내이 · 청각신경의 장애인 감각신경성난청Sensorineural hearing loss은 회복이 어렵다. 노인성난청은 감각신경성난청이며 특히 고음청각이 손상을 입는다.

어지럼증Vertigo을 일으키는 질환

어지럼증은 중추성(뇌줄기, 소뇌성장애), 말초성(내이성)으로 분류된다. 말초성어지럼증은 돌발성난청, 메니에르병 등이 있다. 메니에르병의 원인은 밝혀진 것이 없지만 막미로의 내림프수종Endolymphatic hydrops이 원인 중의 하나이다.

귀의 구조

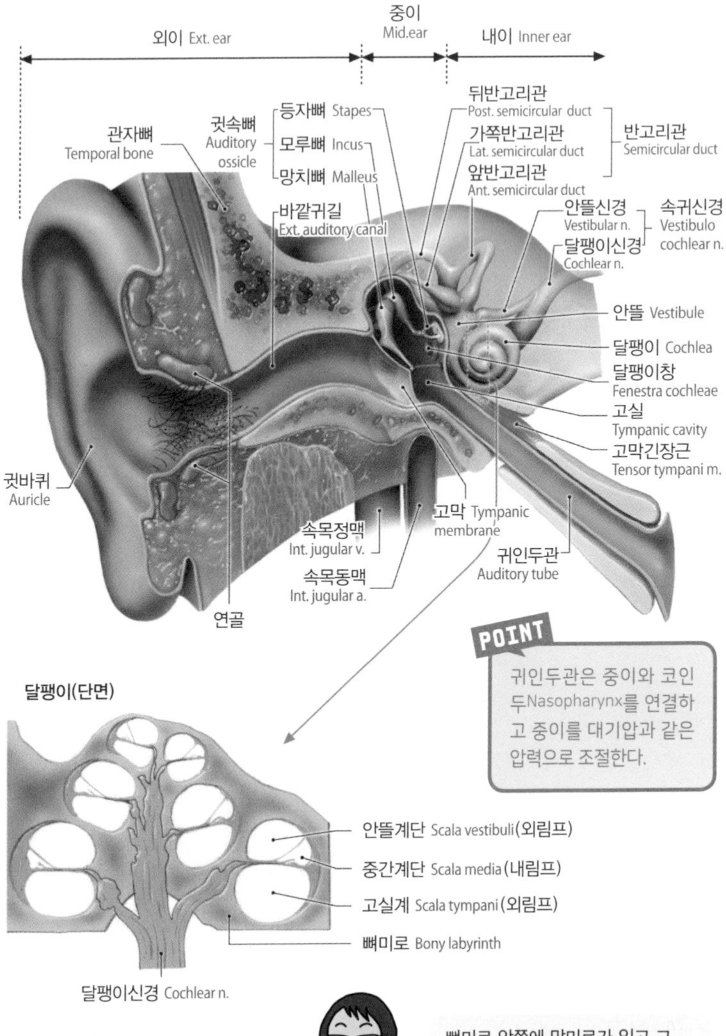
중이
Mid.ear
외이 Ext. ear
내이 Inner ear
뒤반고리관
Post. semicircular duct
등자뼈 Stapes
귓속뼈
Auditory
ossicle
모루뼈 Incus
망치뼈 Malleus
관자뼈
Temporal bone
가쪽반고리관
Lat. semicircular duct
앞반고리관
Ant. semicircular duct
반고리관
Semicircular duct
바깥귀길
Ext. auditory canal
안뜰신경
Vestibular n.
달팽이신경
Cochlear n.
속귀신경
Vestibulo
cochlear n.
안뜰 Vestibule
달팽이 Cochlea
달팽이창
Fenestra cochleae
고실
Tympanic cavity
고막긴장근
Tensor tympani m.
귓바퀴
Auricle
속목정맥
Int. jugular v.
속목동맥
Int. jugular a.
고막 Tympanic
membrane
귀인두관
Auditory tube
연골
달팽이(단면)
안뜰계단 Scala vestibuli(외림프)
중간계단 Scala media(내림프)
고실계 Scala tympani(외림프)
뼈미로 Bony labyrinth
달팽이신경 Cochlear n.

POINT

귀인두관은 중이와 코인두Nasopharynx를 연결하고 중이를 대기압과 같은 압력으로 조절한다.

뼈미로 안쪽에 막미로가 있고 그 사이에 림프액이 채워져 있습니다.

남성의 생식기 Male genitalia

이것만은 기억하자!

- 고환Testis은 좌우한 쌍으로 된 장기로 음낭Scrotum 안에 위치하고 백색막Tunica albuginea으로 싸여있다.
- 고환 내부에는 정세관Seminiferous tubule을 다수 포함하고 있는 소엽이 있고 사이막Septum으로 구분된다.
- 정자Sperm는 정세관에서 만들어지고, 정모세포Spermatocyte에서 정자가 되기까지 약 74일이 걸린다.
- 부고환Epididymis은 고환 상단에 부착되어 있고 정자가 사정Ejaculation될 때까지 그 안에 축적된다.
- 정낭Seminal vesicles은 과당Fructose이나 특수한 응고단백질을 포함한 정낭액*을 분비한다.
- 음경Penis은 해면체Cavernosum가 발달되어 있고 혈액으로 채워지면 발기Erection한다.
- 전립샘Prostate gland은 밤톨만한 크기의 장기이며 냄새가 있는 유백색Milky-white의 전립샘액**(알칼리성)을 분비한다. 또, 민무늬근육을 수축시켜 정액을 방출한다.

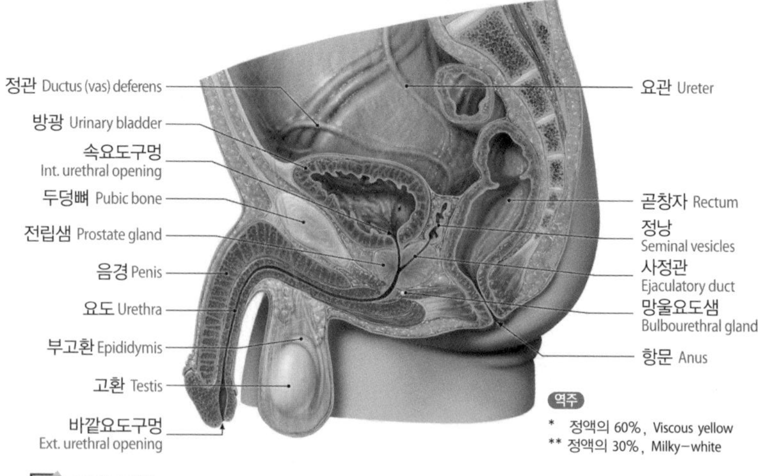
정관 Ductus (vas) deferens
방광 Urinary bladder
속요도구멍 Int. urethral opening
두덩뼈 Pubic bone
전립샘 Prostate gland
음경 Penis
요도 Urethra
부고환 Epididymis
고환 Testis
바깥요도구멍 Ext. urethral opening
요관 Ureter
곧창자 Rectum
정낭 Seminal vesicles
사정관 Ejaculatory duct
망울요도샘 Bulbourethral gland
항문 Anus

역주

* 정액의 60%, Viscous yellow
** 정액의 30%, Milky−white

관련 질환

전립샘암Prostate cancer

주로 전립샘의 외분비샘에 발생하기 때문에 자각증상이 거의 없다. 진단을 위해 전립샘에 특이적인 혈중 PSA치의 측정, 곧창자손가락검사Digital rectal examination, DRE, 초음파검사가 실시된다.

여성의 생식기 Female genitalia

이것만은 기억하자!

- 자궁Uterus은 방광과 곧창자 사이에 있고 상부는 자궁관Uterine tube을 통해 난소Ovary에, 하부는 질Vagina로 연결된다.
- 자궁벽은 점막 · 근육층 · 장막(복막) 3층으로 나뉘며 각각 자궁내막Endometrium · 자궁근육층Myometrium · 자궁외막Perimetrium이라 한다.
- 난소는 자궁의 양측에 좌우한쌍으로 존재하고 겉질과 속질로 나뉜다.
- 자궁관은 자궁바닥Uterine fundus에서 양손을 벌리듯이 바깥쪽을 향해 뻗어있고 간질부Interstitial, 잘룩Isthmus, 팽대Ampulla, 깔대기Infundibulum 4부분으로 나뉜다.
- 곧창자자궁오목Rectouterine pouch(더글라스오목Douglas' pouch)은 자궁과 곧창자 사이의 우묵한 곳으로 복강내출혈이나 농(고름)Pus이 쌓이기 쉽다.
- 질은 중층편평상피로 싸여있고 근육층은 속돌림Inner circular 바깥세로Outer longitudinal의 2층으로 구성되어 있다.

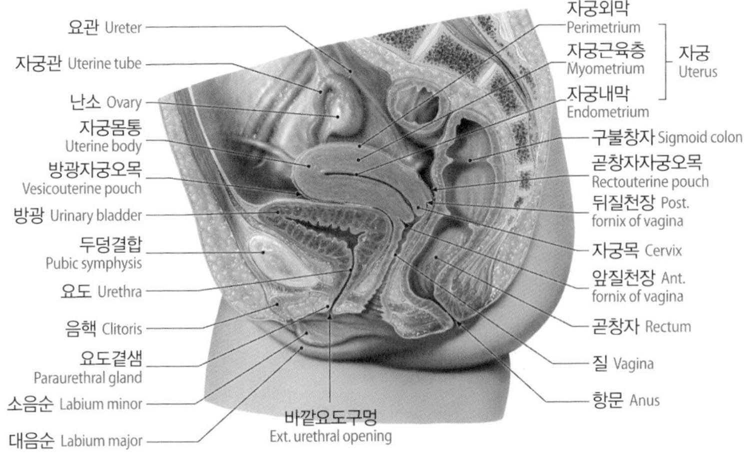
요관 Ureter
자궁관 Uterine tube
난소 Ovary
자궁몸통
Uterine body
방광자궁오목
Vesicouterine pouch
방광 Urinary bladder
두덩결합
Pubic symphysis
요도 Urethra
음핵 Clitoris
요도곁샘
Paraurethral gland
소음순 Labium minor
대음순 Labium major
바깥요도구멍
Ext. urethral opening
자궁외막
Perimetrium
자궁근육층
Myometrium
자궁내막
Endometrium
자궁
Uterus
구불창자 Sigmoid colon
곧창자자궁오목
Rectouterine pouch
뒤질천장 Post.
fornix of vagina
자궁목 Cervix
앞질천장 Ant.
fornix of vagina
곧창자 Rectum
질 Vagina
항문 Anus

관련 질환

자궁외임신Ectopic pregnancy

자궁안Uterine cavity 이외의 장소에 수정란이 착상, 생육하는 것을 말한다. 자궁관임신이 가장 많고 복막임신, 난소임신이 뒤를 따른다. 더글라스오목내 출혈 등이 보인다.

유방 Breast

이것만은 기억하자!

- 유방은 젖샘Mammary gland과 다량의 지방세포로 나뉘어 진다.
- 젖샘은 임신을 하면 황체호르몬Progesterone과 태반Placenta의 호르몬에 의해 급속히 증가한다.
- 젖꽃판Areola은 멜라닌색소를 가지고 있어 임신하면 색이 짙어진다.
- 젖꽃판에는 특수한 아포크린샘Apocrine gland이 있다.
- 유아가 젖꼭지Nipple 를 빨면 그 자극으로 뇌하수체뒤엽Pituitary Post. lobe에서 옥시토신Oxytocin이 분비되어 젖샘관 Lactiferous duct벽의 민무늬근육이 수축되어 젖을 배출한다.
- 분만 후 왕성하게 젖분비를 촉진시키는 것은 뇌하수체앞엽Pituitary Ant. lobe에서 분비되는 젖샘자극호르몬(프로락틴Prolactin)이고, 이때 난소의 활동(배란)을 억제한다.

임상 응용

유방마사지
임신중기부터 수유 준비기간까지 가볍게 마사지를 실시한다. 분만 후에는 젖분비촉진, 유방울혈완화, 젖샘관의 개통을 위해 마사지를 실시한다.

출산 후, 부지런히 수유할수록 산후질분비물Lochia(자궁에서 배출된 분비물)이 배출되어 자궁복구를 촉진한다(모유수유는 모자양쪽 모두에게 좋다).

관련 질환

유방암Breast cancer
유방촉진 시 정상 유방은 아래부분(큰가슴근Pectoralis major m.)에서 밀면 자유롭게 움직일 수 있다. 반면에 유방암 환자의 유방은 유방 아래 조직이 유착되기 때문에 움직이지 않는다. 자주 발생하는 부위는 유방 외측상부다. 무통성으로 표면이 올록볼록하고 딱딱한 덩어리가 독립적으로 만져진다.
유방암은 림프성전이를 일으키기 쉽다.

유방의 구조(단면)

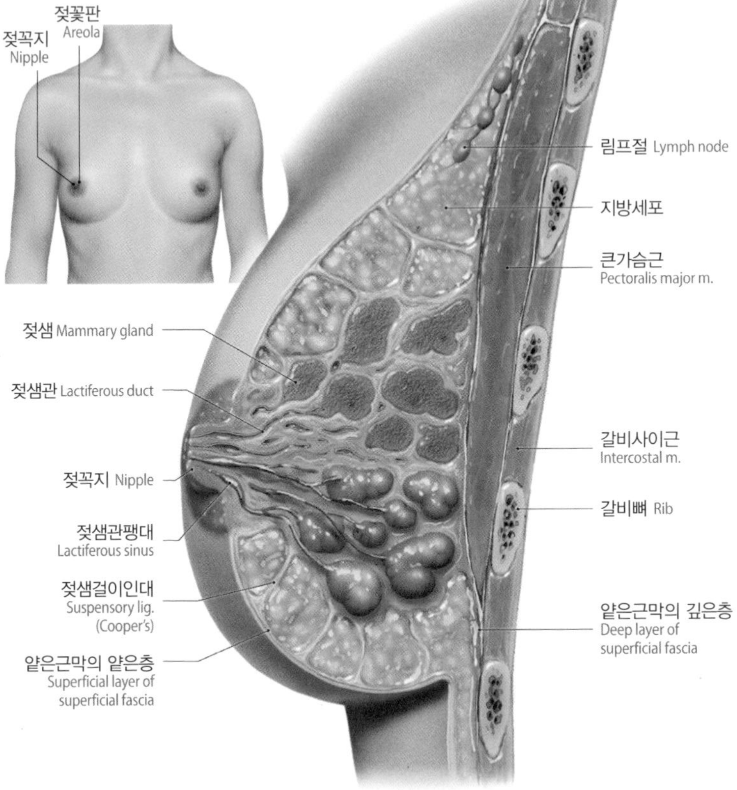

젖꽃판 Areola
젖꼭지 Nipple

젖샘 Mammary gland
젖샘관 Lactiferous duct
젖꼭지 Nipple
젖샘관팽대 Lactiferous sinus
젖샘걸이인대 Suspensory lig. (Cooper's)
얕은근막의 얕은층 Superficial layer of superficial fascia

림프절 Lymph node
지방세포
큰가슴근 Pectoralis major m.
갈비사이근 Intercostal m.
갈비뼈 Rib
얕은근막의 깊은층 Deep layer of superficial fascia

옥시토신과 프로락틴의 흐름과 작용

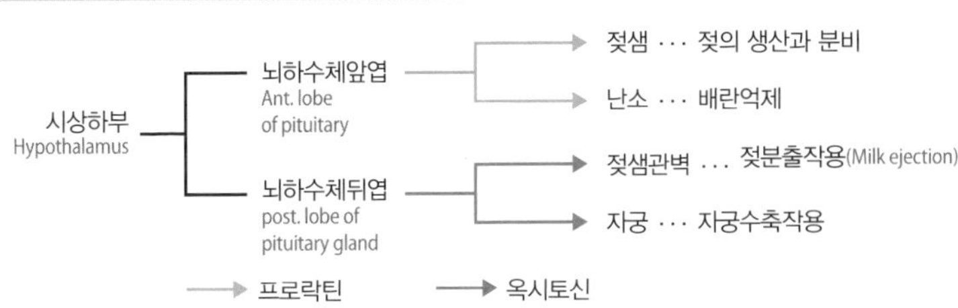
시상하부
Hypothalamus
뇌하수체앞엽
Ant. lobe of pituitary
뇌하수체뒤엽
post. lobe of pituitary gland
젖샘 ··· 젖의 생산과 분비
난소 ··· 배란억제
젖샘관벽 ··· 젖분출작용(Milk ejection)
자궁 ··· 자궁수축작용
프로락틴
옥시토신

성주기 Sexual cycle

이것만은 기억하자!

- 난소주기Ovarian cycle 는 난포기Follicular phase(월경개시일부터 배란Ovulation이 일어날 때까지의 기간), 배란Ovulation(배란이 일어나는 날), 황체기Luteal phase(배란에서 다음 월경개시전일까지)로 나뉜다.
- 월경주기Menstrual cycle는 난소주기에 따라 자궁내막Endometrium에 변화가 나타난다. 월경기Menstrual phase (자궁내막이 탈락해 출혈하는 시기), 증식기Proliferative stage(자궁내막의 증식이 배란까지 계속되는 시기), 분비기Secretory stage(자궁내막이 더욱 증식되는 시기)로 나뉘고 난소주기와 관계있다.
- 월경주기의 월경기와 증식기가 난소주기의 난포기와 일치한다. 월경주기의 분비기는 난소주기의 황체기와 일치한다.
- 증식기는 난포호르몬(에스트로겐, E)의 작용에 영향을 받고 분비기에는 황체호르몬(프로게스테론, P)도 추가되어 영향을 받는다.
- 난포호르몬(E)은 뇌하수체앞엽의 난포자극호르몬(FSH)*에 의해 자극을 받아 난소의 성숙난포Graafian follicle에서 분비된다. 난포호르몬에는 에스트라디올Estradiol, 에스트론Estrone, 에스토리올Estriol 등이 있다.
- 황체호르몬(LH)은 뇌하수체앞엽의 황체형성호르몬(LH)**에 의해 자극을 받아 난소의 황체Corpus luteum로부터 분비된다. 자궁내막의 증식기에서 분비기까지는 배란억제, 체온상승, 젖샘발육 등이 나타난다.
- LH의 급격한 상승 LH surge 이 배란의 방아쇠 역할을 한다.

임상 응용

기초체온Basal body temperature

기초체온으로 각 성주기 or 배란을 예측할 수 있다. 난포기에는 체온이 낮아지고(저체온), 한 번 더 체온이 내려간 후(배란), 황체기에는 체온이 다시 올라가게 된다(고체온).

임신을 하면 황체에서 에스트로겐과 프로게스테론의 분비가 계속 되고(고체온), 임신이 안된 경우에 황체는 위축되고 에스트로겐과 프로게스테론의 분비가 저하되어 자궁내막이 벗겨져서 월경이 일어난다(저체온).

임신을 해서 태반Placenta이 생기면 태반에서 사람융모성 생식샘자극호르몬Human chorionic gonadotropin, HCG, 에스트로겐, 프로게스테론, 릴랙신Relaxin, 사람태반젖샘자극호르몬Human placental lactogen 등의 호르몬이 분비된다.

역주

* Follicle stimulating hormone

** Luteinizing hormone

여성의 성주기

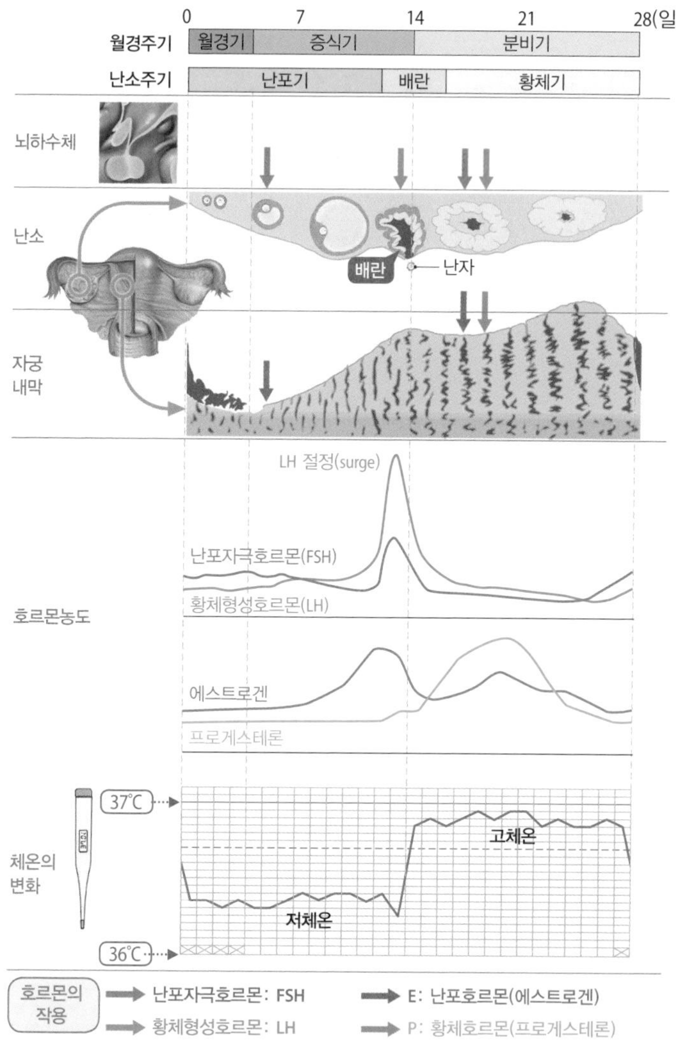
0
7
14
21
28(일)
월경주기
월경기
증식기
분비기
난소주기
난포기
배란
황체기
뇌하수체
난소
배란
난자
자궁
내막
LH 절정(surge)
난포자극호르몬(FSH)
황체형성호르몬(LH)
호르몬농도
에스트로겐
프로게스테론
37℃
36℃
체온의
변화
고체온
저체온
호르몬의
작용
난포자극호르몬: FSH
황체형성호르몬: LH
E: 난포호르몬(에스트로겐)
P: 황체호르몬(프로게스테론)

색 인

참고문헌

1) 키타 세이지 편저: 특기가 되는 해부생리, 쇼린샤, 도쿄, 2010.
2) 사카이 타츠오, 오카다 타카오: 계통간호학강좌 전문기초분야 인체의 구조와 기능[1] 해부생리학 제 8판. 의학서원. 도쿄, 2009.
3) 히노하라 시게아키, 아베 마사카즈, 아사미 이치요오, 외: 계통간호학강좌 저문기초 1 인체의 구조와 기능[1] 해부생리학 제 6판. 의학서원, 도쿄, 2001.
4) 히노하라 시게아키, 세키 야스시, 아베 마사카즈 : 해부학 · 생리학 제 2판. 의학서원, 도쿄, 1974.
5) 요시다 아츠시 감수, 사메 저: 빨리 아는 해부학 핸드북. 나츠메사, 도쿄, 2011.
6) 야마우치 아츠코, 카메야마 미치코, 후루세 케이코편: 너스 · 간호학생을 위한 헤드사이드 수치표 제 3판. 학습연구사, 도쿄, 1996.
7) 후지타 츠네오: 입문인체해부학 개정 제 4판. 남강당, 도쿄, 1999.
8) 타케우치 슈우지 감수: 프로가 가르쳐주는 인체의 모든것을 아는 책. 나츠메사, 도쿄, 2012.